À la découverte du patrimoine
avec
GÉRARD MORISSET

*Exposition présentée au Musée du Québec
du 4 février au 1ᵉʳ mars 1981.*

MINISTÈRE DES AFFAIRES CULTURELLES - 1981

ISBN 2-551-04204-6

Dépôt légal - 1er trimestre 1981
Bibliothèque nationale du Québec
©Ministère des Affaires culturelles, 1981

Conception: Direction des communications
Graphiste conseil: Couthuran

Gilles Jacques

AVANT-PROPOS

À la fin du mois de décembre 1970, avec la mort de Gérard Morisset, disparaissait une des plus grandes figures des domaines artistiques et culturels du Québec.

Tout au long de sa carrière, cet homme, dont l'érudition suscita rapidement l'admiration, s'employa entièrement à découvrir, à faire connaître et à mettre en valeur un patrimoine jusquelà menacé de toute part. Notaire de profession, il se détourna complètement de cette première vocation pour se consacrer à des travaux dramatiquement négligés par ses contemporains. En 1937, Gérard Morisset organise l'Inventaire des Oeuvres d'Art. La tâche est immense. Il y travaillera jusqu'en 1968. Avec des moyens limités, il parcourt le Québec, photographie, dépiste, identifie, défend et classe des oeuvres dont un très grand nombre seront acquises par le Musée du Québec, institution qu'il dirige de 1953 à 1965. Cette période est fondamentale dans l'histoire du Musée, qui, en quelques années, se range parmi les plus prestigieux établissements muséologiques au Canada. Par la qualité et la rare élégance de ses ouvrages, Gérard Morisset fera connaître et apprécier l'art du Québec. Le mouvement est donné, il ne s'arrêtera plus.

C'est avec respect et gratitude que nous saluons la mémoire d'un homme infiniment modeste qui, par l'ensemble de son action et à lui seul dans bien des cas, a sauvé une très large partie de notre patrimoine et en a donné l'orgueil et le goût.

Denis Vaugeois
ministre des Affaires culturelles

INTRODUCTION

Le Musée du Québec et le Groupe de Recherche en Histoire socio-culturelle du Québec ont voulu célébrer la mémoire de Gérard Morisset à l'occasion du dixième anniversaire de sa mort. Sans plus tarder, il importait de donner le coup d'envoi aux recherches qui pourront être entreprises sur l'oeuvre de celui qui fut en quelque sorte notre Prosper Mérimée et notre Viollet-le-Duc. Les chapitres de ce livre ont été confiés à des auteurs de Montréal et de Québec, sans qu'ils aient pu discuter de leurs points de vue. Chacun a donc travaillé un aspect particulier, ce qui expliquera sans doute certaines répétitions. Qu'à cela ne tienne. Des travaux plus poussés corrigeront imprécisions et discordances.

L'exposition permettra, quant à elle, de montrer au public ce que fut Gérard Morisset, comment il travaillait et donnera une idée de l'activité extraordinaire qu'il a déployée comme directeur de l'Inventaire des Oeuvres d'Art et comme conservateur du Musée du Québec. On pourra également apprécier ses talents de dessinateur et de peintre et voir quelques-uns des manuscrits de son oeuvre écrite.

Le Groupe de Recherche de l'université Laval tient à remercier tous ceux qui ont participé à la préparation du livre et qui ont rendu possible l'exposition: le Musée du Québec, les collègues de Montréal et de Québec, plus particulièrement, Luc Noppen et Jacques Robert, qui a préparé la bibliographie et qui a rassemblé les textes. À madame Gérard Morisset, notre plus vive reconnaissance pour tout le temps et la patience qu'elle a consacrés à plusieurs d'entre nous durant plus d'une année pour répondre à nos questions.

Claude Galarneau
directeur du GREHSOCQ

TABLE DES MATIÈRES

GÉRARD MORISSET ET LE MILIEU CULTUREL

par Claude Galarneau
département d'histoire
université Laval

Les biologistes comme les historiens admettent aujourd'hui que le destin individuel repose sur l'acquis autant que sur l'inné, les gènes fournissant la recette et le milieu, les ingrédients. Ajoutons à cela que les deux facteurs sont en interrelation et non en addition, de sorte qu'il est impossible de mesurer l'un et l'autre. Quand on connaît la vie et l'oeuvre de Gérard Morisset, il ne fait aucun doute que la nature l'avait bien servi à sa naissance. Ses multiples dons et talents sont connus et admirés. Aussi mon propos ne sera-t-il pas de composer la trame de ses qualités ou de décrire sa vie et d'apprécier son oeuvre, mais plutôt d'esssayer de le situer dans les milieux culturels successifs qui ont été les siens ou auxquels il s'est intégré, depuis le début du siècle jusqu'aux années soixante.

* * *

Les psychologues l'ont assez dit, et chacun sait d'expérience toute l'importance de la famille sur la carrière de la femme et de l'homme. C'est dans la famille Morisset, à Cap-Santé, qu'il faut donc pénétrer. Le père, Gédéon, était ferblantier-couvreur. Artisan aimant son métier, il était aussi habile à couvrir le toit d'une maison ou un clocher d'église qu'à façonner les menus objets de fer-blanc qu'on utilisait dans la vie quotidienne. Son fils Gérard me confia un jour l'admiration qu'il vouait à ce père artisan, qu'il accompagnait durant l'été, et auquel il devait le goût de l'harmonie des formes et du travail bien fait. Le père était aussi musicien, organiste à la tribune de l'orgue paroissial, qu'il jouait d'oreille. Sa mère, Ernestine Cinq-Mars, venait d'une famille de musiciens. Institutrice, elle donnera à ses enfants le goût de l'instruction en même temps que de la musique. C'est elle qui les tenait à l'école, qui surveillait les devoirs et les leçons, qui animait les loisirs des dimanches et fêtes et des longues soirées d'hiver. Elle enseignait le chant et le piano à ses garçons et filles, qui pouvaient copier les pièces musicales dès l'âge de huit ans, histoire de fournir une partition à chacun. Le père et la mère ayant décidé un jour d'étendre ce type de récréation à tout le village, Gédéon ajouta une aile à la maison pour y faire à l'étage une salle de théâtre. C'est aussi dans sa famille qu'il s'est initié au dessin. La mère avait vite décelé les talents de ses enfants: aussi envoyait-elle Gérard dessiner et Maurice bricoler quand les frères se querellaient. À l'été, il faisait aussi du dessin avec un jeune estivant de quelques années son aîné, Elzébert Garneau, à qui Cap-Santé doit des dessins, des esquisses et des tableaux qui donnent un portrait fidèle de ce beau village au début du XXᵉ siècle. Trois de ses soeurs étaient institutrices comme l'avait été en son temps sa grand-mère maternelle, née Philomène Lemay, qui vivait avec eux. Chaque été voyait arriver ses deux oncles Cinq-Mars, le poète Alonzo et le célèbre chanteur Émilien. En somme, un milieu familial modeste, mais où la culture populaire artisane et la culture artistique faisaient bon ménage.

Les parents, et peut-être le curé, avaient compris que Gérard pourrait faire des études plus poussées. Ils le mirent au pensionnat Saint-Louis-de-Gonzague à Québec, école préparatoire aux études classiques réputée. Il fut admis en septembre 1911 au collège de Lévis. Il est difficile aujourd'hui de se représenter ce que pouvait être l'entrée au collège à cette époque. Quelques rares garçons avaient cet insigne privilège de commencer un cours d'études qui conduirait à la prêtrise, à la médecine et au droit, les seules professions connues alors. Ils se trouvaient en même temps à quitter le milieu familial pour toujours, puisqu'ils seraient pensionnaires dix mois sur douze et que le collège remplacerait vite la famille comme espace culturel.

La vie au collège classique s'articulait autour de deux axes principaux, de deux types de pratiques pédagogiques: celles de l'outillage intellectuel et celles de l'honnête homme. L'outillage intellectuel était assuré par l'apprentissage du latin, du grec, du français et de l'anglais, par la grammaire et la littérature, les belles-lettres et la rhétorique. À cela s'ajoutaient les matières de mémoire, l'histoire, la géographie et la mythologie. Les deux dernières années étaient consacrées aux mathématiques, à la chimie, à la physique et à la philosophie thomiste. Ces études s'accomplissaient par de multiples travaux, devoirs, leçons et compositions, exercices gradués tout au long des huit années du cours. L'émulation servait d'aiguillon à tant d'efforts, que couronnaient les récompenses remises lors de la distribution solennelle des prix de fin d'année.

Mais la latinité ni la philosophie ne pouvaient suffire à former l'honnête homme. À la gymnastique intellectuelle, on devait ajouter le savoir-faire, le savoir-dire que procuraient les exercices physiques et les bienséances. Pour affiner le goût, on faisait appel aux ressources de l'art oratoire et du théâtre, de la musique et des arts plastiques. Ces pratiques pédagogiques avaient lieu en dehors des classes et des programmes, mais elles se tenaient néanmoins dans des lieux précis, tels que les académies, les cercles de discussion, les sociétés de chant choral et dans l'harmonie, ensemble musical que chaque collège se devait de posséder. Le tout était cimenté par l'éducation morale et religieuse, fondée d'abord sur la vertu de l'internat, véritable dogme en éducation et nécessité pour la plupart des élèves avant 1950.

Le collège de Lévis répondait depuis longtemps à ce modèle lorsque Gérard Morisset y arriva. Il offrait un cours commercial à côté du cours classique, trait original des institutions québécoises depuis 1830. Les classes élémentaires de la section commerciale servaient d'ailleurs à mieux préparer les élèves aux études classiques. Morisset ayant reçu cette préparation à Saint-Louis-de-Gonzague, il entra immédiatement en éléments latins. On sait qu'il fit de bonnes études, se classant très bien, méritant même le baccalauréat de philosophie par l'excellente moyenne des notes de l'année, ceci en vertu d'un règlement d'exception de 1918 pour ceux qui avaient été appelés au service militaire suivant la loi de conscription. Les élèves qui n'avaient pas obtenu la moyenne exigée durent se présenter aux examens l'année suivante.

Ses condisciples ont gardé le souvenir d'un collégien sérieux, remarquable par ses qualités intellectuelles et surtout par ses ressources exceptionnelles dans les pratiques de l'honnête homme. Il eut la chance de développer ses talents musicaux dans un collège qui comptait de bons musiciens. Il fit de si rapides progrès au piano et à l'orgue sous la direction de l'abbé Alphonse Tardif que ce dernier lui obtint le privilège d'aller suivre les leçons du maître Henri Gagnon, à Québec. L'abbé Lauréat Boulanger dirigeait le chant choral à la chapelle comme à la salle de théâtre, tandis que l'abbé Élias Roy enseignait le nouveau grégorien, qu'il avait étudié en 1913 chez les bénédictins de Solesmes, réfugiés à l'île de Wight. Là encore, Gérard avait si bien appris qu'il devint l'un des deux maîtres de chapelle du collège avec son condisciple Achille Demers. Il ne pouvait rester ignoré de l'harmonie, où on lui fit jouer la clarinette. Un quatuor à cordes ayant vu le jour, il joua l'alto. Il ne négligeait pas pour autant le dessin et la peinture. On lui demanda de s'occuper des décors de théâtre que réclamaient les quelques pièces présentées chaque année. Il fut également chargé de fabriquer la « *mosaïque* » des finissants. Par-dessus tout, un homme l'a profondément marqué, qu'il eut le bonheur de connaître dès sa première année, l'abbé Jean-Thomas Nadeau, qui rentrait alors d'un séjour de deux ans à l'université de Lille, où il avait fait sa licence en lettres. Leur amitié et leur convergence de goûts allaient orienter la vie et la carrière de Gérard Morisset.

*   *   *

Faute de pouvoir entreprendre un cours d'architecture, il se dirigea vers le notariat. Pour payer le coût de ses études, sa chambre et sa pension, en plus de l'aide de sa famille, il est organiste suppléant de Henri Gagnon à la cathédrale de Québec. Au même endroit, il chante tous les matins à la messe du chapitre avec son frère René, étudiant en médecine, J.-B. Gagnon et Georges Gravel. Il s'occupe de l'illustration de l'*Almanach de l'Action sociale catholique*, participe à la fabrication des mosaïques de différents collèges et à d'autres travaux similaires. Il logeait rue Scott avec sa soeur Pauline, son frère René et un ami de la faculté de Droit, Romulus Roy, auxquels les cousins Turgeon se joignaient pour parler de musique, d'arts plastiques, de littérature et de politique.

Reçu notaire en 1922, il ouvre un bureau rue Saint-Jean, se promettant d'aller un jour étudier l'architecture en France. Il se marie quelques mois après avec Marguerite Mignault. Tous ses loisirs sont consacrés aux arts. Il s'informe et lit ce qu'on peut trouver à Québec sur l'architecture, la peinture et la sculpture, se constituant des dossiers fort bien illustrés de dessins et de clichés découpés dans les revues et les journaux. Il a des entretiens hebdomadaires avec l'abbé Nadeau, et les deux amis discutent d'art européen et d'art canadien, s'intéressant particulièrement à l'art contemporain et surtout à l'architecture. C'est ainsi qu'ils ont préparé les plans de quelques églises de la ville et de la région de Québec, au grand dam des membres de la corporation. Morisset exprime encore ses idées dans une bonne dizaine d'articles parus dans l'*Action* et dans l'*Almanach de l'Action* sur l'architecture religieuse et les églises du Québec. La trentaine arrivée, ayant fait le plein de ce que Québec pouvait lui offrir et ayant aussi réalisé quelques économies, il croit ne pouvoir différer plus longtemps son départ pour la France, où il irait enfin poursuivre des études d'architecture.

*   *   *

Jusqu'à la fin des années cinquante, alors que les avions à réaction ont réduit la traversée de l'Atlantique à sept heures et que le prix du billet est devenu moins cher que celui de sept jours en bateau, les voyages en Europe n'étaient possibles qu'à ceux qui en avaient les moyens et qui jouissaient d'au moins trois mois de vacances. Quant aux étudiants, qu'ils restent une ou cinq années ne changeait rien à l'affaire: on ne les reverrait qu'une fois les études terminées. Leur départ regroupait les membres de la famille, la parenté et les amis. On tirait des photos et on se disait un au revoir qui était presque un adieu, les uns et les autres sentant que les partants ne seraient plus tout à fait les mêmes à leur retour. Gérard Morisset s'embarque ainsi à Québec en octobre 1929 avec sa femme et ses enfants.

De 1815 à 1920, ce sont surtout les médecins qui vont parfaire leurs connaissances en France et en Angleterre. Un seul, Pierre Beaubien, fait des études complètes de médecine à Paris et conquiert son grade de docteur. Les artistes sont aussi présents tels que Antoine Plamondon, Théophile Hamel, Napoléon Bourassa ou Ernest Gagnon, Albani et Rodolphe Plamondon, ainsi que de rares sociologues comme Edmond de Nevers et Léon Gérin. Quelques professeurs prêtres de collège, comme Camille Roy et Jean-Thomas Nadeau étaient passés par les instituts catholiques de Paris, de Lille et de Lyon après 1880.

À partir de 1920, certaines conditions de la vie intellectuelle commencent à changer au Québec et vont permettre à plus d'étudiants d'aller à l'étranger. Les universités de Québec et de Montréal se sont enfin séparées et s'engagent dans une émulation qui ne peut que donner de bons résultats. Montréal crée des facultés de Sciences, de Lettres et de Sciences sociales. Québec ouvre une École de chimie et une École normale supérieure de Lettres et de Sciences.

Inspiré par Athanase David, le gouvernement du Québec institue pour sa part des bourses d'études post-scolaires la même année. Le nombre augmentera, passant de 5 en 1920 à 51 en 1930, diminuant à 18 en 1935 pour revenir à 40 en 1939. C'était là un effort important consenti par l'État à l'époque, quand on sait que le nombre de ces boursiers n'atteindra plus la trentaine entre 1944 et 1960. Chose aberrante, le montant de la bourse restera fixé à $1200. jusqu'à 1958, ce qui illustre le peu de cas que l'administration du Québec faisait de l'enseignement supérieur. Avant 1940, le nombre des médecins demeure élevé: ils raflent parfois plus du tiers des bourses. On compte encore quelques professeurs de collège et des artistes. Le fait nouveau, c'est qu'il y a désormais de jeunes diplômés laïques, des scientifiques, des littéraires, ainsi que des candidats en sciences sociales, politiques ou économiques. On trouve certes beaucoup plus de non-boursiers que de boursiers, et ceux-là vivent d'expédients et d'emprunts.

Pour mieux préparer le concours d'entrée à l'École d'architecture de Paris, Gérard Morisset décide de travailler une année à Lyon avec Tony Garnier, architecte réputé. Ce séjour s'avère profitable à tous points de vue, notamment en dessin. Mais il ne put se présenter au concours de 1930, ayant dépassé l'âge d'admission. À quelque chose malheur est bon, puisque cette occasion manquée allait infléchir sa carrière et donner au Québec l'un des savants dont il avait le plus grand besoin. Il s'installe à Paris, s'inscrit à l'École du Louvre pour se spécialiser en histoire de l'art. Il eut pour maître Gabriel Rouchès et comme professeurs Louis Hautecoeur, Robert Rey et quelques autres. S'écoulent alors quatre années de cours, d'études, de travail dans les musées, les églises et les autres monuments de Paris et des environs. Au cours de cette période, il correspond avec l'abbé Jean-Thomas Nadeau, qui lui fournit de la documentation précieuse pour sa thèse sur la peinture au Canada français et qui lui envoie de temps à autre quelques secours, les bourses ne venant pas chaque année. Gérard Morisset le remerciera en termes chaleureux dans sa dernière lettre de Paris, en mars 1934.

Les bibliothèques et les archives, les expositions et les musées ne peuvent occuper tous ses moments de loisir et l'empêcher de rencontrer ses amis. À la vérité, ce n'est pas lui que l'on voit dans les restaurants de Montparnasse. Il n'en a ni le goût ni les moyens et il s'occupe de sa famille. Le cercle de ses amis comprend un groupe de compatriotes choisis, étudiants pour la plupart, musiciens, littéraires, poètes et comédiens: Raoul Jobin et sa femme, son cousin Jean-Marie Beaudet, Paul Larose, Hélène Landry, Charles Lapointe et Antoine Montreuil, élèves des plus grands maîtres parisiens; les poètes Simone Routier et Alain Grandbois, les chartistes Raymond Parent et Jules Bazin, les comédiens Laurette Larocque et son mari Jacques Auger, et René Garneau, étudiant à la Sorbonne. Il y a encore les membres du bureau des Archives du Canada à Paris: Théo Beauchesne, le directeur, l'adorable couple Robert de Roquebrune et Josée Angers ainsi que Edmond Buron. Celui-ci, né à Berthier-en-Haut, avait fait des études d'histoire à Paris et était devenu l'un des plus éminents seiziémiste de langue française. Il était trop savant pour le Québec, comme le lui avait décrit le Surintendant de l'Instruction publique, à qui il avait offert ses services. Morisset se rend aussi chez les franciscains de Paris causer avec le père Odoric-Marie Jouve, qui avait vécu de nombreuses années au Québec et qui connaissait bien notre histoire. À l'été 1931, les Morisset passent les vacances dans une grande maison de Montfarville, en Normandie, avec les Auger, Jean-Marie Beaudet, Hélène Landry et Paul Larose. On voit assez, par l'excellence qu'ont atteint ces Québécois dans leur discipline, la qualité des personnes fréquentées par Gérard Morisset. Les conversations et les propos qu'on y tient portent surtout sur les arts, sur la littérature au sens large et sur la politique. Gérard est le seul à s'intéresser aux sciences, à leur réserver une place dans sa bibliothèque et ses lectures. Parmi les écrivains et les critiques littéraires les plus en vogue avant la guerre, Morisset aimait bien Martin du Gard, Gide, Valéry et Thibaudet, pour ne nommer que ceux-là.

Le docteur Siméon Grondin, directeur de la maison des étudiants canadiens à Paris et responsable des boursiers du Québec, signalait dans son rapport au Secrétaire de la province, pour l'année 1931-1932, que Gérard Morisset comptait « parmi les élèves remarquables ». C'est le seul qu'il classait ainsi. Durant leur dernière année à Paris, Morisset et Jules Bazin font des projets d'avenir, dont l'inventaire des oeuvres d'art leur paraît le plus urgent. Et le 8 mars 1934, Gérard soutient sa thèse sur *La peinture au Canada français*. Les membres du jury, Rouchès, Hautecoeur, Bonnaud et Verne lui accordent la plus haute mention, soulignant que c'était la meilleure thèse des quinze dernières années. Le secrétaire de la Légation, le docteur Grondin, les membres du bureau des Archives et les autres amis se sont ensuite retrouvés à la Légation canadienne pour une réception en l'honneur d'un politicien de passage, réception que les amis considèrent davantage consacrée au succès de Gérard, que le docteur Grondin ne manqua pas de signaler.

*   *   *

Après cinq années de recherche au cours desquelles il avait fait son chef-d'oeuvre et travaillé pour le Musée du Louvre, Morisset rentre au Québec avec un diplôme et le titre d'attaché honoraire du Musée du Louvre, où d'ailleurs on lui avait offert un poste. Mais il sait ce qu'il veut accomplir au pays. Il lui faut d'abord trouver un emploi. D'une part, la crise économique sévit toujours et personne n'en voit la fin prochaine. Elle touche aussi bien les membres des professions libérales que les ouvriers et les employés. À supposer, d'autre part, que la prospérité fût revenue, des intellectuels comme Morisset n'avaient pas encore de lieu où faire carrière. Les universités de Montréal et de Québec avaient embauché quelques professeurs de sciences et de lettres depuis 1920. Les administrateurs de Montréal ont eu un moment l'idée, devant la crise économique, de fermer les jeunes facultés de Sciences, de Lettres et de Sciences sociales. Ceux de Québec ont obtenu de leurs professeurs laïques de carrière qu'ils acceptent une diminution et un gel de salaire pour les années de crise. Sans compter qu'un diplômé de l'École du Louvre était difficile à caser dans l'univers québécois du temps. Les écoles des Beaux-Arts de Québec et de Montréal avaient leurs professeurs et l'histoire de l'art ne s'enseignerait pas à l'université avant longtemps.

Morisset se présente à Athanase David peu après son retour au pays. Celui qui avait institué les bourses pour études post-scolaires, qui avait créé le grand prix littéraire qui porte son nom, écoute les propos de Morisset, qui lui parle de l'enseignement du dessin et de l'inventaire des oeuvres d'art. Au début de l'année 1935, Morisset est nommé directeur de l'enseignement du dessin dans les écoles normales. Deux ans après, il est chargé de l'Inventaire des Oeuvres d'Art. Il a d'ailleurs commencé ses travaux d'inventaire dès sa nomination à la direction de l'enseignement du dessin, puisque cette fonction l'amenait aux quatre coins de la province. Il écrivait le 25 janvier 1935 à Gustave Lanctôt: « J'explore la province de Québec. J'y fais tous les jours des découvertes qui me prouvent ceci: tous ceux qui ont étudié notre passé artistique se sont copiés les uns les autres et ont perpétré de nombreuses erreurs. En sorte que tout est à recommencer. Et je recommence tout ».

C'est ce qu'il fit durant trente ans, allant partout, débusquant les trésors cachés, dépouillant les greffes et les archives des paroisses et des institutions religieuses, photographiant et dessinant. Grâce à des subventions spéciales du Secrétariat de la Province, il eut trois ou quatre étés l'aide de Jules Bazin, qui avait suivi les cours de l'Institut d'art et d'archéologie de Paris, ainsi que celle de Maurice Gagnon, de Paul-Émile Borduas, de Raymond Parent et d'autres. En 1953, il fut nommé conservateur du Musée du Québec. Et ce fut une carrière magnifique, une vie de labeur constant. Il travaillait, mais il recevait toujours l'homme d'ici ou d'ailleurs venu prendre conseil ou consulter ses dossiers, attentif à la moindre demande de renseignements du spécialiste ou de l'étudiant. Immense effort déployé, faut-il le dire, avec une grande économie de moyens, un traitement de famine et une méconnaissance à peu près totale de la part de la classe politique et des autres ignorants mal instruits.

Il n'attendit pas davantage d'avoir atteint la retraite pour publier les résultats de ses recherches, sa bibliographie le montre à suffisance. Ses véritables moments de loisirs, il les employait à écrire des articles de journaux et de revues, à rédiger des conférences et des causeries à la radio, à composer ses livres. Ces derniers, il les publia presque tous à compte d'auteur, empruntant sur ses maigres polices d'assurance, ne pouvant d'ailleurs pas vendre beaucoup d'exemplaires, cela n'intéressant que quelques amateurs de chez nous en plus des spécialistes étrangers.

La culture savante avait beau manquer de souffle et de certains types d'institutions, il n'en demeure pas moins que le pays et, bien entendu, les villes de Québec et de Montréal connaissaient des cercles et des sociétés où les intellectuels pouvaient se rencontrer. Hors les réseaux de l'alphabétisation par les écoles primaires, de la culture probatoire par les collèges, les écoles normales et les autres formes d'enseignement secondaire, il y avait, dans le secteur français, les universités de Québec et de Montréal, dont on sait que les innovations donneraient des fruits à long terme. Le monde du travail en usine et les cultivateurs étaient encadrés par des syndicats. Au monde religieux déjà dense, sont venus s'ajouter les mouvements d'action catholique. Les préoccupations de ces diverses institutions ne sont cependant pas tant d'ordre intellectuel que professionnel et moral. Les mouvements nationalistes accordent pour leur part davantage d'attention à la chose littéraire, tout en étant de la mouvance de Maurras et surtout de Léon Daudet, sans avoir de liens directs d'affiliation avec eux. L'abbé Groulx et ses nombreux disciples, la revue *Vivre* et la *Nation* sont proches de cette pensée politique. Jacques Maritain et Emmanuel Mounier ont pour leur part des sympathisants à Montréal qui s'expriment dans la *Relève*.

Dans le domaine scientifique, l'Association canadienne-française pour l'avancement des sciences commence à réunir ses congrès en 1932. Un groupe d'érudits attachés à l'histoire du Canada français fonde la Société des Dix, qui publiera un cahier annuel. À Montréal, les quotidiens qui manifestent quelque souci intellectuel sont le *Canada*, le *Devoir* et l'*Ordre*, qui ne vivra que quinze mois. Parmi les hebdomadaires, la *Renaissance* et le *Jour* sont les plus critiques. Québec voit paraître l'*Action catholique*, le *Soleil*, l'*Événement* et le *Journal*, qui emploient de bons journalistes et dont le dernier a un rédacteur d'une rare capacité intellectuelle, Louis Francoeur. Les cercles les plus en vue de la capitale comprennent la Société du Parler français, groupe d'érudits qui publie le *Canada français*, la Société des Arts, Sciences et Lettres, organe de la bourgeoisie établie et qui édite le *Terroir*, l'Institut canadien avec sa bibliothèque et ses conférences, animé par Alphonse Désilets.

On peut se demander où les retours d'Europe se retrouveraient dans tout cela. Les médecins reprennent ou ouvrent leur bureau, alors que les scientifiques obtiennent le poste qu'on leur avait réservé. Les musiciens sont organistes, maîtres de chapelle, professeurs de chant, de piano et de violon. Quant aux littéraires, ils doivent certes se démener. Georges Langlois et Jules Bazin deviennent journalistes au *Canada* et à l'*Ordre*, Morisset entre au service de l'État. Les autres sont secrétaires de ministres sous le premier ministère de Duplessis ou vivent d'expédients jusqu'à la guerre. Ces jeunes hommes dans la trentaine se sont émancipés sur le plan intellectuel. Leurs aînés ont entrepris de proposer des réformes dans le domaine de l'éducation, comme Jean-Charles Harvey et Olivar Asselin, mais ils ont payé cher leur audace. Le premier voit son livre condamné par le cardinal Villeneuve et perd son poste de rédacteur en chef du *Soleil* tandis que le second doit fermer son journal. Morisset était incidemment arrivé à Québec trois semaines avant la mise à l'index des *Demi-civilisés*. En somme, ceux qui sont considérés non conformes doivent se taire sous peine d'être impitoyablement écrasés. Il eût été alors étonnant, sinon impensable, que de petits groupes ne se forment où l'on pourrait au moins s'exprimer sans craindre la censure.

C'est ce qui se produit à Québec vers 1933, où naît spontanément, et sans statut d'association volontaire, un cercle d'intellectuels qui finit par s'appeler l'Anti-Crétin. Les initiés se réunissent tous les quinze jours pour le déjeuner ou le dîner à l'étage du restaurant Kerhulu, rue de la Fabrique. Le témoignage des anciens est unanime: on y parlait librement de tout. Chaque fois, un membre présente un topo, qui pouvait être une poésie, un compte-rendu de livre ou un rapport sur l'événement culturel de la quinzaine. La célèbre conférence du cardinal Villeneuve à Montréal sur l'université, école de haut-savoir, a reçu un tel commentaire. C'est là que Jean-Charles Harvey a déclaré, après sa condamnation, que c'était le plus beau jour de sa vie. Le cercle comprend des journalistes comme Harvey, Lorenzo Masson, Louis Francoeur, des professeurs comme Cyrias Ouellet, de l'École de chimie, Henri Fontaine, Toto Dufresne et Auguste Viatte, professeurs à l'École normale supérieure de Lettres. Ce dernier amenait avec lui les étudiants Luc Lacourcière et Jean-Charles Bonenfant. On y voit encore Jean Paul Lemieux, René et Pierre Chaloult, Philippe Ferland, Bruno Lafleur, René Garneau et Gérard Morisset. En tout, vingt à vingt-cinq personnes, intéressées par tous les aspects de la vie culturelle, passionnées des débats de la politique autant que des idées.

Hors ce cercle, Morisset va parfois dîner avec Edmond Chassé au Château Saint-Louis, il se rend le dimanche midi prendre l'apéritif au Terrace Club du Château Frontenac, après avoir écouté le finale de Henri Gagnon aux grandes orgues de la basilique. Parmi ceux dont il cultive davantage l'amitié, on retrouve Henri Gagnon, Alain Grandbois, Jean-Marie Gauvreau, Jacques Simard, ces deux derniers de Montréal. Il avait eu la douleur de perdre son plus grand ami, l'abbé Jean-Thomas Nadeau, quelques semaines après son retour en 1934.

La guerre survient, drainant toute l'attention. Chacun obtient un travail bien rémunéré, plusieurs quittent Québec, et c'est la dispersion. Les conférences, les articles, les livres, bientôt la Société royale et d'autres cercles remplacent ceux des années trente. L'après-guerre voit le développement accéléré des universités. Les facultés de Lettres, de Sciences sociales ou de Sciences augmentent leurs effectifs plus ou moins rapidement. Des contingents d'étudiants vont en Europe et aux États-Unis se perfectionner dans de nouvelles disciplines, telles que la linguistique, l'histoire, la géographie, la sociologie et l'anthropologie. Pour dix années encore, le césaro-cléricanisme croira posséder le gouvernement de l'intelligence, mais ce n'était plus qu'un leurre. Tout était en train de céder, même si bien peu de personnes voulaient s'ouvrir les yeux à la réalité. Des changements profonds travaillaient l'ensemble de la société. Les campagnes se vidaient, les populations des villes sentaient le besoin de s'instruire, la pratique religieuse perdait du terrain dans toutes les classes sociales. Des enquêtes-maison montraient par exemple que moins de 30% des jeunes filles des collèges classiques de Montréal allaient à la messe le dimanche. À l'université, les étudiants lisaient avec fureur Jean-Paul Sartre et Albert Camus.

Ceux qui avaient trente ans en 1950 avaient lancé *Cité libre*, dont on peut se moquer aujourd'hui, mais qui offrait à ce moment l'une des seules tribunes de contestation publique avec le *Devoir* et Radio-Canada. Dès lors, littéraires, linguistes, historiens, sociologues, économistes et autres intellectuels tiennent deux discours: l'un à peu près neutre, en face des autorités et dans la vie professionnelle; l'autre, franchement critique et parfois violent, rejetant même toute autorité morale, intellectuelle ou politique. C'était l'époque du duplessisme à son apogée, régime qui dépassait la personne du premier ministre. Les uns employaient toutes leurs énergies à le combattre pendant que d'autres préparaient aussi la relève. Gérard Morisset n'avait plus l'âge d'un combat de la sorte. Mais il était cependant attentif à tous ces mouvements d'idées, dévoué aux arts et à la littérature, totalement pris par son travail au Musée, à l'Inventaire et par ses publications. Lorsque le nouveau régime politique arriva, la fatigue et la maladie ne lui permettaient plus que de tenir, alors qu'il n'avait presque pas de successeurs expérimentés et prêts à continuer. Ce trop petit nombre de compétences pourrait expliquer en partie le piétinement qu'a connu le ministère des Affaires culturelles au temps de la révolution tranquille.

*   *   *

L'Inventaire des Oeuvres d'Art ou le patrimoine artistique du Québec retrouvé, c'est à Morisset qu'on le doit. Il a été pour les arts ce que Marius Barbeau et Luc Lacourcière ont été pour la tradition populaire, Marie-Victorin et Adrien Pouliot pour les sciences. Admirablement doué, il a su profiter de chacune des étapes de sa vie et tirer parti des milieux culturels où il s'est trouvé, dans sa famille comme au collège, à Québec comme à Paris, donnant à la collectivité le fruit de son labeur si patiemment poursuivi. L'histoire et la culture du Québec ont, grâce à lui et à quelques autres, pris un sens et une dimension qu'il reste à développer et à rendre plus accessible à l'ensemble de la population.

Le jeune Gérard Morisset en 1921 à la maison familiale de Cap-Santé, occupé à dessiner. *(Collection privée).*

À l'été 1931, les Morisset partagent avec leurs amis une maison en Normandie, à Montfarville. À bicyclette, ils sillonnent les environs. *(Collection privée).*

Le couple Morisset à Paris chez les Larose, des compatriotes et amis. De gauche à droite: Hélène Landry, Corinne Larose, Paul Larose, Marguerite et Gérard Morisset, Jean Beaudet. *(Collection privée).*

BIOGRAPHIE DE GÉRARD MORISSET

par Jacques Robert
histoire de l'art
université Laval

Si on évoque le nom de Gérard Morisset aujourd'hui, c'est en rappelant qu'il fut directeur du Musée du Québec — on parlait à l'époque du conservateur du Musée de la Province, — directeur de l'Inventaire des Oeuvres d'Art et l'auteur de nombreux livres sur l'art et l'architecture du Québec. Ce rappel sommaire demande à être dépassé, surtout dans le cadre d'une publication destinée à lui rendre hommage. Nous tenterons donc, dans les prochaines pages, de poursuivre et de développer cette évocation de Gérard Morisset, de manière à éclairer l'oeuvre de l'historien de l'art qu'il fut.

Évoquer la vie d'un homme ou d'une femme, c'est, dans un premier temps, poser certains points de repère chronologiques. Dans le cas qui nous occupe, c'est donner quelques dates: naissance en 1898, notaire en 1922, études en France de 1929 à 1934, directeur de l'enseignement du dessin à partir de 1935 puis chargé de l'inventaire des richesses artistiques du Québec en 1937, secrétaire de la Commission des Monuments Historiques en 1951, conservateur du Musée du Québec en 1953, décès en 1970. On pourrait aussi citer les principales oeuvres de Gérard Morisset: *Peintres et tableaux* (1936-1937), *Coup d'oeil sur les arts en Nouvelle-France* (1941), *L'architecture en Nouvelle-France* (1949), *La peinture traditionnelle au Canada français* (1960). C'est, dans un deuxième temps, tenter d'expliquer les événements de la vie de l'individu par son histoire personnelle; c'est essayer de voir, par exemple, ce qui conduit Gérard Morisset à de telles activités professionnelles, ce qui le pousse et lui permet de rédiger ses nombreux textes. C'est évoquer les à-côtés de sa carrière: sa collaboration à de nombreuses revues et à quelques journaux, sa participation radiophonique régulière à Radio-Canada et ses très nombreuses conférences. C'est aussi faire son histoire « officielle »: prix, médailles, nominations, diplômes, etc. . Ainsi informés de l'histoire de Gérard Morisset, nous serons en mesure d'évaluer correctement son oeuvre dans les multiples formes qu'elle a prises.

1898-1929: l'enfance, les années de formation, les débuts de la carrière.

Gérard Morisset naît au Cap-Santé, petit village à cinquante kilomètres en amont de Québec, sur la rive nord du Saint-Laurent, le 11 décembre 1898. Sa mère, Ernestine Cinq-Mars, est institutrice; son père, Gédéon, ferblantier-couvreur. La musique occupe une grande place dans la famille. La mère est musicienne et enseigne à ses enfants les rudiments du solfège et de l'exécution instrumentale; le père est organiste à l'église paroissiale. Très tôt donc, Gérard Morisset est initié à l'art musical. Le jeune garçon développe en outre un réel talent pour le dessin. C'est par l'exercice de ces deux arts qu'il occupe ses loisirs. Chose certaine, la pratique de la musique et des arts plastiques sera déterminante pour la vie de Gérard Morisset.

Après des études primaires dans son village natal et une année d'études à Québec, Gérard Morisset fréquente le collège de Lévis dès 1911, et cela jusqu'en 1918. Il franchit avec succès les étapes menant à l'obtention de son diplôme. Au cours de ses années de collège, il développe ses talents naturels pour le dessin et la musique. C'est aussi au collège de Lévis qu'il fait la rencontre d'un homme qui jouera un rôle de premier plan dans la définition de sa carrière: Jean-Thomas Nadeau (1883-1934). Ordonné prêtre en 1908, Jean-Thomas Nadeau enseigne à partir de 1905 au collège lévisien. En 1909-1911, il fait un séjour d'études à l'université catholique de Lille, en France, dans le but d'obtenir une licence ès lettres. De retour au pays, il enseigne de nouveau, mais sa carrière professorale sera de courte durée. En effet, il abandonne l'enseignement en 1913 et devient alors journaliste au quotidien de Québec L'Action Catholique. À quel moment les deux hommes se sont-ils rencontrés? Il est probable qu'ils se soient d'abord connus au moment du séjour de Nadeau au collège, et que les liens qui les unissaient, alimentés par un intérêt commun pour la musique — et notamment pour l'orgue — et les arts plastiques, se soient par la suite resserrés.

Le jeune Morisset vit donc son adolescence dans le climat propre aux collèges classiques, en s'intéressant particulièrement aux arts. Il rencontre fréquemment l'abbé Nadeau, souvent avec quelques amis de son âge, discutant des sujets qui les intéressent. Parmi les jeunes gens qui font partie de ce foyer intellectuel gravitant autour de la personne du prêtre-journaliste, seul Gérard Morisset partage à proprement parler l'intérêt du prêtre pour l'architecture et pour l'art.

En 1918, Gérard Morisset choisit le droit comme carrière. Il est alors admis à la faculté de Droit de l'université Laval; il est reçu notaire en 1922. Le 11 décembre de la même année, il se marie à Marguerite Mignault. Le couple s'installe alors à Giffard, en banlieue est de Québec. Le nouveau notaire ouvre une étude privée rue Saint-Jean. Sa pratique notariale épisodique — il rédige au mieux quatre ou cinq actes par mois — l'accapare peu. Cela lui permet de se consacrer à l'étude du dessin, à la pratique de la musique et à la cueillette des documents sur l'art ancien du Québec.

Cette dernière activité, amorcée en 1921 avec Jean-Thomas Nadeau, est en fait le germe de l'Inventaire des Oeuvres d'Art, instauré officiellement en 1937 par le gouvernement québécois. À cette époque, Gérard Morisset visite les paroisses des environs de la capitale, inventoriant les pièces d'art qui lui paraissent intéressantes, mettant sur fiches les églises, les oeuvres d'orfèvrerie, les orgues, les tableaux et les sculptures.

En 1922, il débute aussi sa carrière d'écrivain, par le biais du journalisme. C'est en effet cette année-là, le 2 décembre, qu'il publie son premier texte dans *L'Action Catholique*. Celui-ci porte sur Cap-Santé; l'auteur y fait l'historique de la paroisse, s'inspirant surtout de la monographie rédigée par l'abbé Félix Gatien à la fin du XIXe siècle. Le ton caractéristique de Gérard Morisset, de même que l'éclat de son style, ne s'y trouvent pas encore. Il faudra attendre pour cela la publication d'un long article dans l'*Almanach de l'Action Sociale Catholique* de 1924, intitulé: « Édifices religieux en France et chez nous ». Jean-Thomas Nadeau, qui dirige la rédaction de l'*Almanach* depuis 1918, lui donne ainsi l'occasion d'étaler au grand jour ses conceptions sur l'architecture. Le ton incisif, polémique même, la vivacité des descriptions et des analyses, les thèmes également, sont tout à fait typiques de son écriture et se retrouveront dans ses articles subséquents. « L'art religieux chez nous » en 1925, « Propos d'architecture religieuse. Architecture religieuse nationale. Rationalisme en architecture. Styles » en 1926, « Le rationalisme en architecture » en 1927, « Propos d'architecture. Le classicisme et ses faux dogmes » en 1928 et « Propos d'architecture. Architecture religieuse moderne » en 1929 traitent de l'architecture sous le même aspect; la condamnation d'une architecture fautive et les propositions pour un nouvel art de bâtir s'y trouvent combinés.

Ces textes lui permettent de poursuivre sa réflexion sur l'architecture. Parallèlement à la rédaction de ceux-ci, le notaire s'insinue de plus en plus dans le domaine architectural. Du plan théorique, il passe au plan pratique. Il conçoit ainsi, de 1921 à 1929, quelques meubles, des monuments funéraires, des maisons, des chapelles. Avec le concours de Jean-Thomas Nadeau, il trace les plans de deux édifices religieux plus importants, tous deux à Québec: l'église temporaire de la paroisse Saint-Pascal-Baylon en 1924, l'église Notre-Dame-de-Grâce en 1925. Il réalise aussi le complètement intérieur de deux églises du comté de Portneuf, celles de Rivière-à-Pierre et de Saint-Gilbert, respectivement en 1927 et 1928.

L'architecture est donc, pendant les huit années qui suivent la fin de ses études de droit, son champ d'intérêt principal, et cela dans trois directions: d'abord une cueillette d'informations sur l'architecture ancienne du Québec; en second lieu, une réflexion théorique sur l'art de bâtir; enfin, une pratique architecturale clandestine, pratique qui lui vaut les amendes désapprobatrices de l'Ordre des Architectes. Ses revenus sont tirés à l'époque des quelques actes notariés qu'il rédige, des plans qu'il dessine et des chantiers qu'il dirige, des dessins et des mises en page qu'il exécute pour *L'Action Catholique* et l'*Almanach*.

1929-1937: du départ pour la France à la création
de l'Inventaire des Oeuvres d'Art

Las sans doute de son statut irrégulier d'architecte et encouragé à poursuivre des études en Europe par Jean-Thomas Nadeau, d'autant plus que l'université Laval lui promet d'instaurer une chaire d'histoire de l'art à son retour, Gérard Morisset décide en 1929 d'aller faire son cours d'architecture à Paris. Mais auparavant, pour préparer son admission à l'École des Beaux-Arts, il fait un stage de quelques mois chez l'architecte Tony Garnier, avec qui il avait déjà correspondu. À l'automne 1929, il part pour la France, accompagné de sa femme et de leurs deux premiers enfants. Après un bref séjour à Paris, la famille arrive à Lyon le 8 novembre et s'installe en banlieue, à La Pape, après avoir cherché en vain un logis convenable dans la ville même. Il écrit en décembre 1929 au recteur de l'université Laval, l'abbé Thomas J. Filion:

> « Si le panorama est grandiose, si le site est superbe, par contre la maison que nous habitons est absolument dépourvue de comfort. C'est la rançon d'une mentalité très large sur certains points et trop mesquine pour d'autres. Toutefois, nous nous plaisons ici, en dépit des trop nombreuses incommodités [1] ».

Gérard Morisset a accepté de partir malgré les années difficiles qui s'annonçaient aux premiers moments de la crise économique. Il n'a, pour subvenir à ses besoins et à ceux de sa famille, qu'une maigre bourse de 400 dollars du gouvernement français, celle du Secrétariat de la Province lui ayant été refusée malgré la recommandation du recteur de l'université.

À Lyon, les études de Gérard Morisset se divisent en deux parties: le matin, il suit les cours de l'École des Beaux-Arts de la ville; l'après-midi, il travaille à l'atelier de l'architecture Garnier, s'exerçant au dessin d'architecture et surveillant quelques chantiers. Il visite en outre la ville et la région lyonnaise, s'intéressant particulièrement aux églises:

> « Il y en a de fort belles, tant à Lyon que dans les environs et je suis à amasser sur chacune d'elles tous les documents écrits et photographiques que je puis trouver. . . [2] ».

Cet intérêt pour les églises et l'art religieux en général demeure constant, si on en croit les lettres qu'il adresse au recteur Filion de l'université Laval. Un projet précis l'intéresse particulièrement en février 1930: il consiste à se documenter « sur la décoration picturale des églises afin de susciter chez nous les vocations des peintres d'églises [3] ». En outre, l'étudiant fait remarquer au recteur que son « cours à l'Université devra porter sur l'art religieux afin qu'il ait des résultats pratiques, durables et intéressants [4] ».

Après cette année de préparation, Gérard Morisset se présente aux examens d'entrée de l'École des Beaux-Arts de Paris pour apprendre qu'il dépasse d'un an l'âge limite d'admission. Il se tourne alors vers l'histoire de l'art, abandonnant le projet de devenir architecte, et projette de s'inscrire à l'École du Louvre. À l'été 1930, il est toujours dans la région de Lyon, visite les villes

et les villages des alentours, « accumule les documents et les renseignements [5] », lit beaucoup. Il presse le recteur de lui faire
obtenir une bourse du gouvernement québécois et, craignant le
pire, lui demande s'il ne serait pas possible de créer tout de suite
une chaire d'histoire de l'art et de le nommer professeur, afin de
favoriser sa candidature. Le recteur se refuse à procéder de la
sorte. Morisset n'obtient pas la bourse qu'il convoitait, mais le
gouvernement français renouvelle la sienne. À partir de 1931
cependant, la bourse du Secrétariat de la Province lui est accordée.
C'est avec ce revenu modeste qu'il s'installe à Paris et commence
ses études dans cette ville, la famille s'étant agrandie d'un membre
entretemps:

> « En 1930 », raconte-t-il au journaliste Bruno Lafleur quatre ans
> plus tard, « j'entrai à l'École du Louvre. Cette école a été fondée
> en 1882 pour le recrutement des conservateurs de musées. Elle
> dépend directement de l'État. La Sorbonne n'a pas vu cette fon
> dation d'un très bon oeil, et aujourd'hui encore, sur les diplômes,
> on ne parle pas de « thèse » mais de mémoire. Cela n'a aucune
> importance d'ailleurs, l'École du Louvre donne des cours d'his
> toire de l'art, et non des cours d'esthétique, comme à la Sorbonne.
> Les élèves suivent d'abord un cours général d'histoire de l'art et
> des cours organiques (?) qui sont divisés en trois sections: les
> arts orientaux, les arts de l'Antiquité et les arts des temps Mo
> dernes. Nous étudions ensuite l'histoire de la sculpture et de la
> peinture, de l'architecture et des arts décoratifs. Après trois ans,
> l'élève est admis à l'examen de licence: s'il réussit, on lui permet
> de présenter une thèse pour le doctorat [6] ».

C'est le cheminement qu'il poursuit, auquel s'ajoutent des
travaux pratiques au Louvre même. De plus, Gérard Morisset
prépare, dès sa deuxième année à Paris, la rédaction de sa thèse:

> « À l'automne 1931, M. Gabriel Rouchès, conservateur au Musée
> du Louvre, m'imposa, comme sujet de thèse à l'École du Louvre,
> la Peinture au Canada Français. J'étais alors loin de penser que
> la province de Québec fut riche en oeuvres d'art de toutes les
> Écoles et de toutes les époques [7] ».

Il mène ses recherches à la Bibliothèque Nationale, aux
Archives Nationales, au bureau des archives du Canada à Paris. Il
reçoit de Québec les catalogues ou liste d'oeuvres de l'Hôtel-Dieu,
de l'Hôpital-Général et du Séminaire de Québec, celui de l'église
de Saint-Augustin. Jean-Thomas Nadeau fait pour lui l'inventaire
des tableaux conservés dans les églises de la Gaspésie et de la région
de Québec, rive sud comprise. Cette documentation, doublée des
quelques études historiques disponibles à Paris ou qu'on lui a
expédiées, lui permet de terminer sa thèse au début de l'année
1934. Plus généralement, elle lui fait prendre conscience de la richesse artistique du Québec et de l'importance pour le développement de la peinture québécoise au XIXe siècle de la célèbre
collection Desjardins, constituée d'un lot d'oeuvres françaises
vendues à Québec par l'abbé Louis-Joseph Desjardins en 1817
et en 1821.

À la soutenance de sa thèse, le 8 mars 1934, Gérard Morisset reçoit les félicitations de ses examinateurs, Louis Hautecoeur et Gabriel Rouchès, qui la jugent comme une des meilleures thèses soumises à l'École du Louvre. Il est par l'occasion nommé attaché honoraire au Musée du Louvre. Gérard Morisset est de retour à Québec à la fin avril.

Pendant son séjour en Europe, Gérard Morisset poursuit sa collaboration d'auteur et de dessinateur à l'*Almanach de l'Action Sociale Catholique*. Il ne rédige aucun article pour l'*Almanach* de 1930, mais signe par la suite, bon an, mal an, un texte assez long pour chacun des volumes de l'*Almanach*. Il abandonne toutefois le style incisif et le caractère dogmatique de ses précédents articles pour s'intéresser à des sujets français: « Trois artistes chrétiens. Bossan, Dufraine, Borel », actifs surtout dans la région lyonnaise, « Pierrefonds », le célèbre château reconstruit par Viollet-le-Duc au XIXᵉ siècle, et « Saint-Germain-en-Laye », le village et son château en banlieue de Paris.

Il publie également dans le quotidien *L'Action Catholique* trois articles plus courts: en février 1931, sur une conférence du peintre d'église Maurice Denis, en mars de la même année, sur l'inauguration d'un orgue Casavant à Paris. En juin 1932, il présente, sur un ton amusé, les vacances qu'il passe dans une grande maison en Normandie avec des amis. Il envoie enfin durant son séjour à Paris une longue lettre au *Devoir* sur « L'impressionnisme dans les musées parisiens ».

La nouvelle du succès de sa thèse n'est pas longue à être connue au pays. Le 26 mars, soit deux semaines après la soutenance, *L'Action Catholique* en rend compte. Dès le retour de Gérard Morisset au Québec, Jules Bazin, son ami et étudiant comme lui à Paris, publie un long article résumant sa thèse sur « La peinture au Canada français » dans *L'Ordre*, les 16, 17, 18 et 19 mai. Bruno Lafleur réalise une entrevue avec le nouveau diplômé et en publie le contenu dans *L'Événement* le 19 mai. Il va sans dire que c'est la thèse et le diplôme de son auteur qui font l'objet de ces articles. Mais Gérard Morisset parle aussi de ses projets d'avenir: présenter à l'automne une thèse sur le peintre Claude François, mieux connu sous le nom du frère Luc, afin d'obtenir un doctorat ès lettres de l'université Laval; publier un livre sur la collection Desjardins; plus généralement, faire un inventaire des richesses artistiques du Québec, compléter son histoire de la peinture, puis faire l'histoire de l'architecture québécoise. Ces projets connurent un sort différent: le projet de doctorat fut abandonné; l'étude de la collection Desjardins fut publiée mensuellement dans la revue *Le Canada Français*, ce qu'avait d'ailleurs déjà commencé à faire Gérard Morisset à partir de septembre 1933. Quant aux projets d'inventaire et de livres sur la peinture et l'architecture, ce sont évidemment ceux qui ont eu le plus d'importance à long terme. L'inventaire, notamment, occupe Morisset dès son retour au pays. Son objectif consiste à convaincre le Secrétaire de la Province de créer un organisme et de le nommer à sa tête pour réaliser ce travail. À cette fin, il soumet à l'automne 1934 un « Mémoire relatif à la tenue de l'inventaire des oeuvres d'art de la province de Québec ». Il y explique comment il a adopté pour sa thèse la « méthode en usage aux Musées Nationaux de France » et comment, à son retour de Paris, il a constaté qu'un tel inventaire serait utile, considérant le nombre important des oeuvres d'art au Québec et la facilité avec laquelle elles disparaissent ou sont altérées. Après cette double constatation, il propose sa formule et ses services:

> « Je serais disposé à dresser l'inventaire général, raisonnée et complet de toutes les oeuvres d'art — architecture, peinture, sculpture et gravure — qui se trouvent dans la province de Québec. Cet inventaire serait dressé sur fiches, suivant la forme que j'ai adoptée à la suggestion même de M. Rouchès.
>
> Pour entreprendre et mener à bien cette tâche considérable, je demanderais humblement au Gouvernement de me nommer *Attaché* et *chargé de mission* au Musée de la Province, avec le traitement dont il lui plaira de me gratifier [8] ».

Le gouvernement ne répond pas tout à fait à l'espoir de Gérard Morisset. S'il ne refuse pas catégoriquement le projet, il ne va pas jusqu'à l'instaurer de la façon proposée par l'historien de l'art. Le 12 février 1935, le Secrétaire de la Province, Athanase David, le nomme directeur de l'enseignement du dessin. Le travail consiste surtout à former les professeurs à l'enseignement de cette discipline, à visiter les écoles pour s'assurer que le dessin est effectivement et adéquatement enseigné. Athanase David l'encourage de plus à poursuivre, durant l'été, alors que sa tâche de directeur de l'enseignement du dessin lui laisse quelque répit, le travail d'inventaire entrepris à Paris, instaurant ainsi par le fait même l'esprit, à défaut de la lettre, d'un inventaire des oeuvres d'art.

Gérard Morisset n'a pas attendu sa nomination comme directeur de l'enseignement du dessin pour se faire connaître. Dès le 13 juin, il signe régulièrement dans *Le Canada* des textes sur la peinture québécoise, textes qui constituent des extraits de sa thèse. Il fait de même dans *L'Événement* à partir du 7 juillet, rédigeant en outre pour ce journal un compte rendu de son expérience à l'École du Louvre. *Le Droit* publie quelques-uns de ses articles. Il poursuit sa série d'articles sur la collection Desjardins dans *Le Canada français*, et cela jusqu'en octobre 1936. À peine huit mois après son installation au Québec, Gérard Morisset est déjà l'auteur de près d'une trentaine d'articles sur la peinture québécoise. Élément de plus qui jouera en sa faveur, on le nomme attaché honoraire aux Musées Nationaux de France le 11 décembre 1934. Parallèlement à sa carrière d'écrivain-journaliste, Gérard Morisset commence à donner quelques conférences, ce qui deviendra une seconde nature chez lui: sur le frère Luc à Ottawa en novembre 1934, sur « la peinture au Canada français » à Montréal le 20 novembre 1934 et à Québec le 28 mars 1935, sur « les portraits de femme dans la peinture française » au palais Montcalm de Québec le 25 janvier 1935.

En 1936, il lance son premier livre: *Peintres et tableaux*, qu'il édite lui-même. Ce volume sera suivi de *Peintres et tableaux II* l'année suivante. Chacun de ces deux livres constitue un recueil des textes publiés dans les quotidiens auxquels collabore Gérard Morisset. Le premier volume lui mérite l'attribution du prix littéraire de la province de Québec, qu'on appelait le prix David sous le gouvernement Taschereau, mais que le gouvernement de l'Union Nationale baptise le prix « Montmorency-Laval ».

Gérard Morisset poursuit donc en parallèle trois activités: en premier lieu, la supervision de l'enseignement du dessin dans les écoles normales; en second lieu, l'inventaire des oeuvres d'art, qui l'occupe l'été; en troisième lieu, son oeuvre de vulgarisation, déjà importante, à travers ses livres, ses articles et ses conférences. En 1937, il verra l'instauration de son projet d'inventaire, malgré le changement de gouvernement. En effet, le 7 juillet, Gérard Morisset et Jules Bazin sont chargés officiellement de faire un relevé des oeuvres d'art de la province; ils sont jumelés, assez curieusement, aux enquêteurs engagés par le ministre des Affaires Municipales, du Commerce et de l'Industrie pour réaliser l'inventaire des richesses naturelles du Québec. Ce n'est que quelques années plus tard, soit en 1940, que l'Inventaire des Oeuvres d'Art deviendra un organisme autonome, rattaché administrativement au Secrétariat de la Province.

1937-1953: l'Inventaire des Oeuvres d'Art et la connaissance du patrimoine

À partir de 1937 et jusqu'au début de la prochaine décennie, Gérard Morisset publie peu. Son travail à l'Inventaire l'accapare alors. Il s'agit pour lui d'uniformiser et de classer les renseignements recueillis par ses enquêteurs durant l'été, lui-même travaillant dans la région de Montréal avec Jules Bazin. Dès 1941 toutefois, l'activité littéraire du directeur de l'Inventaire des Oeuvres d'Art s'intenséfie. C'est d'abord par la publication d'un livre d'importance: *Coup d'oeil sur les arts en Nouvelle-France*, où il propose une synthèse originale pour chacun des arts, synthèse rendue possible grâce à la tenue de l'Inventaire. L'auteur s'en explique d'ailleurs dans l'avant-propos:

> « L'idée de ce livre remonte à une vingtaine d'années. Vers 1921, nous commencions, l'abbé Jean-Thomas Nadeau et moi, à recueillir des documents de toutes sortes sur les arts en Nouvelle-France; surtout des gravures, des photographies, des mentions bibliographiques. Après la mort de mon ami et compagnon de travail, j'ai pu continuer mes recherches grâce à la sympathique libéralité de M. Athanase David. Ainsi ai-je pu accumuler un grand nombre de faits, de noms et de dates. Le reste, je l'ai trouvé dans le fonds de l'Inventaire de nos oeuvres d'art, auquel je participe depuis tant d'années [9] ».

Le volume a été conçu du début à la fin par Gérard Morisset. Il s'occupe de la rédaction, bien sûr, mais également du choix des illustrations (les dessins sont de sa main, la plupart des photographies sont de lui), de la typographie, de la mise en page, de la page couverture. Le livre est publié à compte d'auteur; c'est ce dernier qui en assure la distribution. En 1942, il lance son petit ouvrage sur l'orfèvre François Ranvoyzé. En 1943 voient le jour trois petits livres d'une trentaine de pages (deux d'entre eux comptent vingt-quatre planches d'illustrations; l'autre, trente-deux planches): *Les églises et le trésor de Varennes*, *Évolution d'une pièce d'argenterie, Philippe Liébert*. Deux livres sont publiés l'année suivante. D'abord, un texte de soixante-douze pages sur *Le Cap-Santé, ses églises et son trésor;* puis, un livre plus long, de cent quarante-deux pages, sur *La vie et l'oeuvre du frère Luc*, l'étude qu'avait promise Gérard Morisset à son retour de Paris en 1934. En 1945, un seul livre: *Paul Lambert dit Saint-Paul*, qui s'intéresse aux oeuvres de cet orfèvre du début du XVIIIe siècle. Les années 1946 et 1947 ne voient paraître aucun livre de Gérard Morisset. En 1948, ce dernier publie une oeuvre d'imagination, *Novembre 1775*, illustrée de huit dessins de l'auteur coloriés à la main. L'année suivante paraît un des textes les plus importants de l'historien de l'art, *L'architecture en Nouvelle-France*. Abondamment illustré — l'ouvrage compte cent cinquante-neuf illustrations — , *L'architecture en Nouvelle-France* constitue en fait la première synthèse de l'architecture québécoise avec une méthodologie et un vocabulaire propres à l'histoire de l'art.

Parallèlement aux livres qu'il édite, Gérard Morisset signe de nombreux articles dans différentes revues et dans quelques journaux. Sa participation à la revue *Technique*, publié par l'École Polytechnique de Montréal, demeure la plus importante pendant la décade 1940. Il fournit à cette revue près de trente articles dont certains, très longs, sont publiés en feuilletons. C'est le cas de son texte sur François Baillairgé, qui paraît de janvier 1948 à avril 1949. À la fin des années quarante, il amorce la série d'articles la plus imposante de sa carrière: il donne au journal *La Patrie*, pour son supplément du dimanche, soixante-douze articles, et cela à une périodicité assez serrée. En 1950 particulièrement, les articles paraissent à peu près à toutes les semaines.

Toujours durant la décennie 1940, assurément la plus créatrice de sa carrière, Gérard Morisset fait des conférences et, surtout, de multiples causeries à la radio d'État, dans le cadre de deux séries d'émission. La première, diffusée sur tout le réseau français de Radio-Canada, s'intitulait *Radio-Collège*. Sa collaboration à la radio éducative date surtout de l'année scolaire 1941-1942, où il présente vingt-cinq causeries sur la sculpture et l'orfèvrerie en Nouvelle-France. L'autre série, quant à elle, était diffusée sur les ondes courtes et destinée au public européen et surtout français; elle avait pour titre général: *La Voix du Canada*. Gérard Morisset participe à cette émission dès 1944, et sa collaboration y sera constante jusqu'en 1953. Il y fait lecture de ses textes sur l'art au Québec, sur l'artisanat, sur l'architecture, sur nos musées et nos institutions artistiques, y donne des biographies d'artistes, des monographies d'édifices, etc. . . Au total, il rédige plus de trois cent causeries, certaines de huit pages, la plupart de quatre.

Ses livres, ses articles, sa participation à la radio font de lui un des intellectuels les plus connus du Québec. Le 25 mai 1943, il est élu membre de la section française de la Société Royale du Canada, et reçu officiellement au sein de la Société le premier novembre suivant, au cours d'une cérémonie à l'université Laval. Cette élection lui donne l'occasion de publier quelques articles dans les *Mémoire de la Société Royale du Canada*. En 1949, il devient président de la Société des écrivains canadiens. La même année, l'Institut scientifique franco-canadien lui fait faire une tournée dans les principales villes françaises, pour donner des conférences sur l'art du Québec. En 1951, il est nommé secrétaire de la Commission des Monuments Historiques du Québec, tout en conservant la direction de l'Inventaire des Oeuvres d'Art. L'année suivante, l'université Laval profite de son centenaire pour instituer à la faculté des Lettres des cours d'histoire de l'art québécois et nomme Gérard Morisset professeur auxiliaire pour les assumer. Ces cours font partie du « certificat en civilisation canadienne-française » créé depuis peu. Dix-huit ans après son retour de Paris, Gérard Morisset enseigne à l'université. L'École du Meuble de Montréal bénéficie également de son enseignement.

Les années 1950-1953 voient Gérard Morisset au faîte de sa carrière. On le reconnaît comme « le » spécialiste de l'art québécois. Son plus grand mérite est sans contredit d'avoir créé l'Inventaire des Oeuvres d'Art et d'en avoir utilisé les résultats pour faire connaître, sous des formes multiples, le patrimoine artistique et architectural québécois. Avec la nomination de Gérard Morisset à la Commission des Monuments Historiques, l'organisme jouera un rôle actif dans la protection et la restauration du patrimoine architectural; plusieurs églises sont remises en état, on s'intéresse au cas de la maison Chevalier à la basse-ville de Québec, en fait l'amorce du projet Place Royale. C'est pour tout ce travail que la Société Royale le félicite en 1954, en lui décernant la médaille Pierre-Chauveau pour l'ensemble de son oeuvre. Jean Chauvin déclare alors:

> « Par sa contribution, aussi précieuse qu'abondante, à la connaisse, à la conservation et à la restauration des trésors artistiques du Québec, M. Gérard Morisset a rendu et rend encore à sa province et à son pays d'inappréciables services. . .[10] ».

Le point culminant de cette période survient le 2 avril 1953: Maurice Duplessis le nomme alors conservateur du Musée du Québec et lui adjoint deux assistants-conservateurs. Engagé dans des fonctions administratives pour le moins accaparantes, au Musée, à l'Inventaire des Oeuvres d'Art et à la Commission des Monuments Historiques, Gérard Morisset sera amené à modifier son rôle: plaçant au second plan la diffusion des connaissances, mais tout en poursuivant ses recherches personnelles, il tentera de faire participer le gouvernement lui-même à la protection du patrimoine, par l'intermédiaire du Musée et de la Commission des Monuments Historiques.

1953-1970: *conservateur du « Musée de la Province »*

En séparant de manière effective les deux secteurs développés jusque là au Musée du Québec, les sciences naturelles et l'art, en augmentant considérablement la collection de manière à offrir un éventail assez complet de l'art québécois ancien, en développant une documentation appropriée à l'étude des oeuvres — fiches d'inventaire, dossiers par thèmes, par artistes, par expositions —, en modifiant les règles d'accrochage et les concepts d'exposition, le conservateur du « Musée de la Province » va faire du musée un établissement muséologique plus moderne. Le modèle français, qu'il connaît par son expérience au Louvre, servira de base à cette transformation. Il organise des expositions permanentes et temporaires, rédige des catalogues, gère les documents. Il participe à la préparation de quelques grandes expositions sur l'art du Québec: en 1957-58, aux Grands Magasins du Louvre, en 1959, à Vancouver, en 1962, à Bordeaux.

Gérard Morisset assume toujours la direction de l'Inventaire des Oeuvres d'Art, et cela officiellement jusqu'en 1969, à l'exception d'une courte période en 1959-1962 où il est remplacé par son fils Jean-Paul. Pour l'historien de l'art, le rôle de l'Inventaire, après avoir été celui de faire la cueillette des renseignements et la mise sur fiches des oeuvres d'art, ce qu'il estime à peu près terminé, est de rendre disponible cette documentation et d'en faire profiter la population. Peu de nouvelles fiches sont produites après 1953; le fonds s'accroît surtout par l'apport de nouvelles photographies et de renseignements additionnels. Gérard Morisset prépare, à l'aide des données de l'Inventaire, la publication de *La peinture traditionnelle au Canada français*, version augmentée et synthétique de *Peintres et tableaux*. À partir des années soixante, il travaille en outre à la rédaction d'un dictionnaire des artistes et artisans du Québec, oeuvre restée incomplète, et projete de publier une étude sur la « maison canadienne ».

Ses articles se font beaucoup plus rares que dans la période précédente: à peine trente articles publiés entre 1953 et 1970 dans une quinzaine de revues différentes. Gérard Morisset répond maintenant aux demandes, plutôt que de collaborer régulièrement à une publication, comme il l'avait fait à *La Patrie*. De 1955 à 1959, il participe avec régularité à diverses émissions à la télévision de Radio-Canada.

Avec son poste au Musée, c'est le secrétariat de la Commission des Monuments Historiques qui l'accapare le plus. À titre de secrétaire, seul poste permanent jusqu'en 1958, il prépare les dossiers, en assure le suivi. Ses activités à la Commission consistent notamment à diriger les différents chantiers de restauration amorcés grâce à ses recommandations. Sa marque personnelle y est nettement visible. En 1955, la Commission est réorganisée et restructurée. Maintenant dotée de plus de pouvoirs et de plus de ressources, elle sera plus en mesure de s'engager dans le processus de conservation et de restauration. Plusieurs églises sont restaurées, on essaie de mettre sur pied une politique de conservation des quartiers anciens, à commencer par le Vieux-Québec. Son rôle à la Commission des Monuments Historiques, tout comme celui au Musée du Québec, est capital.

À partir de 1961, Gérard Morisset se retire graduellement de ces deux organismes. Sa présence à la Commission des Monuments Historiques est nettement plus effacée après cette date, et la nomination d'un directeur adjoint au Musée du Québec cette même année le décharge quelque peu de l'administration de l'établissement. En 1965, le Ministre des Affaires culturelles nomme un nouveau directeur au Musée et libère par le fait même Gérard Morisset de ses tâches administratives, pour lui permettre de se consacrer entièrement à la préparation de son dictionnaire. Le 15 janvier 1967, il reçoit la médaille d'honneur du Groupe des Dix; l'université Laval lui décerne le 21 octobre de la même année le diplôme de docteur honoris causa. Trois ans plus tard, soit le 28 décembre 1970, Gérard Morisset meurt à Québec.

NOTES

1. Archives du Séminaire de Québec (dorénavant ASQ). Université 205, nº 47a; lettre de Gérard Morisset à Thomas J. Filion, recteur de l'université Laval, le 26 décembre 1929.

2. ASQ. Université 205, nº 47c; lettre à Thomas J. Filion le 4 février 1930.

3. *Ibid.*

4. ASQ. Université 205, nº 48a; lettre à Thomas J. Filion le 31 mars 1930.

5. ASQ. Université 205, nº 48c; lettre à Thomas J. Filion le 28 juin 1930.

6. Bruno Lafleur, « Gérard Morisset docteur ès arts », *L'Événement*, 19 mai 1934, p. 1.

7. *Mémoire relatif à la tenue de l'inventaire des oeuvres d'arts de la province de Québec.* 1934.

8. *Ibid.*

9. *Coup d'oeil sur les arts en Nouvelle-France*, Québec, 1941, p. XI.

10. Jean Chauvin, « Médaille Pierre Chauveau. Gérard Morisset », *Mémoires et comptes rendus de la Société Royale du Canada*, 3ᵉ série, t. 48 (juin 1954), p. 30.

Gérard Morisset à la fin de ses études de droit, en 1922. Le jeune notaire pratiquera peu et se consacrera plutôt, dès cette époque, à l'étude de l'art et de l'architecture du Québec. *(Collection privée).*

À partir de 1922, Gérard Morisset participe à la rédaction de *L'Action Catholique*. Dans un coin de l'édifice du journal, rue Sainte-Anne, il travaille à la mise en page du cahier du samedi. *(Collection privée).*

Rodolphe Monette et son ami, l'abbé Jean-Thomas Nadeau, posent avec Gérard Morisset, vers 1922-1925, au lac des Sept-Îles, dans le chalet que s'est fait construire le prêtre en 1922. *(Collection privée).*

En 1929-1930, Gérard Morisset étudie l'architecture à Lyon avec l'architecte Tony Garnier. Il habite en banlieue, à La Pape, une petite maison plutôt inconfortable. Il exécute un dessin de son fils Jean-Paul dans cet intérieur modeste. *(Collection privée)*.

Gérard Morisset en Normandie à l'été 1931. À bicyclette, il fait les environs de Montfarville, où il s'est installé pour l'été, avec quelques amis. *(Collection privée)*.

Gérard Morisset dans son cabinet de travail, à la fin des années quarante. Cet auto-portrait photographique nous le montre dans une attitude coutumière, la plume à la main, le cigare aux lèvres, en train de rédiger un article, une conférence, un livre ou une fiche d'inventaire. (Photo: *Inventaire des biens culturels*).

L'INVENTAIRE
DES OEUVRES D'ART

par Michel Cauchon
directeur des Études et Inventaires
direction générale du patrimoine

Dès son retour d'Europe en 1934, Gérard Morisset offre ses services au cabinet du Premier ministre Taschereau pour entreprendre l'inventaire des oeuvres d'art de la province de Québec. Malgré l'intérêt manifesté par le premier ministre ainsi que par les ministres Francoeur et David, le projet n'est pas reçu par le gouvernement qui se contente d'octroyer des fonds pour rechercher les plus belles oeuvres d'art du Québec et de la région. En 1936, le gouvernement Taschereau est renversé. Gérard Morisset, nommé directeur de l'enseignement du dessin depuis février 1935, reprend sa démarche auprès du nouveau Secrétaire de la province, J.-H.-A. Paquet, et du Sous-secrétaire, Jean Bruchési, tout en poursuivant, durant ses moments de loisirs, le travail entrepris.

Pourquoi dresser un inventaire des oeuvres d'art? Voici les arguments invoqués par Gérard Morisset pour convaincre les autorités gouvernementales:

« À peine nos érudits les plus éclairés — ils ne sont pas légion — connaissent-ils actuellement le tiers de nos oeuvres d'art. C'est peu. Cela explique peut-être qu'alors que les pays européens, les États-Unis et les républiques latines d'Amérique ont dressé depuis soixante-quinze ans l'inventaire de leurs richesses artistiques, nous soyons, nous, quasi indifférents à l'égard de notre patrimoine artistique. Bien plus, nous le laissons périr. Vente de peintures, de pièces de mobilier et d'orfèvrerie à nos avides voisins du sud; relégation d'oeuvres d'art sous les ravalements ou dans les caves de sacristies ou d'habitations bourgeoises; destructions volontaires; restaurations aussi prétentieuses que maladroites; incendies fréquents et désastreux, voilà les causes (ou les effets. . .) de notre désintéressement.

(. . .) La cause profonde de cet état de choses me paraît être celle-ci: nous connaissons peu notre passé artistique et nous ignorons ce que nous possédons en oeuvres d'art de toutes les Écoles. C'est, du reste, la remarque que m'ont faite tous mes professeurs de l'École du Louvre. Et en m'imposant comme sujet de thèse *La Peinture au Canada français*, M. Gabriel Rouchès a prononcé cette phrase pleine de bon sens: « Faites une thèse sur l'art de votre Province; vous aurez ainsi l'occasion de l'étudier et, du même coup, vous nous le ferez connaître (. . .)

La conclusion s'impose, rigoureuse, urgente, d'une nécessité impérieuse: dresser, et le plus vite possible, l'inventaire de nos oeuvres d'art, avant que le feu ne les fasse disparaître toutes.
Et il est logique de penser que celui qui a commencé cet inventaire reçoive la tâche d'en assurer la continuation et le complément » [1].

Gérard Morisset possède, en effet, tout le bagage académique et l'expérience pratique voulue pour relever un tel défi. Il décrit en ces termes les étapes de sa formation et ses expériences pertinentes:

« Parti de Québec en 1929 à titre de boursier du Gouvernement français (Affaires étrangères), j'ai d'abord étudié à Lyon, à l'École des Beaux-Arts, puis à l'atelier Tony Garnier. En 1930, je me suis inscrit à l'École du Louvre, à Paris. Nommé attaché au Musée du Louvre en 1931, le directeur des Musées nationaux, M. Henri Verne, m'a confié des tâches qui m'ont préparé à remplir celle dont il est ici question: rédiger le supplément du catalogue des peintures de l'École française; dresser l'inventaire des collections Moreau-Nelaton et Conti. De plus, j'ai fait au Louvre même des études poussées en muséographie, sous la direction de MM. Rouchès, Vitry et Brière, celui-ci conservateur du Musée de Versailles. Enfin, je suis le seul Canadien qui a obtenu le diplôme de l'École du Louvre (avec la mention *très bien avec éloges*) et le titre d'attaché honoraire des Musées nationaux de France. Depuis mon retour (mai 1934), je n'ai cessé de parcourir la Province pour y découvrir nos oeuvres d'art, comme en témoignent les nombreux articles que j'ai fait paraître dans nos journaux et revues et le livre que je viens de publier, *Peintures et tableaux* » [2].

Comment faire l'inventaire des oeuvres d'art? Gérard Morisset a imaginé un processus très complet qu'il décrit dans son mémoire de 1936:

« (. . .) Parcourir la Province pour y découvrir les pièces de valeur; faire photographier celles qui sont périssables et dont il importe de conserver l'aspect actuel; fouiller les dépôts d'archives paroissiales et familiales pour y trouver les indications biographiques, ou autres, qui puissent nous éclairer sur nos artistes, quels qu'ils soient; dépouiller les correspondances privées — elles sont encore nombreuses — les journaux publiés depuis le Traité de Paris et les revues canadiennes; interroger les vieillards ou les derniers témoins de choses qui ne sont plus; aller chercher là où elles sont les indications, si minces soient-elles, qui complètent les connaissances que nous possédons; bref — qu'on me permette de me citer moi-même — (*Peintres et tableaux*, Québec 1936) « dresser l'inventaire complet, raisonné, méthodique de toutes les oeuvres d'art que nous possédons; puis à l'aide de cet inventaire, qui serait en même temps un état civil alphabétique et un répertoire par noms de lieux, multiplier les études sur nos artistes, en comprenant sous ce vocable non seulement les architectes, les peintres et les sculpteurs; mais encore les musiciens, les graveurs, les organiers, les tapissiers, les fondeurs, les orfèvres, les ferronniers, tous ceux qui se sont livrés, à quelque degré que ce soit, aux arts majeurs et aux arts dits mineurs ». Et j'ajoute ce paragraphe, tiré du même ouvrage, qui montre bien l'esprit qui m'anime: « Car pour asseoir la synthèse de l'art au Canada français, encore faut-il en posséder les éléments; être familier avec la chronologie, connaître chaque artiste en particulier, son caractère, sa formation, le péripétie de son existence; analyser chaque oeuvre objectivement, avec un esprit critique doublé de bienveillance; accumuler les notes bibliographiques relatives à chaque pièce; vérifier les informations d'où qu'elles viennent; contrôler les textes; ne pas se dire que les jugements qu'on a déjà porté sur tel homme sont motivés et sans appel, car nos chroniqueurs ont souvent confondu leurs impressions débiles avec l'expression de la vérité; se dire plutôt que tout artiste, si humble soit-il, a droit à une part de justice proportionnelle à sa bonne foi et à son talent ». [3]

Les démarches répétées de Gérard Morisset et les arguments qu'il a invoqués amènent finalement le gouvernement Duplessis, au printemps 1937, à décider officiellement de la mise en oeuvre du projet par l'adoption d'une loi spéciale. L'Inventaire des Oeuvres d'Art, dont le chef d'équipe est Gérard Morisset, est toutefois intégré à un projet plus vaste: l'Inventaire des ressources naturelles coordonné par Esdras Minville. Ce projet couvre aussi les volets bibliothèques, archives et artisanat.

En juillet 1937, l'équipe d'enquêteurs mise sur pied comprend Gérard Morisset, Jules Bazin, Maurice Gagnon, Gordon Neilson, Antoine Bernier et Raymond Parent. La première campagne porte sur les environs immédiats de Montréal, la Gaspésie, le dépouillement des archives de Notre-Dame de Montréal et certaines recherches bibliographiques. En 1939, Paul-Émile Borduas remplace Gordon Neilson. Jusqu'à l'été 1941, l'Inventaire des Oeuvres d'Art, dirigé par le Secrétariat de la Province, est greffé administrativement sur l'Inventaire des ressources naturelles et dépend du ministère du Commerce et de l'Industrie. À partir du mois de juillet 1941, le Secrétariat de la Province assumera seul la direction de l'Inventaire et le financement de toute l'affaire. Le nombre d'enquêteurs est réduit à deux, mais l'équipe comporte trois employées de secrétariat chargées de la compilation et de la transcription de documents: mesdemoiselles Irène East, Marcelle LeMay et Éliane Pilon.

Après le blitz de l'inventaire des ressources naturelles, la petite équipe de l'Inventaire des Oeuvres d'Art continue à parcourir le territoire du Québec. À partir de 1941, toutefois, commence le travail d'exploitation de la documentation et de la diffusion des connaissances, ce qui constitue l'objectif ultime de Gérard Morisset. Graduellement, la recherche documentaire prendra le pas sur les relevés sur le terrain. Au printemps 1942, on organise une exposition de photographies de l'oeuvre de l'orfèvre Ranvoyzé, une exposition au French Institute de New York alors qu'à l'automne on participe à l'Exposition Provinciale en plus de tenir l'exposition de l'*Album* de Jacques Viger sur le Vieux Montréal.

À partir de ce moment, les rapports d'activité rédigés par Gérard Morisset font grand état de la consultation par les chercheurs de l'Inventaire des Oeuvres d'Art et de la diffusion de photographies et des manifestations de diffusion des connaissances. En 1945, après dix ans d'opération, Gérard Morisset trace un bilan de ses activités d'inventaire et évalue les résultats obtenus.

> « L'*Inventaire des oeuvres d'art* — on peut l'affirmer sans crainte — est arrivé à son heure.
>
> Quand on songe au véritable pillage dont la Province était la victime il y a quelques années, quand on réfléchit au nombre d'oeuvres d'art de toutes sortes que des regrattiers ont raflées dans toutes nos vieilles paroisses et vendues soit à des Ontariens soit à des Américains, quand on se rappelle qu'il n'y a pas si longtemps des propriétaires d'argenterie canadienne cédaient leurs trésors pour une bouchée de pain, on se félicite que le pillage ait pris fin, que les regrattiers commencent à tirer la langue et que notre bourgeoisie ouvre enfin les yeux sur notre patrimoine.
>
> Sans doute l'*Inventaire* n'est pas la seule cause de ce retour au bon sens. Mais il y a aidé de tout le zèle et de l'inépuisable bonne volonté de ses enquêteurs; il a démontré aux possesseurs d'oeuvres d'art que, si le Gouvernement s'occupe de recenser avec tant de soin les témoignages du génie de nos pères, c'est qu'ils en valent la peine et qu'il convient de les conserver; il a contribué, par les justes estimations de ses enquêteurs, à la hausse considérable des prix de nos oeuvres d'art, réduisant ainsi au minimum leur honteux trafic.
>
> À cet heureux résultat s'est ajouté le corollaire suivant: puisqu'il importe de conserver religieusement notre patrimoine, il importe aussi de le restaurer quand il le faut, en lui gardant son esprit et son caractère. On a consulté maintes fois les enquêteurs sur de telles restaurations — qu'il s'agisse d'églises, de maisons, de tableaux, de pièces de sculpture ou d'argenterie. Toujours ils se sont prêtés de bonne grâce aux demandes qu'on leur a faites et n'ont point mesuré leur zèle dans la surveillance des travaux de restauration (. . .)
>
> Le plus clair résultat de l'*Inventaire* est assurément la connaissance plus profonde et plus étendue de notre civilisation d'autrefois. Alors qu'il y a un quart de siècle, on se doutait à peine du degré de civilisation de nos ancêtres, on peut affirmer aujourd'hui, sans contradiction aucune, qu'entre 1740 et 1830, les Canadiens français ont vécu pleinement la vie intellectuelle et artistique de la France du XVIIIᵉ siècle; qu'ils ont eu une brillante École de maîtres-maçons et d'architectes, une tradition forte et vivace dans la sculpture sur bois, une École d'orfèvre plus inventifs et aussi habiles que ceux des autres pays des deux Amériques, des portraitistes consciencieux et doués, bref des artisans bien formés dans toutes les branches des arts appliqués; qu'enfin ils ont perpétué ici non seulement la langue et l'esprit français, mais surtout les formes spirituelles et la souveraine élégance du cadre même de leur vie, en y apportant les variantes que leur inspiraient leur esprit d'invention, leur extrême fantaisie et leur sensibilité.
>
> Et cette civilisation, les enquêteurs ont cherché à la faire connaître par tous les moyens: livres, articles de journaux et de revues, conférences, causeries radiophoniques, expositions, reproduction de gravures, dons de photographies et de transcriptions de documents. . . Qu'il me soit permis de rappeler les cinquante conférences de Jules Bazin et de Gérard Morisset à Radio-Collège, en 1941-1942; les sept ouvrages qu'a publiés le directeur de l'*Inventaire* depuis 1941; les quelques trois cents conférences qu'il a prononcées dans nos écoles normales et nos scolasticats, illustrées de projections lumineuses empruntées à notre service; les livres

et revues illustrées avec nos clichés; l'*Estudiant* (Joliette), *Technique*, l'*Enseignement primaire*, les *Mémoires de la Société royale*, *El Nacional* (Mexico), *Antiques* (New-York), *Regards* (Québec), les *Cahiers des Dix*, la *Revue moderne* et la *Revue populaire*, le *Saturday Night* (Toronto), de *Ville-Marie à Montréal* par Jean Bruchési, *L'Hôtel-Dieu de Montréal*, le *Journal de l'Hôtel-Dieu.* . ; les nombreuses conférences qu'ont prononcées Jules Bazin, Omer Parent, Marius Plamondon et quelques autres, avec l'apport des transparents de l'*Inventaire*; le cours de civilisation canadienne au XVIIIe siècle, inauguré au Collège Smith de Northampton par Mlle Marine Leland, et rendu possible par la collaboration de l'*Inventaire*; enfin le grand nombre d'agrandissements photographiques qui, par leur diffusion dans nos écoles normales, nos ateliers et nos écoles spéciales, dans les universités canadiennes et américaines, dans les musées, rédactions de revues et ambassades de l'Amérique du Sud, ont montré à tous la haute tenue de l'art de la Nouvelle-France, l'excellence de la technique de nos artisans et la fine qualité de leur inspiration.

Et si la province de Québec jouit, depuis peu, d'une certaine vogue à l'étranger, n'est-ce pas à cause de son art et, surtout, parce que cet art, issu du plus profond du peuple, est l'expression de son tempérament et de son âme? Assurément. Déjà des écrivains d'art et des essayistes, canadiens et étrangers, ont analysé le lien très subtil qui unit le vrai visage de la Nouvelle-France et sa production artistique. Il y a quelques jours à peine, monsieur B.-K. Sandwell en faisait la remarque dans le *Saturday Night*: « Perhaps nowhere on this continent, with the exception of Mexico, do we find artistic expression more closely related to the *mores* of a people. This is particularly true of early art forms in Quebec, such as wood sculpture and the development of the simple but distinctive architecture of the early French habitant ». Sous d'autres mots, on retrouve là les constatations qu'ont faites depuis un quart de siècle des érudits comme Barbeau et Traquair, Neilson et Carless, et quelques connaisseurs étrangers comme Louis Hourticq, Marcel Aubert et Jean Seznec. Tout le monde est d'accord à ce sujet: l'originalité de la civilisation en Nouvelle-France repose sur l'esprit français le plus pur et l'apport de nos artisans.

Est-il besoin d'ajouter que les travaux de nos enquêteurs contribuent à déplacer sensiblement le centre de gravité de notre histoire nationale. Jusqu'à ces dernières années, ce centre de gravité bénéficiait des luttes que nos ancêtres ont livrées pour leur survie et celles qu'on leur a témérairement prêtées. Mais le patient labeur du monde de nos artisans, leurs trouvailles de formes et leurs réussites, leur influence sur la mentalité collective et sur le cadre de leur existence — en somme, ce qui fait la civilisation profonde d'une nation, — on n'en parlait point. Désormais, il faudra en tenir compte, et pour le plus grand bien de notre éducation.

Enfin, l'importance de l'*Inventaire* au point de vue de la conservation des monuments historiques, de la rédaction des *guides* destinés au tourisme après la guerre et de la documentation nécessaire aux écrivains d'art, est si évidente qu'il suffit simplement de la signaler. Je n'insiste pas » [4].

L'oeuvre accomplie jusque là par Gérard Morisset est sans doute gigantesque et les résultats en matière de sensibilisation assez remarquables. Toutefois, son évaluation quant aux résultats concrets en matière de préservation nous laisse songeurs. La vente d'oeuvres d'art à l'étranger et les traitements physiques qui leur étaient réservés jusque là étaient-ils réduits à néant en 1945? On en douterait. . .

Il s'agit là plutôt d'une stratégie pour continuer l'inventaire que Gérard Morisset utilise, persuadé qu'il est que l'information et la sensibilisation entreprises produiraient le résultat escompté. Ce genre de tactique, le directeur de l'Inventaire des Oeuvres d'Art l'avait d'ailleurs utilisé en 1936 lorsqu'il affirmait que: « Dans cinq ans, l'inventaire serait à peu près terminé » [5].

L'Inventaire des Oeuvres d'Art poursuivra son travail jusqu'en 1969. Parmi les changements importants survenus durant cette période, il faut noter la nomination de Gérard Morisset comme conservateur du Musée du Québec en 1953. Il cumulera ces deux fonctions jusqu'à la nomination de son fils Jean-Paul à titre de directeur de l'Inventaire des Oeuvres d'Art. En 1961, le ministère des Affaires culturelles est créé et le Service de l'Inventaire des Oeuvres d'Art y est intégré. En 1962, Gérard Morisset est de retour à la barre de l'Inventaire des Oeuvres d'Art.

Trente ans après avoir entrepris sa tâche, Gérard Morisset décide, en 1963, d'entreprendre la rédaction de la pièce maîtresse de son oeuvre: *Le dictionnaire des artistes et artisans du Canada français*. Lorsqu'il prend sa retraite en 1969, le dictionnaire est inachevé. La même année, 1963, on avait entrepris la mise sur pied, à l'intérieur de l'Inventaire des Oeuvres d'Art, d'un service de diffusion pour concrétiser les orientations en ce sens; le projet aura peu de suite.

En 1969, le départ de Gérard Morisset marque la fin d'une époque à plusieurs points de vue. L'Inventaire des Oeuvres d'Art est dorénavant intégré à un nouvel organisme: l'Institut National de la Civilisation, dont les projets sont aussi vastes que l'existence éphémère. Par la suite, pour des fins de réorganisation administrative, de microphotographie et de traitement des données, l'Inventaire des Oeuvres d'Art est soustrait à la consultation publique et déposé à l'université Laval. Il en ressortira à l'été 1972 pour réintégrer le Musée du Québec. Entre-temps, l'Institut National de la Civilisation aura disparu.

Le Musée du Québec, dirigé par Jean Soucy, qui a succédé à Guy Viau en 1967, entreprend d'abord de rétablir la consultation publique puis, en vertu de la nouvelle loi sur les biens culturels adoptée depuis l'été 1972, de reprendre la recherche documentaire et les enquêtes sur le terrain.

Gérard Morisset décrivait ainsi les archives de l'Inventaire en 1940. C'est une documentation assez fidèle à la description de son créateur qui est transféré au Musée du Québec en 1972:

> « Le dépôt de l'Inventaire des Oeuvres d'Art comprend deux classements principaux: l'un par noms de lieux; l'autre par noms d'artistes ou d'artisans.
>
> Le premier contient les documents, photographies et négatifs qui se rapportent aux villes, villages, hameaux et localités quelconques de la Province et même de l'étranger, s'il y a lieu. Les documents sont transcris en un seul exemplaire, sur du papier de format ministre; les feuillets d'un même document sont collés

à l'angle supérieur de gauche. Chaque document porte un numéro d'ordre qui est reporté sur la chemise avec une courte description. Les photographies et négatifs sont placés à la suite des documents. Chaque photographie, collée par les angles sur un carton 8″ × 10″, porte un numéro d'ordre (cote), reporté sur la chemise avec description, et le numéro même du négatif. Les négatifs sont cotés et glissés dans une grande feuille pliée en deux, afin d'éviter les rayures dues au frottement; les cotes de négatifs sont reportées également sur la chemise. Ainsi les écritures qui se lisent sur chaque chemise constituent une sorte de table des matières des documents, photographies et négatifs qui s'y trouvent (. . .)

Le classement par noms de lieux serait insuffisant s'il n'était complété par des fiches de référence et par des fiches biographiques. C'est le second classement de l'Inventaire. Les fiches de référence sont de format 4″ × 6″; elles comportent quatre couleurs, selon qu'il s'agit d'architectes, de sculpteurs, de peintres ou d'orfèvres. Les fiches biographiques sont faites sur des feuilles 6″ × 8″, pliées en deux.

À ces deux classements généraux, on a cru nécessaire d'en ajouter quelques-autres qui rendront plus facile et plus rapide la consultation des archives de l'Inventaire.

D'abord des fiches bibliographiques, c'est-à-dire le catalogue alphabétique de tous les livres, brochures, journaux, revues et publications quelconques où l'on trouve des renseignements sur les arts au Canada français; quand on a pu le faire, on a indiqué sur chaque fiche la cote de la Bibliothèque Nationale de Paris et celle de la Bibliothèque du Parlement de Québec.

Ensuite des fiches de sujets: peintures, portraits, monuments, sculptures, pièces d'argenterie, titres de peintures, etc. . . Un chercheur qui voudrait savoir quelles sont, dans la Province, les sculptures et les peintues qui représentent l'*Adoration des Mages*, n'aurait qu'à consulter les fiches de sujets au titre: *Adoration des mages*, et se reporter ensuite soit aux documents, soit aux fiches de référence; et cela avec toute la précision possible, car toutes les cotes y sont indiquées (. . .)

Enfin des fiches de portraits sculptés, peints ou gravés; ces fiches sont classées par noms patronymiques et contiennent des références exactes aux documents et aux fiches d'artistes.

Est-il besoin de faire remarquer que chaque oeuvre d'art (peinture, monument, gravure, sculpture, pièce d'argenterie ou de ferronnerie, orgue, etc.) a été l'objet d'une description aussi précise et aussi circonstanciée que possible — contenant les traits, les caractères, susceptibles de l'identifier — et d'une mensuration au millimètre: on complète chaque fiche par une bibliographie sommaire » [6].

En 1973, l'Inventaire des Oeuvres d'Art passe administrativement à la nouvelle direction générale du Patrimoine créée en vertu de la loi sur les biens culturels. L'année suivante, l'Inventaire emménagera dans les locaux de la direction générale du Patrimoine au 6, rue de l'Université. Au moment de relancer l'inventaire dans un nouveau cadre qui est celui de la sauvegarde et de la mise en valeur du patrimoine tel que nous le connaissons aujourd'hui, le ministère des Affaires culturelles dispose d'une documentation exceptionnelle. Bien sûr, Gérard Morisset et son équipe n'ont pas visité ou, s'ils l'ont fait, n'ont pas établi de dossier pour toutes les églises et toutes les communautés religieuses dans toutes les paroisses. S'ils ont fait beaucoup de recherche en archives, ils ont peu utilisé l'enquête orale. S'intéressant plus au patrimoine traditionnel d'esprit français, ils ont laissé pour compte la très grande majorité de la production de la seconde moitié du XIXe siècle et du début XXe siècle. Ils n'ont pas non plus abordé l'architecture domestique ou même monumentale de façon systématique. Dans les institutions couvertes, ils ont fait une sélection des objets répondants aux critères d'ancienneté et de « qualité » française.

Cependant, la documentation archivistique, les relevés de terrain, les photographies accumulées ont encore aujourd'hui, malgré un contexte très différent, une importance primordiale. Nul chercheur, nul professeur, nul chargé de projet n'entreprend une action reliée au patrimoine du Québec sans d'abord consulter le fonds Morisset qui fait maintenant partie du Centre de documentation du ministère des Affaires culturelles.

Aujourd'hui, l'inventaire du patrimoine s'est étendu à d'autres disciplines: l'archéologie, l'ethnologie, l'architecture, mais son mandat reste le même: connaître et faire connaître ce patrimoine. Le contexte administratif, social et politique a beaucoup changé; les moyens réservés par l'État pour la sauvegarde et la mise en valeur du patrimoine ont crû de façon remarquable. Durant la dernière décennie, l'État a songé, faute d'alternative immédiate, à assumer lui-même le champ de la sauvegarde et de la mise en valeur du patrimoine. Depuis quelque temps, cependant, la tendance exprimée par le Livre Blanc sur le développement culturel vise la prise en charge par la population de son patrimoine. L'Inventaire reprend alors la vocation, énoncée à l'origine par son fondateur, d'outil de sensibilisation et d'information. Nous sommes d'ailleurs persuadés que la connaissance constitue le levier le plus efficace dont nous disposons pour atteindre les objectifs gouvernementaux d'accroissement de l'engagement de la population dans la conservation du patrimoine collectif.

Si le phénomène du respect, de l'exploitation et de la mise en valeur du passé tend actuellement à s'élargir à une proportion de plus en plus grande de la population, il est vraisemblable d'affirmer que Gérard Morisset, en tant qu'un des principaux pionniers de ce mouvement, est à l'origine de cette évolution.

NOTES

1. Gérard Morisset. *Mémoire sur l'Inventaire des Oeuvres d'Art de la Province de Québec*, 1er septembre 1936.

2. *Ibidem*.

3. *Ibidem*.

4. Gérard Morisset. *Lettre à Omer Côté*, Secrétaire de la province, 8 janvier 1945.

5. Gérard Morisset. *Mémoire du 1er janvier 1936*.

6. Gérard Morisset, *Inventaire des Oeuvres d'Art. Rapport général du chef d'équipe 1935-1940*. 26 mars 1940, 45 p. dactyl..

Gérard Morisset, au cours de l'inventaire de la collection de l'Hôtel-Dieu de Montréal: il photographie un grand miroir à cadre sculpté. (Photo: *Inventaire des biens culturels*).

Les bureaux de l'Inventaire des Oeuvres d'Art au Musée du Québec, en 1961. De gauche à droite: Jacques Pierre, Isabelle Langlois et Jean-Paul Morisset. (Photo: *Inventaire des biens culturels*).

Les deux enquêteurs au cours d'une visite à Sainte-Théodosie (Calixa-Lavallée depuis 1974), en 1944. Ils posent avec des membres de la famille Larose dans une des maisons réservées par l'Inventaire des Oeuvres d'Art. (Photo: *Inventaire des biens culturels*).

GÉRARD MORISSET, CONSERVATEUR DU MUSÉE DE LA PROVINCE DE QUÉBEC (1953-1965)

par Claude Thibault
conservateur
Musée du Québec

Le 2 avril 1953, le Premier ministre Maurice Duplessis a nommé Gérard Morisset conservateur du Musée de la Province [1]. Ses études et ses activités antérieures, notamment des travaux dans le domaine de l'histoire de l'art, lui avaient permis d'acquérir une solide compétence qui l'a conduit à assumer l'importante fonction de directeur de musée.

En accédant à ce poste, il pouvait poursuivre la réalisation des objectifs et des ambitions qu'il entretenait pour l'art québécois. Il a joué un rôle majeur dans l'évolution du Musée du Québec, tant en améliorant la quantité et la qualité de son contenu artistique, qu'en veillant à ce qu'il soit pourvu de locaux et du matériel adéquats.

Gérard Morisset a quitté ses fonctions au mois d'août 1965, après avoir largement contribué à affirmer la mission du Musée.

Durant un séjour d'études à Paris, de 1930 à 1934 à l'École du Louvre, Gérard Morisset a acquis une formation en histoire de l'art et en muséographie. Nommé le 1er janvier 1932, à titre étranger, chargé de mission au département des peintures du Musée du Louvre, il a eu la possibilité d'effectuer des inventaires de collections et d'adopter une méthode de travail utile pour la documentation des oeuvres d'art. Il a aussi rédigé une thèse sur *La peinture au Canada français* et a obtenu, le 8 mars 1934, le diplôme de l'École du Louvre, avec la mention « très bien avec éloges ».

Enthousiaste, Gérard Morisset est rentré au pays le mois suivant et il a reçu, le 11 décembre 1934, le titre d'attaché honoraire des Musées nationaux de France. Comme il désirait se consacrer entièrement à l'étude de l'art du Québec, il a offert ses services au gouvernement en vue de répertorier toutes les oeuvres d'art de la province. À cette fin, il a demandé d'être nommé « attaché » et « chargé de mission » au nouveau Musée de la Province [2]. Le gouvernement a finalement décidé, en 1937, de le nommer responsable du service de l'Inventaire des Oeuvres d'Art qui relevait alors du ministère du Commerce et de l'Industrie.

Gérard Morisset portait évidemment beaucoup d'intérêt à la collection d'art du Musée. Dans un article publié en 1934, en hommage à Athanase David, secrétaire de la Province de 1919 à 1936, il a écrit:

> Le Musée de la Province est le dernier-né des musées provinciaux du Canada. De beaucoup moins riche et moins varié que celui de Toronto, son aîné de plus de cinquante ans, il est consacré à l'École Canadienne, spécialement à nos artistes contemporains, sorte de Luxembourg minuscule qui devra, tôt ou tard, ne conserver que les meilleures pièces et alimenter, avec le reste, les musées — encore à créer — de nos petites villes.
>
> Il n'y faut pas chercher des oeuvres des Écoles européennes, pas plus que des peintures anciennes. Tout au plus possède-t-il des toiles de la première moitié du XIXᵉ siècle, comme le portrait de Vallière de Saint-Réal, une peinture sentimentale de Plamondon, datée de 1866 et quelques « images » de Krieghoff.
>
> Le Musée est aménagé sans prétention: les toiles sont disposées selon leurs dimensions plutôt qu'en raison de leurs affinités, sans distinction de valeur ni de facture. Cela marque l'évidente impartialité des conservateurs, bien que le visiteur peu averti en soit dérouté tant soit peu; cela marque aussi la physionomie cahotante de notre École de peinture qui possède comme tout groupement artistique d'illustres médiocres et des maîtres méconnus.
>
> (. . .) je signale sommairement les admirables paysages de Robinson, les somptueuses petites toiles de Clarence Gagnon, d'une vision toute personnelle, les compositions de Suzor-Côté, inégales mais rarement dépourvues d'intérêt, les pièces académiques de Charles Huot, qui datent déjà, celles de Franchère, de Barré et de Beau qui représentent un état d'âme d'un romantisme suranné, les innombrables peintures de l'habile M. Walker, une jolie pièce de M. Pilot, l'admirable série de bronzes de M. Laliberté, les vivantes statuettes de M. Suzor-Coté, la *Chapelle de Tadoussac* de M. Ch. Maillard, *Cartier à Gaspé* de Fouqueray. Il faudrait signaler encore les bas-reliefs d'Émile Brunet, la plus belle acquisition peut-être de M. David, et les dessins de Suzor-Coté pour l'illustration de Maria Chapdelaine. . . [3].

Le Musée de la Province avait été érigé dans le parc des Champs-de-Bataille à Québec et inauguré le 5 juin 1933 [4]. Le premier conservateur, Pierre-Georges Roy était aussi Archiviste de la Province. À cette époque, le Musée comportait trois sections: le service des archives historiques au rez-de-chaussée [5], le muséum d'histoire naturelle au premier étage et la galerie des beaux-arts au dernier étage. Cette dernière section, consacrée aux oeuvres des artistes du Québec, disposait de deux salles d'exposition. Aux extrémités de ces deux pièces allongées, on avait aménagé trois salles plus petites.

La collection d'art s'est enrichie de façon normale jusqu'à l'arrivée de Gérard Morisset, malgré un budget annuel d'acquisition limité. Paul Rainville, conservateur de 1941 à 1952, sélectionnait un ensemble de sculptures, de peintures, de dessins et d'objets d'art décoratif pour représenter l'art du Québec depuis la fin du XVIIIᵉ siècle. Les oeuvres des jeunes artistes primées aux *Concours artistiques de la Province de Québec*, fondés en 1944, ont contribué à développer la collection. Mais faute d'espace pour les exposer, beaucoup d'oeuvres ont dû être remisées. On a pourtant réussi à organiser plusieurs expositions temporaires.

Le Musée a aussi présenté, durant cette période, les premières rétrospectives consacrées à l'art canadien, qui mettaient en évidence l'apport particulier de l'art du Québec: *Le développement de la peinture au Canada*, en 1945, organisée par l'Art Gallery of Ontario et, l'année suivante *The Arts of French Canada 1673-1870*, préparée par le Detroit Institute of History and Art. Gérard Morisset a collaboré à la préparation des expositions. En 1952, il a organisé pour le Musée, la première *Exposition rétrospective de l'art au Canada français*. Ces expositions ont fourni l'occasion à Gérard Morisset de sensibiliser le public à la connaissance de l'art du Québec et d'exploiter la documentation qu'il avait accumulée à l'Inventaire des Oeuvres d'Art. Le service avait été logé dans l'édifice du Musée à partir de 1948.

Dès son entrée en fonction comme conservateur du Musée en 1953, Gérard Morisset désirait poursuivre la tâche qu'il avait entreprise depuis plus de vingt ans pour promouvoir la conservation et la diffusion du patrimoine artistique du Québec. Sa première préoccupation était de parachever la vocation de l'établissement selon les plans des fondateurs: créer un musée voué essentiellement à la conservation et à la mise en valeur de l'art du Québec depuis les origines et dans toutes les formes d'expression. Il s'est préoccupé, en priorité, du développement de la section des beaux-arts. Il a confié la responsabilité des collections de sciences naturelles à un assistant.

Malgré la pauvreté du budget, les acquisitions ont augmenté dans tous les domaines, particulièrement en art ancien, grâce aux nombreux renseignements fournis par l'Inventaire des Oeuvres d'Art. Plusieurs collectionneurs ont apporté leur aide en vue de rassembler des oeuvres représentatives du patrimoine artistique du Québec. Paul Gouin a vendu 400 meubles et sculptures (1955). Gérard Morisset a constitué une collection d'orfèvrerie profane et religieuse à laquelle se sont ajoutées, en 1959, les 750 pièces réunies par Louis Carrier. La même année, le Musée a reçu en don la célèbre collection de peintures de Maurice Duplessis. Dans un rapport en 1964, Morisset signalait que le Musée possédait 2 315 peintures et dessins, 821 sculptures, 1 731 pièces d'art décoratif, 331 pièces d'artisanat et 21 photographies.

Afin d'assurer la conservation de ces collections et pour en permettre l'étude, Gérard Morisset a établi un inventaire méthodique de toutes les oeuvres d'art du Musée. Les fiches d'inventaire et la documentation technique relatives à chaque oeuvre, compilées dans des dossiers, ont été regroupées par noms d'artistes. Il a appliqué la méthode d'inventaire utilisée au département des peintures du Musée du Louvre.

La section des oeuvres d'art était toujours située au deuxième étage de l'édifice. La salle Levasseur présentait l'art ancien

et la salle Morrice, l'art moderne. Dans les six petites salles atte-
nantes, les oeuvres d'art européen, les dessins et les pièces d'art
décoratif étaient exposés. Dans une lettre adressée au sous-secrétaire de la province, Jean Bruchési, le 9 juillet 1954, Gérard Morisset a écrit:

> À l'ouverture du Musée il y a déjà vingt et un ans, il est cer-
> tain que l'édifice était suffisamment spacieux pour contenir les
> oeuvres d'art qu'on y avait rassemblées. Cependant avec les
> années, le Musée s'est considérablement enrichi de tableaux, de
> gravures, de dessins et d'aquarelles, de pièces de sculpture et
> d'art décoratif, de meubles et d'objets divers, anciens et mo-
> dernes (. . .) C'est dire que le Musée de la Province est devenu
> trop exigu. Nombre de peintures, de sculptures, de meubles et
> d'objets divers ne peuvent être exposés faute d'espace; il est
> même impossible de conserver la plupart de ces pièces au Musée,
> et il a fallu les remiser dans les entrepôts — ce qui compromet
> leur conservation (. . .) Pour toutes ces raisons, il devient néces-
> saire, sinon urgent, d'agrandir le Musée, soit conformément aux
> plans primitifs, soit en y apportant des modifications de détail
> dues à la technique moderne. (. . .) En vingt ans avec les faibles
> moyens dont il disposait, le Musée de la Province a rendu des
> services éminents à la population du pays et à la culture artis-
> tique. Maintenant que la culture intellectuelle du Canada fran-
> çais est reconnue comme une nécessité vitale pour la nation, il
> convient que le Musée de la Province, dont le rôle est souverain
> dans ce domaine, soit pourvu des locaux et du matériel dont il a
> besoin pour remplir sa mission [6].

Morisset est revenu à la charge les années suivantes et
a demandé avec insistance l'agrandissement du Musée. En 1959,
on a commencé la construction d'une nouvelle aile de quatre étages.
Deux étages sont devenus des salles d'exposition. L'aile a été inau-
gurée le 20 mars 1964. On a profité de l'agrandissement pour
déménager la collection des sciences naturelles dans un autre
bâtiment de la ville. Pour la première fois, le Musée possédait
l'espace nécessaire pour mettre en valeur les collections et en renouveler la présentation. En 1964, les peintures anciennes sont exposées dans la salle Plamondon, les sculptures anciennes dans la
salle Levasseur et les objets d'art décoratif dans la salle Ranvoyzé.
Les oeuvres d'art moderne sont présentées dans les deux salles
de la nouvelle aile.

Jusqu'à l'agrandissement du Musée, il y avait peu d'expositions temporaires et elles provenaient surtout de la France.
Toutefois, Gérard Morisset a organisé l'importante rétrospective
Les arts au Canada français au Vancouver Art Gallery (1959). Il a
aussi participé à la préparation de l'exposition *Les arts au Canada
français*, au Grands Magasins du Louvre, à Paris (1958) et à l'exposition *L'Art au Canada*, au Musée des beaux-arts de Bordeaux
(1962).

En 1964, avec l'agrandissement du Musée, une série de
grandes expositions peuvent désormais avoir lieu: *Albert Marquet*
(1964), *Rouault* et *Trésors de Toutankhamon* (1965).

Puisque Gérard Morisset a repris la direction de l'Inventaire des Oeuvres d'Art en 1962, il a délégué de plus en plus les

responsabilités de l'administration à Claude Picher, directeur adjoint. Il a quitté définitivement sa fonction de conservateur du Musée au mois d'août 1965. Le ministre des Affaires culturelles lui a décerné le titre de conservateur honoraire du Musée du Québec.

NOTES

1. Le titre de conservateur désigne le directeur de l'établissement qui deviendra le *Musée du Québec* à la création du ministère des Affaires culturelles en 1961.

2. Gérard Morisset. *Mémoire sur l'inventaire des oeuvres d'art de la Province de Québec.* 1er septembre 1936.

3. Gérard Morisset. « Un mécène: M. David. Réflexions sur l'oeuvre d'un homme », *l'Événement*, Québec, 12 décembre 1934.

4. Ministère des Affaires culturelles. *Le Musée du Québec*, Québec, 1979, 39 p.

5. Les archives deviennent un service autonome en 1941.

6. Lettre de Gérard Morisset à Jean Bruchési, sous-secrétaire de la province, 9 juillet 1954.

L'édifice du Musée du Québec, construit de 1929 à 1932, d'après les plans de l'architecte Wilfrid Lacroix. (Photo: *Musée du Québec*).

Le Musée du Québec. La galerie des peintures, 1936. (Photo: *Inventaire des biens culturels*).

Le Musée du Québec. La salle Levasseur, 1957. Vue de la collection de peintures et de sculptures anciennes. (Photo: *Inventaire des biens culturels*).

Le Musée du Québec. La salle Morrice, 1959. Vue de la collection d'art moderne. (Photo: *Inventaire des biens culturels*).

Le Musée du Québec. La salle Levasseur, 1964. Nouvelle présentation de la collection de sculptures anciennes. (Photo: *Inventaire des biens culturels*).

Le Musée du Québec. La salle Plamondon, 1964. Nouvelle présentation de la collection de peintures anciennes. (Photo: *Inventaire des biens culturels*).

Le Musée du Québec. La salle Ranvoyzé, 1963. Nouvelle présentation de la collection d'arts décoratifs. (Photo: *Inventaire des biens culturels*).

Laurent Amiot. *Aiguière*, vers 1795. Musée du Québec, coll. Louis Carrier. (Photo: *Musée du Québec*).

Pierre-Noël Levasseur. *Père éternel*, vers 1768. Musée du Québec, coll. Paul Gouin. (Photo: *Musée du Québec*).

William Turner. *Paysage dans l'île de Wight, près de Northcourt*, vers 1830. Musée du Québec, don de la succession de l'honorable Maurice Duplessis. (Photo: *Musée du Québec*).

GÉRARD MORISSET ET L'ARCHITECTURE: L'IDÉE ET LA FORME

par Jacques Robert
histoire de l'art
université Laval

On peut se demander ce qu'il advint de l'intérêt de Gérard Morisset pour l'art et l'architecture après le début de son cours de droit en 1918. L'art avait occupé une place importante dans sa vie avant ses vingt ans. Au cours de ses discussions avec l'abbé Jean-Thomas Nadeau, qui fut, à toutes fins utiles, son initiateur en ce domaine, et au long de ses lectures, l'écolier a développé un goût pour l'architecture et, qui plus est, pour la pratique de l'architecture, ce à quoi le prédisposait son talent de dessinateur. À la fin de son cours au Collège de Lévis, il opte cependant pour le notariat, laissant de côté, semble-t-il, le champ de l'architecture. S'il choisit le notariat comme carrière, ce n'est pas tant par goût que par nécessité, à une époque où l'éventail des professions au Québec est assez étroit. Est-il nécessaire de mentionner qu'il n'existe pas au Québec à l'époque d'école d'architecture, et que ceux qui se destinent à une telle carrière n'ont que deux possibilités: la première, plus simple, aurait peu satisfait le jeune Morisset: elle consiste à devenir apprenti chez un architecte. D'un travail accessoire et peu valorisant, le futur architecte passe au dessin des projets de son maître — maître étant dans bien des cas un grand mot — . Sa science lui vient de ce stage qui peut durer plusieurs années et les insuffisances de l'employeur sont transmises à ses employés. La seconde possibilité est plus satisfaisante à bien des point de vue: c'est l'école. L'étudiant est valorisé, l'émulation entre élèves favorise l'excellence. Plusieurs professeurs défilent devant le candidat, atténuant les faiblesses de l'un ou de l'autre. Et à cela s'ajoute le travail de l'atelier, le dessin occupant alors, et encore aujourd'hui, une place importante dans l'enseignement de l'architecture. Le problème vient du fait que l'étudiant doit se tourner vers les États-Unis ou, plus souvent, vers l'Europe et la France en particulier, pour poursuivre un tel cours. Et seuls les plus aisés peuvent défrayer le coût d'un tel enseignement.

Architecte et notaire

Le notariat est apparu à Morisset, compte tenu de ses dispositions personnelles, comme le meilleur moyen, à long terme, de parvenir à ses fins. La pratique privée lui permettrait de réunir l'argent nécessaire au voyage d'étude, tout en lui laissant quelques loisirs pour s'adonner à l'exercice de l'architecture. Reçu notaire en 1921, Morisset se lance aussitôt dans l'étude des arts anciens du Québec, suit des cours de dessin et commence sa pratique de l'architecture, le tout sous l'oeil attentif et amical de Jean-Thomas Nadeau. C'est à partir des années 1924-1925 que Gérard Morisset pratique l'architecture suffisamment pour l'occuper une partie de l'année. Deux églises sont réalisées selon ses plans: Saint-Pascal-Baylon et Notre-Dame-de-Grâce, toutes deux à Québec. Il dessine des projets de complément intérieur des églises de Rivière-à-Pierre et de Saint-Gilbert, dans le comté de Portneuf. Des maisons, de petits oratoires, des projets de monuments sont aussi dessinés par le notaire à cette époque. Enfin, il trace quelques projets, d'églises surtout, dans le but de convaincre des clients ou, tout simplement, de développer son art et la qualité de son dessin. Détail curieux, ses plans sont rarement signés. En général, ils portent plutôt les lettres « P.A.L. », qui sont les initiales de sa devise personnelle: « Per Arma Lugis » adoptée au moment de ses études de collège. Cette habitude ne répond pas à une fantaisie gratuite. Elle consiste plutôt en une mesure de prudence pour échapper aux amendes de l'Ordre des Architectes, puisque n'est pas architecte qui veut, et seuls ceux qui sont membres de la corporation ont le droit de pratiquer l'architecture.

Parallèlement à cette activité clandestine d'architecte, Gérard Morisset développe un discours sur l'architecture dans l'*Almanach de l'Action Sociale Catholique*. En effet, Jean-Thomas Nadeau, directeur de la publication, lui offre la possiblté, chaque année, de publier un article assez long, et cela à partir de 1924. Gérard Morisset collabore en outre à l'*Almanach* en préparant sa mise en page et fournissant de nombreux dessins, inédits pour la plupart. Les articles que signe Morisset de 1924 à 1929 concernent tous l'architecture. Dans l'ensemble, ils portent sur deux thèmes majeurs: la condamnation d'une architecture fautive, héritière d'une mauvaise tradition, et, en contrepartie, la promotion d'un art de bâtir moderne, fondé sur quelques grands principes.

Avant d'aborder les réalisations architecturales de Gérard Morisset, il convient de s'attarder à ses idées sur l'architecture. Nous tenterons de voir en quoi elles consistent, comment elles s'organisent, quelles en sont les sources. Ainsi pourrons-nous dégager la théorie architecturale de Gérard Morisset, fondement et support de sa pratique de l'architecture.

Un discours sur l'architecture

« L'architecture est l'art de bâtir; c'est l'art d'élever des édifices selon des principes reconnus de tout temps, principes dont l'application peut différer selon les pays, mais qui sont immuables parce qu'ils sont basés sur les lois physiques et chimiques [1] ».

Une telle affirmation sous-entend que les principes qui régissent l'architecture sont connus de tous, ce qui n'était pas le cas, loin de là. Pour Gérard Morisset, l'architecture québécoise de la fin du XIXe siècle était un exemple des plus éloquents de la méconnaissance des principes de l'art de bâtir. Il juge sévèrement la production architecturale depuis 1850, surtout dans le domaine des églises. Tout n'est plus qu'« art de pacotille [2] ». Ce sont le plâtre et la tôle imitant des formes propres à des matériaux plus nobles. Ce sont les produits en série: les colonnes, les chapiteaux, les éléments sculpturaux manufacturés en usine, de surcroît importés de l'étranger. Ce sont aussi des plans mal conçus, des intérieurs grandiloquents et défectueux, des façades prétentieuses. C'est finalement le pastiche des styles des grandes époques architecturales ou, pire encore, c'est l'éclectisme des formes. Face à un tel constat, Gérard Morisset, précédé et appuyé en cela par Jean-Thomas Nadeau, est amené à vulgariser un ensemble de principes qui seraient le fondement d'une nouvelle architecture.

Deux thèmes dominent nettement la pensée théorique de Gérard Morisset: la logique dans la construction et l'honnêteté dans la mise en oeuvre des matériaux. Le premier thème intervient au moment de la conception de l'édifice. L'architecte doit chercher à réaliser un bâtiment qui soit conforme aux besoins et dont les formes sont déduites de la fonction. Cette approche fonctionnaliste amène Morisset à critiquer les églises québécoises du XIXe siècle, où se développent un goût pour le pittoresque et le trompe-l'oeil. La logique dans la construction veut aussi que les matériaux mis en oeuvre soient utilisés selon leurs propriétés et fassent naître des formes qui leur soient propres. Il en est ainsi des charpentes métalliques et du métal en général, matériau de notre temps s'il en est, qui feront naître une nouvelle architecture, dérivée de l'ingénierie.

L'honnêteté dans la mise en oeuvre des matériaux commande une attitude semblable. Il ne suffit pas qu'un édifice soit logique; il faut encore qu'il soit réalisé avec de bons matériaux et que ceux-ci soient utilisés selon leurs propriétés. Gérard Morisset rejette le plâtre et la tôle parce que ce sont des matériaux factices, et limite leur rôle à ceux d'un enduit et d'un recouvrement de toiture. La pierre, le bois, le métal, le béton armé sont des matériaux plus appropriés, dans la mesure où on leur conserve leur état original:

> « Nous le répétons, la première qualité d'un constructeur doit être la sincérité. Il doit laisser à chaque matériau son apparence extérieure: s'il emploie la pierre, qu'elle paraisse telle; s'il se sert du ciment, qu'il n'ait pas le mauvais goût de le transformer en pierre ou en marbre; s'il met en oeuvre telle essence de bois, qu'il lui conserve l'aspect caractéristique dont la nature l'a doté [3] ».

Il recommande en outre l'économie dans l'emploi des matériaux: « L'architecte qui gaspille la matière dont il dispose manque de goût, car il avoue par le fait même qu'il n'a pu calculer juste ses résistances ou qu'il ne s'en est pas soucié [4] ».

L'essentiel de la doctrine architecturale de Gérard Morisset tient là: l'architecture est affaire de goût, de sincérité surtout; l'architecte doit allier à cette éthique une connaissance des techniques et des matériaux de construction. Cette doctrine a pour source les écrits théoriques de l'architecte français Eugène-Emmanuel Viollet-le-Duc (1814-1879) qui, au milieu du XIXᵉ siècle, diffusa, dans son *Dictionnaire raisonné de l'architecture française du XIᵉ au XVIᵉ siècle* et surtout dans ses *Entretiens sur l'architecture*, publiés en 1863 et 1872 [6], ce qu'il est convenu depuis d'appeler la doctrine rationaliste. Viollet-le-Duc insiste sur la logique, sur la sincérité, sur le goût. Il prône de plus l'adoption de l'architecture gothique française du XIIIᵉ siècle comme base pour la création d'un style de son temps, idée que reprendra, en l'élargissant, l'historien de l'art québécois.

Gérard Morisset a connu les textes de Viollet-le-Duc par l'intermédiaire de Jean-Thomas Nadeau. Un des disciples les plus fervents du théoricien français au pays, Nadeau a fait lire au jeune Morisset, à partir de ses années de collège, quelques articles du *Dictionnaire raisonné*, la biographie de Viollet-le-Duc, rédigée par Paul Gout [7] et les textes d'Abel Fabre, prêtre français qui contribua à diffuser les principes rationalistes au sein du clergé français [8]. Bien plus, Morisset s'est initié à ces principes grâce à ses discussions avec Nadeau [9]. Ces deux hommes, l'aîné, Nadeau, et le cadet, Morisset, ont diffusé dans l'*Action Catholique* et dans l'*Almanach de l'Action Sociale Catholique*, à peu près dans le même esprit et sans trop différer d'opinion, la théorie rationaliste. Si l'on excepte une propension plus grande chez Morisset à parler du caractère national de l'architecture et de la décoration, la pensée théorique du disciple offre peu d'originalité par rapport à celle du maître.

Pour Gérard Morisset, la décoration est un élément essentiel de l'architecture. Assez curieusement, il ne croit pas que les formes logiques et les matériaux honnêtes soient suffisants pour créer un art de notre temps. La décoration doit venir appuyer les lignes de force, suggérer la structure: elle doit être « [déduite] du système constructif [10] ». En outre, c'est par la décoration que l'architecte peut exprimer son enracinement. L'architecture rationaliste étant par nature internationale — elle est dans les faits française, à tout le moins pour Gérard Morisset et Jean-Thomas Nadeau — , c'est dans les chapiteaux, les frises sculptées, les dessins des arcs et de la voûte, le mobilier liturgique que réside l'expression du nationalisme. Pour Gérard Morisset, cela se concrétise par le choix des motifs: la feuille d'érable et la fleur de lys demeurent au cours des années vingt et même au-delà, le signe, le symbole de la nation « canadienne-française ».

Un autre élément important de la doctrine architecturale véhiculée par Gérard Morisset est la croyance en la possibilité de créer un art de notre temps à partir des arts du passé. Comme Viollet-le-Duc et ses disciples, Gérard Morisset rejette l'éclectisme compris comme l'emprunt à différents styles du passé. Toutefois, il recommande, à la suite de l'architecte français, de s'inspirer de l'architecture gothique, à ses yeux la plus rationnelle:

« Il n'est pas question évidemment de bâtir en notre pays des églises des dimensions de Beauvais ou de Bourges ni d'une richesse comme celle de Reims, d'Amiens et de Brou. Nous ne prônons pas un tel retour au passé qui n'a rien de commun avec nos moyens et nos exigences modernes. Il serait également inutile et dangereux de suivre toutes les méthodes d'outre-mer dans l'art de bâtir, à cause de notre climat.

« Cependant, nous sommes convaincu que l'étude des oeuvres médiévales serait utile à tous, non pas dans le but de les copier, mais pour en faire notre profit et nous en assimiler les qualités. Il en est ainsi comme en littérature. Nous n'étudions pas les oeuvres de Racine, de Corneille et de Molière pour les copier, mais pour y développer notre esprit et former notre jugement [11] ».

Évidemment, la copie de l'architecture gothique est, selon son système de pensée, condamnable; toutefois, en s'en inspirant, l'artiste peut difficilement s'empêcher d'en reprendre les formes. Et Morisset n'échappe pas à la règle. Ses oeuvres se ressentent trop de ce contact étroit avec l'art du moyen-âge.

La doctrine rationaliste est tournée vers l'avenir: elle croit au progrès de l'industrie et au développement technologique. Cela se comprend si l'on examine les conditions dans lesquelles elle est née, à un siècle et à une époque d'activité fébrile. L'introduction du métal et du béton armé dans la construction rendait possible la réalisation de nouvelles formes architecturales. Comme les rationalistes du XIXe siècle, Morisset a la conviction que les formes nouvelles naîtront de la nouvelle technologie, le concepteur s'appuyant en outre sur l'expérience du passé:

« L'architecte doit être de son temps, tout comme l'écrivain et le poète, l'ingénieur et le musicien. C'est pourquoi la recherche de nouvelles formes s'impose. Sans verser dans les exagérations des promoteurs à outrance des nouveaux matériaux, il est permis de souhaiter une rénovation intelligente en architecture. Nous servant des mots que le vocabulaire architectural met à notre disposition, nous pouvons, tout en tenant compte de la tradition et en l'adaptant à notre esprit, faire des oeuvres logiques, intéressantes, aussi éloignées du pastiche que de l'étrangeté [12] ».

Une pratique de l'architecture: quatre églises

Ainsi muni de la connaissance des « véritables principes de l'art de bâtir: « Construction franche et logique, concordances entre l'apparence et la structure, décoration originale déduite des membres architectoniques, respect des matériaux, etc. . . . [13] », Gérard Morisset est en mesure de concevoir une architecture nouvelle et de son temps. Et il sera architecte, au sens où il le définissait en 1927:

« Le terme architecte doit ici s'entendre dans son sens le plus large. Il comprend donc tous ceux qui, de près ou de loin, concourent à l'édification des oeuvres architecturales. Il comprend également les entrepreneurs et les dessinateurs à gages, aussi bien que les architectes diplômés, ou non . . . [14] ».

L'architecture religieuse demeure, au cours des années

vingt, son champ d'expérimentation principal, même s'il conçoit, à l'occasion, des oeuvres non rattachées au culte. Ses premières tentatives en architecture, les églises Saint-Pascal-Baylon et Notre-Dame-de-Grâce, portent l'empreinte de Jean-Thomas Nadeau, à tel point qu'il faut en attribuer la paternité aux deux hommes. L'église Saint-Pascal-Baylon fut construite à l'été et à l'automne 1924. Il s'agissait — l'édifice a été détruit en 1949 — d'un petit édifice à vocation temporaire en bois recouvert de briques de couleur brune, d'allure austère. L'église avait trois vaisseaux à l'intérieur, de grandes arcades surmontées de fenêtres hautes. Cette organisation était d'ailleurs visible à l'extérieur, le mur correspondant au clair-étage étant revêtu de bardeaux d'amiante. Un plafond recouvrait le vaisseau central et des arcs doubleaux en plein cintre suggéraient la courbe d'une voûte. Le choeur était à cinq pans. À l'extérieur, l'architecte avait mis l'accent sur la façade, que dominait une tour centrale massive.

La construction de l'église Saint-Pascal-Baylon est suivie moins d'un an plus tard par celle d'une autre église de Québec, plus importante celle-là: Notre-Dame-de-Grâce. Les concepteurs du projet avaient devant eux un programme architectural plus consistant: l'église qu'ils devaient construire devait être permanente, plus grande, plus soignée dans l'exécution et dans les détails. Jean-Thomas Nadeau lui suggère des formules, des plans, des formes. Les plans de l'église, au nombre de quarante-sept, laissent voir un dessin précis et soigné. Leur auteur a multiplié les explications et les notes; tous les motifs décoratifs, si petits soient-ils, sont dessinés à l'échelle. Gérard Morisset laisse peu de libertés à l'ouvrier qui exécutera son projet et il prévoit tout. Son devis — c'est-à-dire le texte descriptif qui accompagne les plans et sur lequel repose le travail de l'exécutant — est très détaillé et les termes y sont précis, l'architecte montrant son souci de l'exactitude et de la concision.

Il semble probable que le rôle de Jean-Thomas Nadeau dans ce projet ait consisté à préciser le programme architectural, à fournir la justification théorique, à un moment où Gérard Morisset commençait à écrire sur l'architecture, à suggérer les grandes lignes du projet, quant au plan, aux élévations, au mode de couvrement. Il est sûr que Gérard Morisset prit part à ce travail à ce stade-là. Les nombreuses discussions qu'il a eues avec Nadeau à cette époque en apportent la preuve. Par la suite toutefois, son rôle s'amplifia, à tel point que le prêtre se retira à peu près complètement du projet. Morisset traça les plans, les fit accepter. Il s'occupa de la surveillance du chantier, contre rémunération. C'est lui qui, en décembre 1925, prévient la Fabrique que l'entrepreneur ne respecte ni les délais, ni les plans et devis et qui le somme d'accélérer les travaux. C'est lui qui, quelques mois plus tard, en avril 1926, signifie aux autorités paroissiales que l'église est terminée dans son ensemble.

Son rôle est important au chapitre de la décoration. Il semble à peu près certain que c'est Gérard Morisset qui détermina la forme des arcs, le matériau avec lequel ils seraient façonnés, le caractère des éléments décoratifs. Les vitraux, le maître-autel, les autels latéraux et les autres pièces de mobilier sont entièrement de lui, nous en sommes sûr.

L'église Notre-Dame-de-Grâce se présente à l'extérieur comme un long édifice de briques brunes. Comme à Saint-Pascal-Baylon, l'organisation de l'espace intérieur en trois vaisseaux — un vaisseau central, plus haut, éclairé par des fenêtres-hautes, et deux bas-côtés — est nettement visible à l'extérieur. En façade, l'immeuble est composé de trois sections, correspondant aux trois vaisseaux. Une tour, surmontée d'une large flèche à quatre versants, surplombe l'église, à la droite de la façade. L'intérieur est vaste; les piliers, en bois, qui séparent les bas-côtés du vaisseau central, sont légers et peu encombrants; ils supportent de larges arcs doubleaux en arc brisé qui dessinent la forme du couvrement. En effet, une des originalités de cette église réside dans cette structure tout en bois: le contour intérieur de l'église suit de près les lignes de la toiture, et c'est le même système constructif, la même charpente, qui supportent et la couverture et le couvrement intérieur. La nef est prolongée par un choeur de la largeur du vaisseau central et qui se termine par une abside à cinq pans.

Dans son ensemble, l'église Notre-Dame-de-Grâce, tout comme, à une moindre mesure, celle de la paroisse Saint-Pascal-Baylon, correspond aux idées mises de l'avant par Gérard Morisset. La logique a guidé le concepteur: les accès, les circulations dans l'église, la visibilité s'y veulent faciles et pratiques; l'édifice répond à un programme de façon très simple et très claire; son ordonnance extérieure reflète fidèlement son organisation intérieure; pas de fausse symétrie, notamment en façade. Les formes sont déduites des matériaux et des techniques. Les matériaux y sont utilisés honnêtement: sous-sol et soubassement en béton armé, structure du rez-de-chaussée en bois laissé apparent, recouvrement extérieur en briques. La tôle n'est employée que comme matériau de couverture, et l'utilisation du plâtre se limite à la finition intérieure des murs du périmètre. De plus, les matériaux sont utilisés avec parcimonie et sens de l'économie, les murs extérieurs sont d'une épaisseur proportionnelle au poids qu'ils supportent, et la structure du couvrement ne comporte pas de pièces inutiles.

Sur le plan formel et stylistique, l'église du quartier Saint-Sauveur témoigne des préoccupations théoriques de Gérard Morisset. Bien plus, elle laisse apparaître la même contradiction que celle que l'on retrouvait dans ses textes: comment concilier son admiration pour l'art du moyen âge, admiration si grande qu'il conseille de s'en inspirer, avec sa volonté de créer une architecture nouvelle? Certes, le couvrement en bois et les piliers qui le portent sont structuraux, en ce sens qu'ils jouent effectivement un rôle dans la construction. Mais la forme qu'on leur donne — l'arc brisé des arcs doubleaux, l'art *Tudor* des grandes arcades — bien qu'efficace, n'est pas déterminé par la nature et les propriétés du matériau; elle répond à un besoin autre, symbolique. Dans le traitement décoratif du mobilier, par exemple, Gérard Morisset cherche à créer un vocabulaire nouveau et proprement national; cela se voit dans les dessins des stalles du choeur ou, mieux encore, dans le tracé précis et minutieux d'un maître-autel qu'il dessina à la fin de 1926. On chercherait en vain dans ces deux exemples des formes précises tirées de l'architecture romane ou gothique. Toutefois, l'ordonnance et la composition générale, l'inspiration — ne recommandait-il pas justement de « s'inspirer » de l'art du moyen âge? — y sont. L'arc surbaissé est préféré à tout autre puisqu'il représente, selon Morisset et selon Jean-Thomas Nadeau, la forme d'arc la plus appropriée aux matériaux d'aujourd'hui, le fer et le béton. Les motifs sont puisés dans la nature et l'histoire nationale, la feuille d'érable et la fleur de lys étant juxtaposées dans la plupart des oeuvres de Gérard Morisset.

Les églises de Saint-Pascal-Baylon et de Notre-Dame-de-Grâce comptent parmi les principales réalisations architecturales de Gérard Morisset. Deux autres églises portent sa marque: celles de Rivière-à-Pierre et de Saint-Gilbert, toutes deux dans le comté de Portneuf. En 1927 et en 1928, Gérard Morisset est chargé de terminer l'intérieur de ces deux petites églises construites pour l'essentiel à la fin du XIXᵉ siècle. Dans les deux cas, il s'agissait de composer un intérieur en tenant compte des restrictions imposées par la construction existante. L'architecte est tenu d'adopter, comme mode de couvrement, la fausse-voûte en arc surbaissé, caractéristique des églises québécoises traditionnelles, même si cela correspond peu aux principes d'honnêteté des matériaux et de logique dans la construction qu'il défend. Malgré tout, il tente de faire le lien entre ses projets et ses idées. Ainsi, il décide que le bas des murs, plutôt que d'être en plâtre comme ailleurs dans l'édifice, sera en matériaux plus « nobles »: en brique à Saint-Gilbert et en granit, la spécialité du village, à Rivière-à-Pierre. De façon identique, il fait exécuter pour le choeur de ces deux églises des grilles en bois ouvragé, de près de trois mètres de hauteur, qui suggèrent la forme d'un choeur plus étroit que la nef [15]. Tout en étant exécuté par des ouvriers locaux, ces éléments ne sont pas peints: l'originalité du dessin, l'habileté artisanale, la valorisation des propriétés du matériau s'y trouvent réunis. En outre, parce que les fabriques disposent, dans les deux cas, de peu de ressources, Morisset limite la décoration sculptée aux boiseries du choeur. Pour le reste, les motifs décoratifs sont exécutés au pochoir sur la fausse-voûte, où le fleurdelysé et la feuille d'érable prédominent nettement:

> « Si cette décoration manque de grandeur et de pompe », écrit Morisset à propos de l'église Saint-Gilbert, « elle est toutefois moins banale que l'éternel entablement et la non moins éternelle feuille d'acanthe, moulés en plâtre et chargés de dorure [16] ».

Les projets et les oeuvres mineures: entre la tradition et la nouveauté

Ces quatre réalisations, si elles demeurent les signes les plus tangibles de l'activité architecturale de Gérard Morisset, n'en restent pas moins très liées à la personnalité de Jean-Thomas Nadeau. Concepteur dans les deux premiers cas, conseiller dans les autres, celui-ci a influencé les dessins de Morisset et l'a guidé dans l'élaboration du programme architectural et le choix des formules stylistiques. Il est certain que la présence de Nadeau a imposé à Gérard Morisset un parti plus conservateur. Le respect des formes de l'architecture médiévale — pensons notamment à l'arc brisé qui prédomine à l'intérieur de l'église Notre-Dame-de-Grâce — est éloquent. Et si la doctrine que prônent Morisset et son maître Nadeau est, en théorie, moderniste, les formes, elles, le sont moins. Il est probable que Nadeau a agi comme modérateur des élans progressistes, sur le plan esthétique, de Gérard Morisset. Cela est d'autant plus probable que dans des oeuvres d'imagination, où l'influence de Nadeau est sans doute moins grande, Gérard Morisset fait preuve de beaucoup d'invention formelle, même si les édifices qu'il conçoit demeurent toujours « entaché[s] d'un brin d'archéologie [17] » selon son expression à propos de l'église Saint-Vincent-Ferrier de New York, oeuvre de l'architecte Bertram Grosvenor Goodhue.

Un projet particulièrement intéressant à cet égard est le « Projet d'Église Paroissiale à St *** » qu'il dessina probablement vers 1926-1927. Le dessin illustre le plan de l'édifice, sa façade principale et la façade est. Son traitement intérieur nous est en outre connu par un dessin demeuré incomplet, montrant la coupe transversale vers le choeur de l'église et l'élévation de l'une de ses travées. L'édifice projeté fait évidemment référence à l'architecture de l'époque médiévale, comme le montrent l'arc en plein-cintre, la flèche surmontant le clocher et les contreforts aux angles de la tour. Mais Morisset dépasse le pastiche, mieux qu'il ne l'avait fait à Notre-Dame-de-Grâce, et l'influence médiévale est intégrée à un ensemble résolument moderniste. Le plan démontre un intérêt plus grand pour les circulations aisées et une bonne visibilité. Les bas-côtés disparaissent presque, au profit d'une large nef flanquée d'allées. Le choeur, quant à lui, est traité comme celui de Notre-Dame-de-Grâce: il est plus étroit que la nef, et des stalles le bordent. Le traitement extérieur est marqué par une recherche des formes anguleuses et de la polychromie, les briques de couleur créant à même la surface du mur des motifs décoratifs. La façon dont le concepteur a prévu les fenêtres-hautes est à signaler. Plutôt que de couvrir l'église de trois toitures, comme cela est le cas aux églises Notre-Dame-de-Grâce et Saint-Pascal-Baylon, l'architecte a préféré ponctuer les versants du toit de larges lucarnes percées chacune d'un triplet de fenêtres. Enfin, la coupe sur le choeur, d'une exécution très réussie, nous permet d'imaginer ce qu'aurait été l'intérieur de cette église de campagne. De grands arcs paraboliques, surmontant des colonnes trapues, auraient traversé la nef et supporté le couvrement qui suit la ligne du toit. La brique est ici utilisée pour son potentiel décoratif. Le contraste entre rangs de briques claires et rangs de briques foncées et les dessins exécutés dans l'épaisseur du mur amènent une richesse décorative impossible à atteindre avec un matériaux monochrome. En outre, la brique, par son assemblage, souligne les lignes de force de la structure.

Ce projet très intéressant se ressent des idées de Morisset sur l'architecture. Et le rationalisme qu'il a prôné s'y trouve illustré.

Sur le plan formel, l'église paroissiale de « St *** » se rapproche de certaines églises françaises du début du XXᵉ siècle et, évidemment, des oeuvres de l'architecte bénédictin Dom Paul Bellot, que le public québécois a d'abord connu grâce à l'article de Morisset sur l'église de Noordhock (Pays-Bas) dans l'*Almanach* de 1929 [18]. Adoptant son mot d'ordre: « innover en suivant la tradition » [19], Morisset s'intéresse à la carrière du moine architecte, chez qui la polychromie et la mise au point de nouvelles formes (l'arc parabolique surtout) constituent l'aboutissement d'une doctrine architecturale semblable à la sienne.

Toujours soucieux du rationalisme, Gérard Morisset dessine des édifices où les formes et les structures découlent de la logique et de l'honnêteté; les formes extérieures correspondent à l'aménagement intérieur, les matériaux sont exploités selon leur nature, la décoration appuie et souligne les lignes structurales. La recherche d'une architecture nationale, adaptée au climat québécois et bien de son époque, l'amène à concevoir des édifices particulièrement sobres, avec très peu de sculpture à l'extérieur et quelques éléments de polychromie. Dans des édifices plus petits, comme les chapelles qu'il dessine pour les cimetières de Saint-Romuald et de la paroisse Saint-Ignace-de-Loyola de Giffard (maintenant Beauport), Gérard Morisset fait montre des mêmes qualités: il utilise une ordonnance simple, des motifs décoratifs épurés et des matériaux francs. L'arc surbaissé, le clocher effilé, des anges à la trompette aux angles de l'édicule, les éléments de polychromie tant à l'extérieur qu'à l'intérieur, la présence de la crête en fer forgé, de même que le traitement intérieur avec la charpente apparente, sont typiques de sa manière et représentatifs de son esthétique.

Si Gérard Morisset demeure avant tout un architecte d'églises ou, à tout le moins, de bâtiments à vocation religieuse, il ne se refuse pas à l'architecture « profane ». Ses réalisations en ce domaine sont, il faut bien l'avouer, plutôt modestes et n'atteignent pas l'excellence de son architecture religieuse. Le presbytère qu'il dessine en 1927 pour le curé de la paroisse de Godbout, sur la Côte-Nord, n'a rien de particulièrement remarquable. C'est une grosse maison d'un étage sur rez-de-chaussée couverte d'un toit à quatre versants, que seuls distinguent le porche au-dessus de l'entrée principale, la grande lucarne dans l'axe, percée d'une baie surbaissée, la crête en fer forgé sur le faîte de la toiture. De la même façon, la maison d'été dont il fait les plans en 1928 pour son ami, le notaire Henri Turgeon, est constituée d'un corps de bâtiment surmonté d'une toiture à quatre versants à pente faible. La façade principale, identifiée comme étant la façade du sud-ouest sur le plan, n'est pas sans rappeler celle du presbytère de Godbout: l'ordonnance et le détail des baies y sont semblables; le porche, la lucarne, sur le versant cette fois-ci et la crête s'y trouvent également.

* * *

La carrière de Gérard Morisset aurait dû connaître un nouvel élan à la fin des années vingt, alors qu'il partait étudier l'architecture à Paris, après quelques années de pratique clandestine. Il choisit de faire un séjour préparatoire de quelques mois à l'atelier de l'architecte lyonnais Tony Garnier (1869-1948), reconnu aujourd'hui comme un des créateurs de l'architecture contemporaine française, et qu'il connaissait pour avoir correspondu avec lui. Si ce n'avait pas été de son âge, Gérard Morisset aurait été admis à l'École des Beaux-Arts de Paris et serait probablement revenu au pays prêt à poursuivre, au grand jour désormais, sa carrière architecturale. Les circonstances ont voulu que Morisset abandonne ce rêve et qu'il devienne un historien de l'art, intéressé aux manifestations de l'art ancien du Québec. Toutefois, cette carrière qui l'a fait connaître a éclipsé son oeuvre architecturale, pourtant intéressante et importante pour la naissance d'une architecture contemporaine au Québec. Se situant dans la foulée, avec Jean-Thomas Nadeau, des rationalistes du XIXᵉ siècle, Gérard Morisset a contribué à introduire, au sein de la société québécoise, une théorie architecturale encore novatrice pour l'époque. Mieux que son maître ne l'avait fait, il a su proposer de nouvelles formes aptes à rénover l'architecture religieuse, et cela, bien avant la venue de Dom Bellot au pays, à qui on attribue habituellement le début de cette rénovation. La carrière de Gérard Morisset comme architecte, bien que de courte durée, a été déterminante. Ses idées sur l'architecture ancienne du Québec et ses jugements sur celle de son temps découlent de la théorie qu'il avait mise au point dans les années vingt. On en est frappé, lorsqu'on lit *L'architecture en Nouvelle-France* en gardant en mémoire les articles qu'il publie dans l'*Almanach*. La valorisation de l'architecture ancienne du Québec, à laquelle il a consacré une partie de sa vie, va de pair avec son intérêt pour les formes nouvelles introduites par l'architecte Marcel Parizeau, Robert Blatter ou par les obscurs auteurs des élévateurs à grains des ports de Montréal, Trois-Rivières et Québec. Et le mépris qu'il affiche pour l'architecture « archéologique » du XIXᵉ siècle explique la lutte qu'il menait, plus de vingt ans avant la parution de *L'architecture en Nouvelle-France*, contre le pastiche et l'illogisme. En un sens, l'histoire de l'art au Québec n'aurait pas été écrite de la même façon si, quelque part entre 1921 et 1929, Gérard Morisset n'avait pas été architecte.

NOTES

1. « L'art religieux chez nous » *Almanach de l'Action Sociale Catholique* (dorénavant: *Almanach*), vol. 9 (1925), p. 60.

2. « Édifices religieux en France et chez nous », *Almanach*, vol. 8 (1924), p. 82.

3. « L'art religieux chez nous », *loc. cit.*, p. 62.

4. *Ibid.*, p. 61.

5. Paris, différents éditeurs, 1854-1868, 10 tomes.

6. Paris, Vᵉ A. Morel et Cie éditeurs, 1863 et 1872, 2 tomes.

7. Paul Gout, *Viollet-le-Duc. Sa vie, son oeuvre, sa doctrine*, Paris et Lille, Édouard Champion et Desclée, de Brouwer & Cie, 1914, 198 p. (*Revue de l'art chrétien*, Supplément III).

8. Abel Fabre, *Pages d'art chrétien*, Paris, Bonne presse, [1920], 634 p.

9. Au sujet de Jean-Thomas Nadeau, voir notre thèse de maîtrise: *Jean-Thomas Nadeau et l'élaboration d'une théorie architecturale au Québec (1914-1934)*, Québec, Université Laval, 1980.

10. « Propos d'architecture: Le 'classicisme' et ses faux dogmes », *Almanach*, vol. 12 (1928), p. 62.

11. « Édifices religieux en France et chez nous », *loc. cit.*, p. 85.

12. « Propos d'architecture religieuse. Architecture religieuse nationale. Rationalisme en architecture. Styles », *Almanach*, vol. 10 (1926), p. 114.

13. « Propos d'architecture. Architecture religieuse moderne », *Almanach*, vol. 13 (1929), p. 53. En italique dans le texte.

14. « Propos d'architecture. Le classicisme et ses faux dogmes », *loc. cit.*, p. 57.

15. Cette clôture de choeur a été peinte à Rivière-à-Pierre; elle est disparue à Saint-Gilbert.

16. « L'église de Saint-Gilbert », *L'Action Catholique*, 11 août 1928, p. 17. Morisset avait déjà formulé cette idée d'économie dans l'*Almanach* de 1925: « Si nous n'avons pas les moyens de nous procurer riche en même temps que beau, faisons très simple, ce qui peut être très beau. Du moins ayons la décence de ne pas encombrer nos églises dans ce faux luxe de parvenu » (« L'art religieux chez nous »), *loc. cit.*, p. 62).

17. « Le rationalisme en architecture », *Almanach*, vol. 11 (1927), p. 39.

18. « L'église de Noordhock (Hollande) », *Almanach*, vol. 13 (1929), pp. 55-56. Sur Dom Bellot, voir l'étude de Nicole Tardif-Painchaud, *Dom Bellot et l'architecture religieuse au Québec*, Québec, Les Presses de l'Université Laval, 1978, 265 p.

19. « Une belle oeuvre des syndicats nationaux catholiques », *L'Action Catholique*, 12 avril 1928, p. 12.

Eugène-Emmanuel Viollet-le-Duc, des-siné par Gérard Morisset d'après une photographie pour *l'Almanah de l'Action Sociale Catholique*, de 1927. L'architecte et théoricien français fut pour lui un modèle et la source de sa théorie architecturale. (Photo: *Inventaire des biens culturels*).

Photographie ancienne de l'église Saint-Pascal-Baylon, Québec, construite en 1924 selon les plans de Jean-Thomas Nadeau et Gérard Morisset. L'église fut démolie en 1949. (*Bibliothèque municipale de Mont-réal*).

La chapelle des Martyrs, au cimetière de la paroisse Saint-Ignace-de-Loyola, à Beau-port. Le petit édifice fut construit en 1927 selon les plans de Gérard Morisset. Il rappelle, par ses formes et son ordonnance, les projets plus importants conçus par Gérard Morisset. (Photo: *Jacques Robert*).

Façade de l'église Notre-Dame-de-Grâce, Québec. Jean-Thomas Nadeau et Gérard Morisset conçoivent cet édifice en 1924-25. L'église du quartier Saint-Sauveur fut le chantier majeur que dirigea Gérard Mo-risset. (Photo: *Jacques Robert*).

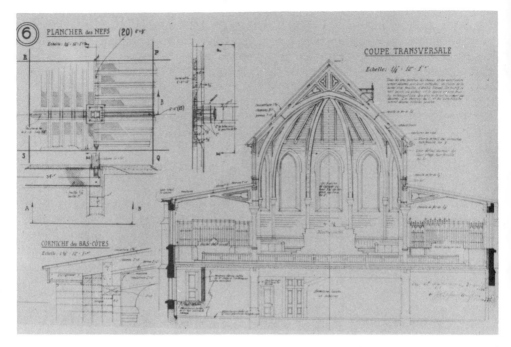

Coupe transversale de l'église Notre-Dame-de-Grâce. Les dessins précis de Gérard Morisset mettent l'accent sur la structure du bâtiment. *(Collection privée)*.

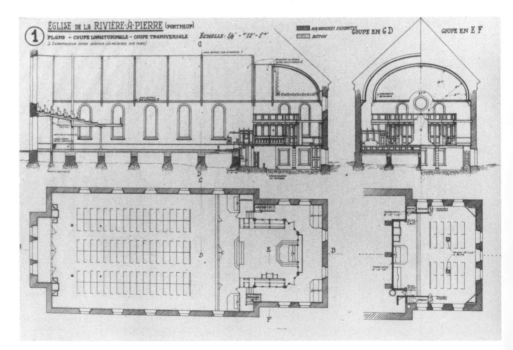

L'église de Rivière-à-Pierre: plans, coupes longitudinale et transversale. En 1923, Gérard Morisset trace les plans de complètement intérieur pour cette petite église du comté de Portneuf. *(Collection privée)*.

Gérard Morisset dessine l'intérieur de l'église de Saint-Gilbert en 1928, comme il l'avait fait un an plus tôt pour l'église de Rivière-à-Pierre. (Photo: *Inventaire des biens culturels*).

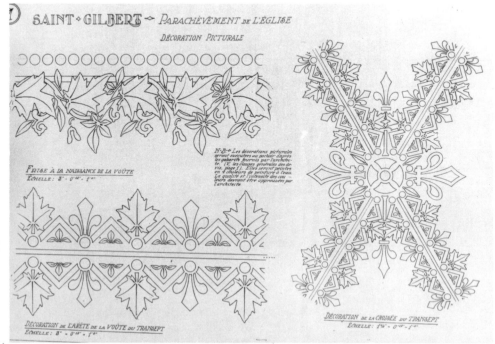

Les motifs décoratifs qui couvrent la fausse-voûte de plâtre sont puisés dans l'histoire et la nature québécoise: la fleur de lys et la feuille d'érable prédominant nettement. Cette décoration est exécutée au pochoir. (*Collection privée*).

Projet d'église paroissiale à St-***. Dessiné probablement vers 1926-27, le projet tente d'allier les formes du passé aux exigences modernes. *(Collection privée).*

Coupe transversale et élévation d'une travée du projet d'église paroissiale à St-***. La brique de couleur est utilisée pour tracer de grands arcs paraboliques. *(Collection privée).*

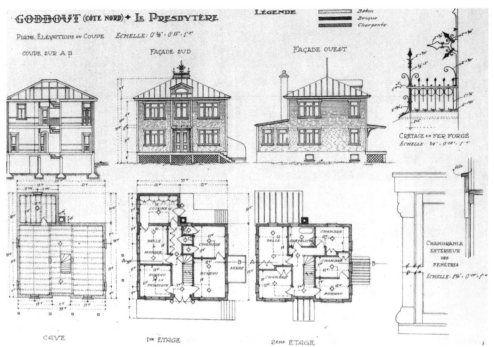

Gérard Morisset dessine en août 1927 les plans du presbytère de Godbout, sur la Côte-Nord. Simple dans son plan et son élévation, le presbytère ne se distingue que par quelques éléments décoratifs.

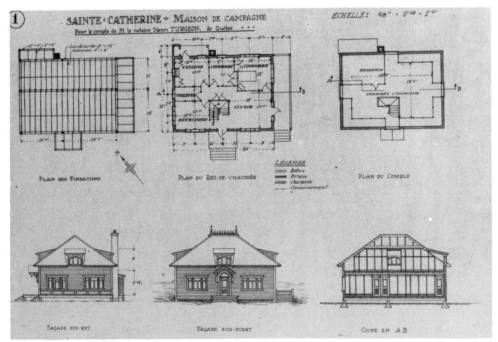

La maison de campagne dont il trace les plans, un an plus tard, pour son ami le notaire Henri Turgeon, rappelle à une échelle inférieure le presbytère de Godbout.
(Collection privée).

GÉRARD MORISSET: RESTAURATEUR

par André Laberge
histoire de l'art
université Laval

Depuis le début du XXᵉ siècle, on parle de restauration au Québec. Cependant, ce n'est que depuis les trente dernières années que l'on pratique couramment ce genre d'intervention. Entre-temps, les architectes auront peu cherché à conceptualiser ce type d'intervention, préférant s'en tenir à leur intuition. Gérard Morisset a voulu mettre un terme à cette pratique, d'abord en maîtrisant une conception théorique de la restauration, puis en cherchant à l'appliquer. Il fut l'un des tout premiers à vouloir répandre une telle approche de la restauration. Son poste de secrétaire de la Commission des monuments historiques lui facilitera la tâche par les contacts qu'il va permettre avec les architectes.

Pour connaître l'oeuvre de Gérard Morisset comme restaurateur, il faut aborder toutes ses activités visant la conservation de notre architecture ancienne, car la restauration demeure l'étape ultime où l'on consolide l'édifice reconnu comme monument historique. Aussi, à travers ces divers aspects, serons-nous à même de saisir comment Gérard Morisset concevait ses interventions et comment il s'en est acquitté.

Cette étude ne porte que sur Gérard Morisset, restaurateur d'édifices. Les restaurations d'oeuvres d'art qu'il a fait exécuter en restaurant les églises ou à titre de directeur du Musée du Québec ne seront pas traitées ici. De plus, il n'a pas été possible d'avoir accès à toute la documentation désirée. Pour la réalisation de cette étude, il a fallu s'en tenir principalement aux procès-verbaux de la Commission des monuments historiques [1].

Le Secrétaire de la Commission
des monuments historiques

C'est dans le cadre de la *Loi des monuments et sites historiques ou artistiques*, sanctionnée en janvier 1952 et appliquée jusqu'en 1963, que Gérard Morisset se voit offrir l'occasion d'entreprendre des restaurations. Cette nouvelle loi qui succédait à l'ancienne *Loi des monuments historiques ou artistiques*, de 1922, devenue désuète et inopérante, prévoyait la création d'une commission de sept membres, connue sous le nom de « Commission des monuments historiques », et ayant pour but de voir au classement de tous « les monuments, constructions, sites et objets historiques ou artistiques présentant un caractère d'intérêt national » [2]. De plus, avec cette loi, les immeubles classés ne pouvaient « être détruits, altérés, restaurés ou réparés à moins que le Conseil exécutif n'y ait donné son autorisation, générale ou spéciale, sur la recommandation du secrétaire de la province et de la commission » [3].

Après la sanction de la loi, en 1952, il faut cependant attendre jusqu'au 10 mai 1955, pour que siège enfin la Commission. À la première réunion, assistent Raymond Douville, Léopold Fontaine, architecte en chef du ministère des Travaux publics, Paul Gouin, Victor Morin, Gérard Morisset, Gordon Reed, et le représentant du secrétaire de la province, Jean Bruchési. À cette même réunion, Paul Gouin sera élu président de la Commission, Gordon Reed, vice-président, et Morisset, secrétaire. Cependant, la Commission ne sera pas toujours formée des mêmes membres. Gouin, Morisset et Fontaine siègeront à la Commission de 1952 à 1963. Gordon Reed y siègera jusqu'à son décès, survenu en avril 1959; il sera remplacé par Robert G. Clark. Il en va de même pour Victor Morin, décédé à l'automne de 1961 et remplacé par Jean-Marie Gauvreau. Raymond Douville siègera à la Commission à titre de simple membre, jusqu'en juin 1959, mais, par la suite, il y siègera à titre de représentant du secrétaire de la province. Enfin, le représentant du secrétaire de la province ne sera pas toujours le même, non plus. De 1959 à 1961, Raymond Douville en fera de même, et de 1961 à 1963, soit à partir de la création du ministère des Affaires culturelles, plusieurs personnes siègeront alternativement à titre de représentant du Ministre, dont Guy Frégault, alors sous-ministre.

Cependant, Morisset n'a pas eu à attendre que siège la Commission pour entreprendre des restaurations. Dès 1952, il entreprend seul la restauration de quelques édifices et cela, semble-t-il, grâce à l'appui du secrétaire de la province, responsable de l'application de la loi. Il appert que ce dernier ait retenu les services de Morisset, à la fois comme membre de la Commission et comme restaurateur, en raison de ses connaissances sur l'architecture ancienne du Québec.

À partir de 1955, c'est à titre de secrétaire de la Commission des monuments historiques que Morisset s'occupe de restaurations, seul parfois, mais aussi avec l'aide d'architectes. En juillet 1955, la Commission décide de retenir les services de deux architectes, pour les régions de Montréal et de Québec. Pour la première région, Gordon Reed suggéra l'architecte Roy Wilson. Morisset proposa plutôt l'architecte Claude Beaulieu. Toutefois, en 1957, la Commission retient finalement les services de l'architecte Victor Depocas, alors professeur de composition architecturale, à la section d'architecture de l'École des Beaux-Arts de Montréal, et qui s'intéressait activement à l'architecture ancienne du Québec [4]. Pour la région de Québec, la Commission retient les services de l'architecte André Robitaille, auquel Morisset avait déjà fait appel plus tôt la même année. André Robitaille possédait une formation d'architecte-urbaniste, acquise, en partie, à l'étude de la réhabilitation de quartiers anciens de Paris. C'est toutefois au contact de Morisset qu'il se familiarisera à la restauration d'édifices anciens [5]. Ces architectes qui oeuvreront pour la Commission ou ceux qui seront au service des propriétaires des édifices à restaurer n'auront jamais, ou presque, l'occasion d'entreprendre seuls des restaurations d'édifices classés. Ils auront surtout pour mandat de donner un appui technique aux projets de restauration conçus par Morisset.

Lors de l'entrée en vigueur de la nouvelle *Loi des monuments historiques*, en 1963, Morisset n'est pas réélu secrétaire de la nouvelle commission. D'ailleurs, c'est le Ministre qui, dorénavant, nomme le titulaire de ce poste [6]. Morisset y siège comme simple membre. Dès lors, il ne dirigera plus de restaurations et n'exercera plus la même influence qu'auparavant sur les projets de restauration. En 1964, à titre d'exemple, alors que l'architecte Sylvio Brassard est en train de préparer les plans et devis pour la restauration de l'église de Gentilly, Morisset fait savoir qu'il aimerait lui donner quelques conseils sur certains détails de la restauration [7]. C'est donc dire que Morisset ne communiquait plus aussi facilement qu'avant avec les architectes responsables des projets de restauration. À partir de 1963, Morisset agit surtout comme conseiller pour le classement des édifices. Il dresse également des listes d'objets mobiliers d'églises susceptibles d'être classés. Puis, la présence de Morisset se fait de plus en plus rare aux réunions de la Commission. Le 3 août 1965, il assiste pour la dernière fois à une assemblée de la Commission [8].

L'adepte de la restauration stylistique

Comme architecte, Gérard Morisset a été un grand admirateur des architectes rationalistes, et plus particulièrement de Viollet-le-Duc (1814-1879) [9]. Ce dernier, en plus d'être un des concepteurs du rationalisme en architecture, fut un restaurateur illustre. C'est à lui que nous devons la conception moderne de la restauration, conçue non plus comme une opération spéculative, mais scientifique. Lors de son séjour en France, de 1929 à 1934, Morisset en a profité pour se familiariser avec l'oeuvre de ce grand architecte. En plus de visiter certains édifices construits d'après les plans de Viollet-le-Duc, Morisset visita plusieurs de ses restaurations, dont le château de Pierrefonds [10]. Aussi, quand Morisset aura à traiter de restauration, prendra-t-il les théories énoncées par Viollet-le-Duc comme points de référence.

La conception du monument historique

Viollet-le-Duc louangeait l'architecture antique et médiévale parce qu'il y voyait l'application du rationalisme avant la lettre. Il condamnait l'architecture monumentale qui avait débuté avec le règne de Louis XIV et qui se poursuivait alors en plein XIXe siècle, parce que cette architecture, selon lui, n'était pas rationnelle, puisqu'elle mettait l'accent sur le décor aux dépens de la fonction [11].

Morisset va juger l'architecture ancienne du Québec suivant une semblable dialectique. Il vante les mérites des édifices construits d'après la tradition française, héritée du Régime français, et qui s'est « canadianisée » avec le temps [12], parce que c'est une architecture rationnelle.

> Nulle recherche d'équilibre artificiel; nulle hardiesse et nulle virtuosité dans la mise en oeuvre des éléments architectoniques. La pierre et le bois y sont combinés avec la connaissance expérimentalement exacte des ressources de chaque matériau, une saine économie dans leur emploi et un sens architectural qui ne faiblit point. — Et par sens architectural, j'entends aussi bien la faculté de concevoir un plan simple, rationnel et adapté à ce que la société humaine recèle de moins provisoire, que le pouvoir d'exécuter ce plan avec une logique souveraine, des proportions justes et le souci légitime de la durée. [13]

D'ailleurs, Morisset justifie en partie cette association architecture traditionnelle/architecture rationnelle, en en faisant remonter les origines jusqu'à l'architecture romane [14]. Toutefois, il ne peut passer sous silence l'allure classique de notre architecture traditionnelle. Il parle alors d'une architecture romane « mâtinée de style Louis XIV » [15]. Comme on le sait, c'est à partir de l'étude d'édifices médiévaux que Viollet-le-Duc a énoncé les principes du rationalisme. Il n'y a donc rien de surprenant à voir Morisset rechercher des origines médiévales à l'architecture traditionnelle québécoise, et opter pour la conservation de cette architecture de création, qui trouve son inspiration dans la tradition.

D'un autre côté, Morisset va condamner l'architecture québécoise de la seconde moitié du XIXe siècle, parce qu'elle est constituée le plus souvent d'imitations des styles historiques, n'est pas originale et encore moins rationnelle:

> Quels que soient les matériaux, anciens ou modernes, qui entrent dans notre architecture au XIXe siècle, on peut affirmer qu'aucun d'eux ne contribue à la naissance de formes nouvelles. Ce sont des expédients commodes, des substituts éventuellement économiques qui n'exercent qu'une action infime sur l'art de bâtir. Le cas de l'acier et de la fonte est typique. Sauf en de rares édifices (. . .), la structure métallique ne change rien au plan ni à l'ordonnance de l'édifice; elle se cache habituellement derrière des enduits soufflés; et nul ne peut déceler un maigre poteau de fer au centre d'un tel pilier rond de trois pieds de diamètre. Le reste est à l'avenant. [17]

L'architecture héritée du Régime français ayant été courante jusque vers 1850, Morisset était donc favorable au classement de la plupart des édifices datant d'avant cette date. Par ailleurs, cette architecture ancienne ayant perduré après 1850, quoique d'une façon marginale, Morisset a été également favorable au classement de certains édifices datant d'après 1850, comme l'ancienne église de Saint-Hugues-de-Bagot construite en 1861, et dont le décor intérieur fut exécuté en 1880 [16].

Cependant, Morisset s'est opposé au classement de la plupart des édifices postérieurs à 1850. Ainsi, en avril 1960, il s'est prononcé contre le classement de l'église néo-gothique Saint-Joachim de la Pointe-Claire, construite d'après les plans de Victor Bourgeau. Morisset, toutefois, reconnaissait plus de qualités à l'architecture néo-gothique pratiquée au Québec par des architectes anglais, ceux-ci ayant « étudié ou observé le style gothique dans leur pays — donc, un style encore vivace, puisqu'il n'a pas subi d'interruption notable en Angleterre » [18]. C'est pourquoi il a été favorable à l'achat de l'église Chalmers, à Québec, en septembre 1958, alors menacée de démolition.

La conception de la restauration

Morisset adopte, non seulement la conception de l'architecture de Viollet-le-Duc, d'où découle également la notion de monument historique, mais aussi sa théorie de la restauration: la restauration stylistique. Pour Viollet-le-Duc, « restaurer un édifice, ce n'est pas l'entretenir, le réparer ou le refaire, c'est le rétablir dans un état complet qui peut n'avoir jamais existé à un moment donné » [19]. Cet énoncé de principe devait se traduire dans la pratique, pour Viollet-le-Duc, par la recherche de l'état d'origine de l'édifice ou de l'état jugé le mieux achevé, et cela, à travers une unité de style, même si une semblable unité a pu ne jamais exister [20]. En outre, la restauration se devait de respecter l'édifice, tant sur le plan technique de construction, que sur celui des formes ou du style [21].

Comme restaurateur, Morisset appliquera cette théorie de la restauration stylistique qu'il avait fait sienne depuis longtemps. En effet, dès 1936, soit deux ans à peine après son retour d'Europe et quelque temps avant la mise sur pied de l'*Inventaire des Oeuvres d'Art*, Morisset publie un genre de manifeste pour la conservation des oeuvres d'art. Il y décrit sommairement sa conception de la restauration:

> Il faut comprendre que nous ne sommes que les dépositaires de notre patrimoine artistique; que nous devons le transmettre en aussi bon état que possible aux générations qui poussent; que nous n'avons pas le droit de détruire des oeuvres d'art ni de les transformer par des restaurations opérées sans discernement; que si nous leur témoignons parfois quelque dédain, cela ne nous autorise pas à ne pas les respecter.
>
> Car les oeuvres d'art, peu importe leur tenue, sont des témoignages du passé, de précieux éléments d'information. On ne supprime pas des témoignages sous prétexte qu'ils sont atteints de vétusté; on n'a pas la faculté de les faire mentir en les altérant ou en les maquillant: on ne peut négliger les éléments d'information, surtout quand on en pèse mal la valeur. Au contraire. On les accepte tels qu'ils sont, on les conserve jalousement; on veille sur leur état; on les soustrait, au besoin, de la rapacité des mercantis. . . [22]

Cette définition condamne toute intervention qui modifierait l'état d'origine des édifices anciens et vise leur conservation dans leur état original. Par le fait même, les restaurations qui sont effectuées sur ces édifices doivent tendre à restituer leur état d'origine. Il s'agit donc d'un résumé de la théorie de la restauration stylistique.

Treize ans plus tard, en 1949, dans l'avant-propos de *L'architecture en Nouvelle-France*, Morisset donne sensiblement la même définition de la restauration, mais surtout, il en propose une adaptation pour le Québec.

> Il importe donc de conserver le peu qui reste du patrimoine architectural de nos ancêtres. Non en l'accommodant à notre goût débile ou au caprice vulgaire de ceux qui se disent peintres-décorateurs; ni en essayant de le rajeunir à l'aide de recettes archéologiques douteuses et de formes médiocres, que désavoueraient les moins savants de nos anciens maîtres d'oeuvre. Mais en l'entretenant avec soin dans l'esprit même qui a déterminé son évolution — c'est-à-dire avec le sens aigu et réfléchi de l'utilité immédiate, de la simplicité et des proportions d'autrefois. [23]

Réfractaire aux restaurations faites au goût du jour ou suivant les caprices des décorateurs, ou encore dans des styles historiques, Morisset condamne plus particulièrement les interventions effectuées sur les édifices anciens, dans la seconde moitié du XIXe siècle, et au début du XXe, alors que l'on procédait de cette façon. De plus, en proposant que toute intervention portant sur un édifice ancien soit réalisée dans l'esprit de l'époque qui a déterminé l'évolution de l'architecture traditionnelle, Morisset souhaite, en fait, que toutes les interventions soient faites dans le style d'origine de l'édifice. Par ailleurs, un tel respect du style de l'édifice ne va pas sans la suppression des éléments qui en alourdissent l'architecture ou en brisent les proportions. Déjà, Morisset trace le programme de ses restaurations futures.

Sous certains aspects, on pourrait croire que Morisset a fait de la restauration historique, mais cela ne résiste pas à l'analyse. De fait, il a utilisé des documents historiques à quelques reprises, pour ses restaurations, surtout des photographies, pour le nouveau clocher de l'église de Saint-François (île d'Orléans), pour l'intérieur de l'église de Charlesbourg, pour l'hôtel Chevalier et pour bien d'autres édifices encore. Cependant, il n'a jamais disposé de dossiers très détaillés pour la restauration d'édifices. En tant que directeur de l'*Inventaire des Oeuvres d'Art*, Morisset avait constitué de nombreux dossiers sur des églises et des maisons anciennes, mais ces dossiers n'avaient nullement été établis dans le but de servir de base à la restauration des édifices. Ils sont constitués, dans le cas des églises, du dépouillement des archives paroissiales et, parfois, de quelques marchés de construction. Dans le cas des maisons, les dossiers sont plus sommaires encore. Il n'y a qu'un seul cas où Morisset connaissait assez bien l'évolution de l'édifice à partir de documents: c'est celui de l'église de Saint-François (île d'Orléans). Ainsi, il savait que sous le recouvrement de déclin de la façade, se trouvaient trois niches, murées à la demande de monseigneur Turgeon, en 1854 [24]. De plus, d'après ce qu'il a écrit, il avait retrouvé à Montréal une ancienne photographie montrant l'église avec son clocher d'origine, photographie qui, si elle était vraiment celle de l'église de Saint-François, est aujourd'hui introuvable. Il semble plutôt que ce soit une photographie de l'ancienne église de Sainte-Foy, conservée à Montréal, au Musée McCord, qui a servi de modèle. Dans ce cas-ci, ce sont les documents que Morisset avait trouvés qui l'ont incité à dépouiller la maçonnerie de l'église, pour mettre les niches à jour et à reconstruire le clocher.

À défaut de bien connaître l'histoire de chaque bâtiment qu'il restaure, Morisset compense en partie ce manque de données historiques par une connaissance approfondie de l'architecture ancienne du Québec. C'est essentiellement ce bagage de connaissances qui établit la différence entre Morisset et les architectes-restaurateurs, ainsi que ses successeurs à la Commission des monuments historiques. Après son départ de la Commission, personne, avant plusieurs années, ne possédera cette connaissance de l'architecture ancienne.

Le « préservationniste »

La conservation des édifices anciens

À titre de secrétaire de la Commission des monuments historiques, Gérard Morisset se devait de veiller, à l'instar des autres membres, à la conservation des édifices anciens, en empêchant leur démolition, ou des interventions qui modifieraient radicalement l'architecture de l'édifice. Malgré cela, Morisset et les autres commissaires ont eu à traiter de projets de modification et de déplacement d'édifices anciens.

Entre 1955 et 1963, plusieurs édifices anciens ont été menacés de démolition. Avec la loi alors en vigueur, il était inutile, pour sauver un édifice ancien de la démolition, d'avoir recours au classement de l'édifice, puisque le consentement du propriétaire était nécessaire. Il faudra attendre l'actuelle loi des biens culturels, sanctionnée en 1972, pour que l'État puisse procéder au classement sans que le consentement du propriétaire ne soit requis. Avec la loi de 1952, le classement d'un édifice permettait surtout, à la Commission, de contrôler les travaux effectués sur les édifices anciens reconnus d'intérêt national. En même temps, le propriétaire y trouvait son intérêt, toute restauration approuvée par la Commission étant accompagnée d'une subvention.

En fait, il n'y avait qu'un seul moyen vraiment efficace à la disposition de la Commission pour sauver un édifice menacé de démolition: c'était de l'acquérir. Un exemple illustre bien ce fait: c'est celui du manoir Duggan, à La Malbaie, en 1960. Les derniers propriétaires l'avaient vendu à la condition que le nouveau propriétaire le démolisse. Paul Gouin, à titre de président de la Commission, soumit une offre d'achat, mais celle-ci fut dédaignée. La Commission n'a donc pu empêcher la démolition du manoir. Cependant, dans tous les autres cas, les offres d'achat de la Commission ont toujours été acceptées, heureusement. C'est ainsi que, de 1955 à 1963, la Commission fera l'acquisition de quelques édifices menacés de démolition, comme l'église et l'ancien presbytère de Saint-Pierre (île d'Orléans), respectivement en 1955 et 1961, la maison Routhier, à Sainte-Foy, en 1957, la maison Mercier, à Sabrevois, en 1958, les maisons Fargues et Légaré (Vanfelson), à Québec, en 1959 et 1960, et quelques autres.

Dans quelques cas, la Commission se portera acquéreur de maisons pour les démolir, afin d'en mettre d'autres en valeur. C'est ainsi que fut achetée, en 1961, puis démolie, en 1962, la maison Faucher, à Québec, une maison victorienne de quatre étages, si l'on inclut le rez-de-chaussée et l'étage des combles, et qui, aujourd'hui, se trouverait dans l'avant-cour de l'hôtel Chevalier, ou encore la maison Saks, située à la Place Royale, à Québec, achetée, en 1960 après son incendie, et démolie en 1961, pour permettre la construction de la maison Fornel. Par ailleurs, la Commission va acquérir certains édifices simplement pour leur valeur architecturale. Il en est ainsi pour les maisons formant l'hôtel Chevalier, achetées en 1956 à la suggestion de Gérard Morisset, et le moulin à vent de Saint-Grégoire-de-Nicolet, acquis en 1957.

Toutefois, la Commission achètera peu d'édifices en comparaison de tous les édifices qu'elle aurait souhaité acquérir. Les quelques achats effectués par la Commission ont incité plusieurs propriétaires d'édifices anciens à offrir leurs propriétés en vente à la Commission. Cette dernière, dans la plupart des cas, ne refusa ces offres que par manque de fonds. Parmi les édifices que la Commission aurait souhaité acquérir, se trouvent la maison Chavigny de la Chevrotière (aujourd'hui connue sous le nom de maison Vandal), à Lotbinière, en 1955, le manoir Campbell-Rouville, à Saint-Hilaire, en 1956, le moulin du Petit-Pré, à Château-Richer, en 1957, la maison Morisset, au Cap-Santé, en 1960, et bien d'autres encore.

Une fois ces monuments historiques acquis par la Commission, il faut leur trouver une nouvelle vocation. Deux vocations retiennent l'attention de Morisset et des commissaires, soit la transformation de l'édifice en musée ou en comptoir de vente d'artisanat, ou encore, quoique plus rarement, la location à des sociétés à but non lucratif, comme les chambres de commerce ou les sociétés historiques. Les maisons Chevalier, Fargues et Routhier seront perçues plutôt comme d'éventuels musées, alors que les maisons Jacquet, de Québec, et Mercier, de Sabrevois le seront plutôt comme des comptoirs d'artisanat.

Les projets d'agrandissement d'églises

Bien que Morisset veuille éviter l'agrandissement des églises anciennes, il est confronté à ce problème à au moins deux reprises. Dès 1952, il est question de démolir ou d'agrandir l'église de Saint-Pierre (île d'Orléans) devenue trop petite pour les besoins de la paroisse [25]. Ayant déjà mal accepté, en 1955, l'agrandissement de l'église de Lauzon [26], Morisset suggère au gouvernement d'acquérir l'église, pour en faire un musée, et peut-on penser, propose du même coup à la fabrique d'en construire une nouvelle à côté, ce qui fut fait [27]. L'église de Saint-Pierre ne subit donc pas de modifications majeures. Comme moyen de sauvegarde d'un édifice menacé, c'est certainement un modèle, mais dans le cas présent, ce moyen de sauvegarde, employé souvent par la Commission, comme nous venons de le voir, laisse à désirer. En effet, la transformation de la vieille église en musée équivalait, somme toute, à l'abandon de celle-ci. Pour l'animer, il a fallu lui insuffler une vie artificielle en y permettant la tenue de concerts, l'été, et l'installation, dans la sacristie, d'un comptoir d'artisanat tenu par les Fermières de la paroisse [28]. Si l'église avait conservé sa fonction d'origine, la Commission n'aurait pas eu ce problème d'animation. Il semble que Morisset ait été attentif à cet aspect, car, quand une situation analogue se présentera pour l'église de Châteauguay, il ne sera plus question de soustraire l'église à la pratique du culte.

Quand il s'avère impossible d'empêcher l'agrandissement d'une église ancienne, Morisset encourage alors le recours à des solutions traditionnelles, respectant en cela l'esprit du style d'origine, par l'ajout de croisillons, de bas-côtés ou d'une nouvelle façade. Ainsi, en juillet 1956, l'architecte Paul M. Lemieux présente à la Commission un projet d'agrandissement pour l'église Sainte-Jeanne-de-Chantal, de l'île Perrot. Ce projet prévoit l'ajout d'une chapelle latérale à la hauteur de la sacristie, laissant, par le fait même, l'église intacte. Morisset se montre favorable à un tel projet, d'autant plus que la chapelle doit avoir une forme semblable à celle de l'église et que, par sa situation, elle prendrait l'allure d'un second transept. Morisset envisage également la possibilité d'un agrandissement par la façade, mais un tel projet s'avère vite irréalisable, vu la grande dénivellation devant l'église [29]. Finalement, la fabrique renonce à son projet d'agrandir l'église, se contentant d'en faire repeindre l'intérieur.

Dans le dernier cas, soit celui de l'église Saint-Joachim, à Châteauguay, Morisset ne peut en empêcher l'agrandissement. Selon son expression, il s'agit du même problème que pour l'église de Saint-Pierre (île d'Orléans), mais « aggravé » [30]. Cet agrandissement était rendu nécessaire par l'arrivée massive de nouveaux paroissiens, Châteauguay perdant alors son caractère de village agricole pour devenir une banlieue de Montréal. L'église, construite de 1774 à 1778, était de *plan Maillou*, c'est-à-dire avec une nef simple fermée par une abside de même largeur (figs 31, 32 et 34). En 1840, elle avait été agrandie par l'ajout d'une nouvelle façade à deux tours saillantes [31]. Si Morisset ne peut en empêcher l'agrandissement, il cherche tout de même des solutions qui respectent le plus possible le caractère de l'édifice. Dès 1955, les fabriciens de Châteauguay demandent l'aide de la Commission pour la restauration de l'église. On souhaite alors agrandir l'église par l'ajout d'un transept qui aurait été fait de chapelles latérales placées de part et d'autre de l'église. Toutefois, après une visite de Morisset sur les lieux, le projet est abandonné, à cause du peu d'espace qu'elles auraient ajouté et de la difficulté à les raccorder à l'église. En septembre 1958, alors que la paroisse vient d'être démembrée, les commissaires, croyant qu'un agrandissement de l'église ne serait plus nécessaire, chargent l'architecte Victor Depocas de rédiger un devis pour la restauration de l'église. L'architecte présente ses plans préliminaires en avril 1959, mais à la grande surprise des commissaires, ces plans prévoient encore l'ajout d'un transept. Le procès-verbal signale alors que les commissaires ne s'entendent pas sur sa forme ni sur son utilité.

Un an plus tard, la fabrique et la Commission n'en sont toujours pas arrivées à une entente. La Commission veut bien permettre des travaux utilitaires mais elle ne semble pas encore gagnée à l'idée d'agrandir l'église, et surtout pas par l'ajout d'un transept. Morisset fait alors remarquer qu'il aurait été favorable à l'ajout d'un appentis sur un côté de l'église. La Commission décide alors de faire réviser le projet de Depocas par Morisset et Léopold Fontaine. C'est au contact de Morisset, semble-t-il, que Depocas retient finalement cette solution d'agrandissement pour l'église, à l'aide de bas-côtés. En août 1960, Depocas revient devant la Commission avec un projet d'agrandissement au moyen de deux bas-côtés. Pour l'architecte, « les bas-côtés (. . .) doivent donner à l'église un nombre de bancs proportionné à la population de la paroisse et permettre d'enlever les tribunes qui se prolongent dans la nef, tout en conservant la tribune de l'orgue » [32]. Morisset est peu emballé par le projet. Il croit que la Commission devrait se contenter de restaurer l'église, et non d'en altérer le caractère par un agrandissement. De plus, il émet des réserves sur la courbe du toit, en rappelant l'agrandissement de l'ancienne église de Varennes, réalisé vers 1850, par Victor Bourgeau. Morisset suggère, en septembre 1960, que la fabrique construise une nouvelle église, comme à Saint-Pierre, car d'après certaines statistiques un agrandissement serait insuffisant. La Commission se chargerait, à elle seule, de la restauration de la vieille église, mais contrairement au cas de Saint-Pierre, celle-ci servirait toujours au culte.

Les fabriciens adoptent ce point de vue en novembre 1960, décidant alors de construire une nouvelle église près de l'ancienne, avec la sacristie ancienne commune aux deux églises [33]. Cependant, ce projet ne plaît pas à la Commission, celle-ci préférant que la nouvelle église soit construite à l'écart de l'ancienne. Entre-temps, ce projet ne soulève guère l'enthousiasme des paroissiens, plutôt favorables à l'agrandissement de la vieille église. En avril 1961, les fabriciens préfèrent donc revenir au projet d'agrandir l'église au moyen de bas-côtés [34]. Finalement, en juin 1961, la Commission consent à se rendre aux désirs de la fabrique et approuve le projet de Victor Depocas, déjà présenté en juillet 1960, en émettant encore des réserves sur la courbe du toit. Ce sont donc les paroissiens qui auront eu le dernier mot dans la conservation de leur église. Cela n'est pas sans faire apparaître une carence dans l'attitude des commissaires. Au lieu de chercher à convaincre les fabriciens de la nécessité de conserver leur église intacte, c'est aux paroissiens que les commissaires auraient dû s'adresser pour les sensibiliser à cette tâche.

Ce survol de l'évolution de ce projet d'agrandissement est intéressant à plus d'un point. Il nous montre que Morisset aurait consenti à un agrandissement, suivant des procédés traditionnels, comme pour l'église de l'île Perrot. Il aurait été favorable à la construction d'un transept, solution d'agrandissement habituelle, dans la tradition, pour les églises de *plan Maillou*, mais comme cela n'était pas possible, il aurait préféré un appentis d'un seul côté, probablement à l'exemple des églises de Beaumont ou du Village-des-Hurons, près de Québec, où un côté de l'église a été percé pour donner accès à une grande chapelle, alors que l'autre côté est resté intact. Cependant, à vouloir utiliser absolument une solution traditionnelle, on s'est éloigné de la tradition, puisque l'église de Châteauguay est la première et la seule église de *plan Maillou* à avoir été agrandie par l'ajout de deux bas-côtés, alors que dans la tradition, cette solution était réservée aux églises de plan en croix latine. C'est la saillie des tours sur la nef qui aura rendu cette solution possible à Châteauguay. Par ailleurs, cette solution est certainement la plus regrettable que l'on pouvait retenir, car elle entraînait, à coup sûr, la démolition de la partie essentielle de l'édifice: la nef, fermée par une abside de même largeur. On ne peut que regretter que Morisset ne se soit pas rappelé l'exemple de l'ancienne église Notre-Dame de Montréal et de la cathédrale de Québec, où les anciens murs avaient été percés par des arcades, la première en 1734 et 1739 [35], et la seconde en 1744 [36], pour donner accès aux bas-côtés. Cette solution eût été la moins regrettable, dans la perspective où l'on tenait à construire des bas-côtés. Elle aurait eu l'avantage de rendre lisible le plan ancien de l'édifice, alors que la restauration adoptée laisse à penser qu'on a voulu en faire disparaître jusqu'au souvenir.

Une fois agrandie, l'église apparaît, à l'extérieur, comme un édifice de *plan récollet*, les bas-côtés ayant été recouverts de pierre, et, à l'intérieur, comme une ancienne église agrandie au milieu du XIXe siècle (figs 33 et 35). Les anciens murs ont été remplacés par des piliers. On a reproduit sur les parties nouvelles le décor de la partie ancienne, plutôt que de profiter de l'agrandissement pour refaire le décor intérieur de tout l'édifice, de manière à intégrer les bas-côtés; ce qui s'était fait aux églises de Repentigny et de l'Assomption. C'est un exemple type de restauration stylistique.

Enfin, on peut certes émettre des réserves sur la courbe du toit (fig. 33). Les premiers projets de Depocas pour le raccordement des toitures des bas-côtés à celle de l'église ne sont pas connus. Il faut donc croire que le raccordement exécuté l'a été d'après les plans revus par Morisset et Fontaine, mais il n'a rien de traditionnel. En effet, dans la tradition, quand on agrandissait une église au moyen de bas-côtés, ceux-ci étaient généralement couverts d'une toiture qui recouvrait toute l'église, y compris l'ancienne charpente, comme aux églises de Repentigny et de L'Assomption. Dans certains cas, quand l'ajout d'une nouvelle toiture sur l'ancienne risquait de dépasser le pignon de la façade, on faisait alors deux toitures qui montaient en partie sur l'ancienne toiture, comme cela avait été le cas de l'ancienne église de Varennes, citée en exemple par Morisset. Cependant, dans tous ces cas, la toiture avait toujours un profil rectiligne et non pas courbe. À l'église de Châteauguay, il fallait couvrir séparément les bas-côtés, car une nouvelle toiture aurait débordé l'exhaussement de la façade. De plus, la pente aurait pu être rectiligne, quoique l'aspect eût été probablement moins agréable sur le plan esthétique qu'une pente curviligne. Cette dernière, d'ailleurs, n'est pas sans rappeler le profil des maisons avec larmiers. Toutefois, ce profil incurvé amène presque un toit plat au-dessus des bas-côtés, ce qui ne favorise pas un égouttement rapide. Finalement, nous devons constater que la réalisation de cette intervention, malgré les réticences de Morisset et des autres commissaires, aura fait disparaître, à toutes fins utiles, une des rares églises de *plan Maillou* qui existaient encore au Québec. Ce seul agrandissement autorisé par la Commission en aura été un de trop.

Les déplacements d'édifices

Gérard Morisset était peu enclin à permettre la modification profonde d'une église, mais il semble qu'il ait été plus permissif pour les maisons. En effet, à quelques reprises, il a fallu déplacer des maisons pour les sauvegarder, dans certains cas de quelques mètres, mais dans d'autres, de plusieurs kilomètres. S'est alors posée la question du mode de déplacement.

Dans le cas des édifices de pierre, on remarque une évolution dans la méthode de déplacement. Au début, on a recours à la démolition pure et simple de l'édifice, probablement parce qu'on n'a pas les moyens techniques pour assurer son déplacement tout en le maintenant debout. C'est de cette façon, en 1956, que Morisset projette de faire déplacer le moulin à vent des Trois-Rivières et c'est ainsi que sont déplacés les maisons de la Côte-des-Neiges, à Montréal, en 1957, Labadie, à Longueuil, en 1959 et Saint-Hubert, à Chambly, en 1961 (fig. 45), sous la direction de l'architecte Victor Depocas. A Québec, il y a également le cas, en 1963, de la démolition de la façade de la maison Houde, puis de sa reconstruction, pour permettre, non pas un déplacement, mais l'alignement des planchers de cette maison au niveau de ceux de la maison d'Artigny, sa voisine [37].

Pour effectuer une telle opération avec sérieux, il faut avoir recours au procédé de la dépose, c'est-à-dire du numérotage de chaque pierre, avant la démolition. Cependant, rien ne laisse supposer que l'architecte Victor Depocas ait apporté cette rigueur pour réaliser ce type d'opération. Il faut croire que dans les trois cas, il a fait le relevé de l'édifice avant sa démolition, comme pour la maison de la Côte-des-Neiges [38], mais de là à numéroter chaque pierre, cela semble peu probable, surtout pour des maisons construites en pierre des champs. De plus, à cette époque, il n'est pas question de photogrammétrie terrestre au

Québec. Il en va de même pour la façade en pierre de taille de la maison Houde, reconstruite avec les mêmes matériaux mais, semble-t-il, sans que ceux-ci aient été préalablement numérotés [39].

Le seul cas de dépose dont les procès-verbaux de la Commission fassent état, durant la période où Morisset en est le secrétaire, est celui de la façade de l'hôtel de France, à Montréal. Cet édifice devait être démoli, en 1963, pour faire place à l'actuel Palais de Justice. Vu les qualités architecturales de la façade de l'édifice, Léopold Fontaine, membre de la Commission, fit pression pour sa conservation. La façade en pierre de taille fut déposée avec toute la rigueur voulue, chaque pierre ayant été numérotée. Cette façade déposée devait être mise à la disposition de la Commission Viger, qui se proposait de la reconstruire dans les environs du marché Bonsecours. Toutefois, la rigueur apportée à cette opération n'aura pas été d'une grande utilité, puisque les matériaux déposés sont introuvables aujourd'hui.

Enfin, à partir de 1960, il semble qu'on abandonne progressivement l'idée de démolir des édifices de pierre pour les déplacer. En effet, en 1960, il est question de déménager le moulin à vent du boulevard Langelier, à Québec, mais sans qu'il ne soit démoli. Il en va de même pour le moulin à vent des Trois-Rivières, en 1961. Il était toujours question de le déménager, mais il semble qu'à ce moment il n'aurait pas été démoli pour autant. On sait que, finalement, il sera déménagé sans être démoli, près d'une décennie plus tard. Enfin, en 1963, avec la construction d'un pont devant relier l'île de Montréal à l'île Perrot, on projette de déménager la maison Thomas Moore, quoique sans la démolir. Le projet n'eut pas de suite.

Pour ce qui est du transport des édifices en bois, il semble qu'on ait affaire à des approches différentes suivant les architectes, à moins qu'il ne s'agisse d'une question de coûts. Ainsi, dans la région de Québec, les deux seuls édifices anciens de bois à être déplacés, le sont sous la direction de l'architecte André Robitaille, sans être démolis. Il s'agit de la salle des habitants de l'Islet, en 1956, et de l'ancienne école de fabrique de Saint-François (île d'Orléans), en 1959. Dans la région de Montréal, trois maisons de bois sont démolies en 1962, à Carillon, sous la direction de l'architecte Victor Depocas. Il fallait les déplacer à cause du barrage hydro-électrique d'Hydro-Québec, qui allait provoquer l'inondation du site où elles se trouvaient. Cependant, les procès-verbaux ne font état que du classement des matériaux et non de leur reconstruction, et si tel avait été le cas, ces reconstructions n'auraient pas manqué de figurer sur la liste des monuments historiques. Comme elles ne figurent pas, il faut donc croire que ces maisons n'ont pas été reconstruites. Il fut question de démolir une quatrième maison à Carillon pour les mêmes raisons, mais le sous-ministre des Affaires culturelles du temps, Guy Frégault, ne le jugea pas opportun.

Le restaurateur

Les restaurations d'églises

Gérard Morisset, comme restaurateur, a porté son attention sur les églises, comme le montre le tableau de ses restaurations que l'on peut voir en annexe. Ses restaurations d'églises sont d'ailleurs les mieux connues: les procès-verbaux de la Commission en parlent souvent et ce sont les restaurations les mieux documentées, ne serait-ce qu'en photographies. En outre, les restaurations qu'il a entreprises seul ont porté sur des édifices qui avaient besoin de peu de réparations. Seule la chapelle Cuthbert était dans un état de délabrement avancé. Cependant, les travaux qu'on y a fait exécuter demeurent peu connus. Dans la plupart des cas, les restaurations réalisées sous la direction de Morisset ne consisteront qu'en des travaux mineurs qui ne mettent nullement en cause la solidité des édifices. Par ailleurs, ce sont généralement les mêmes travaux qui reviennent dans chaque restauration, quoique cela dépende de l'étendue de celle-ci. Parfois, elle se limite à l'intérieur ou à l'extérieur.

Dans la plupart de ses restaurations d'églises, Morisset met au programme l'enlèvement des crépis ou des recouvrements en bois, pour mettre la pierre à nu. Ainsi, l'église de L'Acadie est dépouillée complètement de son crépi (figs 6 et 7). L'église de Saint-Mathias perd son crépi en façade et l'église de La Présentation, le crépi de ses murs-gouttereaux et de son abside (figs 1 et 2). Les églises de Saint-François et de Saint-Pierre, toutes deux à l'île d'Orléans, sont découvertes de leur recouvrement de bois imitant la pierre de taille en façade, et de leur crépi sur les longs-pans, quoique la première église ait conservé un recouvrement en planche sur l'abside (figs 3, 4, 10 et 11). Il en va de même pour l'église de Saint-Jean (île d'Orléans), (figs 8 et 9). Cependant, Morisset se contente de faire repeindre le recouvrement en bois de l'église du Cap-Santé et le crépi de l'église du Village-des-Hurons, près de Québec. Ce dépouillement des maçonneries s'explique par le désir de Morisset de ramener les édifices dans leur état d'origine. D'ailleurs, déjà en 1944, dans sa monographie sur les églises du Cap-Santé, Morisset condamne les recouvrements de bois imitant la pierre de taille, disant que c'est une « imitation de pierre en bois peint et sablé, qui est une vulgaire adjonction du XIXe siècle. . . » [40]. Il lui préfère « la maçonnerie (. . .) dans le charme de ses cailloux de granit et d'ardoise. . . » [41] que l'église avait lors de sa construction. Toutefois, cette préférence marquée pour les maçonneries apparentes et cette condamnation des recouvrements en imitation trouvent une justification plus grande encore dans la théorie rationaliste qui veut que la structure des édifices soit apparente.

Morisset met au programme de la plupart de ses restaurations portant sur des édifices de pierre le jointoiement de la maçonnerie. Très tôt, pour ce faire, il fait appel aux services de la firme Thomas Gauthier et fils, de Saint-Roch-des-Aulnaies, apparemment spécialisée dans la maçonnerie, mais qui pouvait exécuter des travaux de tous genres. Le travail réalisé par les Gauthier se reconnaît facilement au type de joints particuliers qu'ils exécutent. En effet, ils appliquent un joint rubanné qui tend à donner un contour précis à chaque pierre. Il en résulte un certain effet de mosaïque qui n'est pas des plus agréables. C'est ce type de joint que l'on retrouve sur tous les édifices où les Gauthier ont travaillé: aux églises de L'Acadie, de La Présentation, de Saint-François (île d'Orléans) et ailleurs.

Toutefois, ce type de joint et l'effet qu'il crée ne plaisent pas tellement à Gordon Reed, si l'on en juge par la critique qu'il fait à la suite de la restauration des églises de Saint-Jean (île d'Orléans) et de Saint-Mathias, exécutée par les Gauthier, en 1953. Pour Reed, « les joints sont trop saillants et la restauration, dans son ensemble, paraît trop bien faite » [42]. À cela, Morisset rétorque que les Gauthier font « un tel travail, suivant une méthode qui s'est transmise de père en fils chez les maçons de la rive sud du Saint-Laurent » [43]. L'ancienneté supposée du procédé est un argument de poids, semble-t-il, puisque à la suite de la restauration de la maçonnerie des églises de L'Acadie et de La Présentation, en 1955, toujours exécutée par les Gauthier, Morisset souhaite en arriver à une entente, avec eux, sur une technique pour restaurer les maçonneries [44]. Nous ne saurions dire à quelle entente exactement il veut en venir, mais en octobre 1957, par suite de la restauration de la chapelle Cuthbert de Berthierville, encore exécutée par les mêmes, la Commission décide qu'à l'avenir les restaurations de maçonnerie se feraient à « beurrage abondant » [45] ou, si l'on veut, suivant la technique pratiquée par les Gauthier.

Cette directive semble avoir été plus ou moins suivie par les autres maçons qui ont travaillé sur des chantiers dirigés par la Commission. Les seuls cas qui ont pu être retrouvés, où on devait s'y conformer, sont ceux des églises de Saint-Pierre (île d'Orléans) et de Châteauguay. Dans le premier cas, la brève description du devis contenue dans les procès-verbaux mentionne que la maçonnerie devra être jointoyée à « badigeonnage abondant » [46]. Dans le second cas, Morisset a ajouté en apostille au devis de restauration, préparé par l'architecte Victor Depocas, et dont une copie a été annexée aux procès-verbaux, que le jointoiement doit être fait à « bousillage abondant » [47]. Chose certaine, dès 1962, on passe outre à cette directive, puisque l'architecte André Robitaille fait exécuter le jointoiement de l'église de Charlesbourg, à joints creux (fig. 25).

Enfin, ce type de joint peut être le fait d'une tradition régionale, comme l'a dit Morisset. Cependant, son emploi dans des restaurations réalisées tant dans la région de Montréal que dans celle de Québec lui fait perdre ce caractère régional. Par contre, Morisset ayant fait appel aux Gauthier pour la plupart des restaurations qu'il a dirigées seul, ce type de joint devient ainsi une marque qui permet d'identifier, à coup sûr, surtout s'il s'agit d'un édifice classé, une intervention dirigée par Morisset.

Le jointoiement des maçonneries ne se fait pas toujours sans problèmes. Les procès-verbaux font état de deux cas où les maçons ont eu affaire à de la pierre friable. Dans le cas de l'église de La Présentation, ils sont contraints de procéder avec délicatesse au jointoiement de la maçonnerie des murs-gouttereaux et de l'abside, l'enlèvement du crépi ayant mis à jour une maçonnerie de pierres tendres à laquelle on ne s'attendait pas. Dans le cas de l'église de Saint-Jean (île d'Orléans), le problème se pose à la façade avec une plus grande acuité. La façade ayant été construite en pierre de Beauport, c'est-à-dire de l'ardoise, il a fallu remplacer lors du jointoiement certaines pierres en mauvais état. Morisset ou les Gauthier choisissent en remplacement des pierres de Deschambault, vraisemblablement pour leur plus grande résistance. Toutefois, dans le cas de cette église de Saint-Jean, Morisset ne cherche pas un subterfuge pour dissimuler la présence des pierres nouvelles à côté des pierres plus anciennes, comme il l'avait fait plus tôt pour la restauration d'un édifice en bois. En effet, en 1955, pour la restauration du *blockhaus* de Lacolle, Morisset avait conseillé l'architecte responsable, Gérard Charbonneau, sur la teinture à employer sur les bois neufs utilisés pour la restauration. Morisset aura donc cherché, au moins une fois, à dissimuler les traces de ses interventions, pour garder à l'édifice un aspect d'unité, comme s'il était demeuré intact depuis sa construction.

À l'occasion, Morisset profite de ces travaux effectués aux maçonneries des églises pour y apporter quelques corrections. Ainsi, en 1955, à l'église de Saint-Mathias, il fait poser une pierre angulaire à l'édifice, sous prétexte qu'« il manquait à la façade la pierre angulaire sur laquelle figure habituellement la date d'érection d'une église » [48]. Assez curieusement, cette pierre angulaire porte deux dates, non seulement celle de la construction de l'église: 1784, mais aussi celle de son agrandissement, que Morisset fait remonter à 1815. Toutefois, cette anomalie n'est sûrement pas le fruit d'une distraction de la part de Morisset. La présence de la date d'agrandissement s'explique par le fait que Morisset croyait que l'église avait été agrandie par la façade, alors qu'en fait, elle l'a été par l'abside. Cette intervention de Morisset apparaît comme une volonté de corriger l'état d'origine, comme s'il avait été mal exécuté par les constructeurs. C'est une attitude typique des adeptes de la restauration stylistique: ils peuvent se permettre de rétablir un état qui a pu ne jamais exister, comme l'admettait Viollet-le-Duc.

Le programme des restaurations de Morisset s'étend généralement aux couvertures et aux clochers des églises. Pour les toitures des édifices anciens, Morisset favorise les matériaux traditionnels. Ainsi, il conserve les toitures de tôle à la canadienne de la plupart des édifices qu'il restaure, de même que la couverture en tôle à baguette de la chapelle Cuthbert. Cependant, il fait enlever le bardeau d'asphalte qui recouvrait l'église de Saint-Pierre (île d'Orléans), pour le remplacer par du bardeau de cèdre (figs 10 et 11). Dans le cas du nouveau clocher de l'église de Saint-François (île d'Orléans), il le fait recouvrir en cuivre (fig. 4). La tôle et le bardeau de cèdre ne sont pas laissés à leur couleur d'origine. Morisset fait généralement peindre les toitures en rouge profond. Quant aux clochers d'église, ils sont peints la plupart du temps en gris, sauf aux églises de Saint-Jean (île d'Orléans) et de La Présentation, où le clocher est peint en vert pâle, imitant le cuivre oxydé. L'application de ces couleurs, du rouge pour les toitures et du gris pour les clochers, doit tendre à redonner aux édifices leur état ancien, car, pour Morisset, les églises anciennes « étaient des édifices sobrement colorés: toits rouges, clochers de ton ardoise. . . » [49].

Enfin, il faut signaler que la Commission, du moins du temps où Morisset y siège à titre de secrétaire, s'oppose à l'emploi de la couleur aluminium sur les édifices anciens. En effet, en septembre 1959, la fabrique de Cacouna présente un projet voulant que la toiture de l'église, en bardeau d'amiante, soit peinte de couleur aluminium. Les commissaires s'y opposent et profitent de l'occasion pour s'élever contre l'emploi généralisé de cette couleur, en particulier sur les réservoirs de pétrole qui bordent le fleuve, près de Québec, déclarant préférer à cette couleur, des tons neutres et sans éclat. En 1961, la Commission fait pression auprès du curé de Charlesbourg pour qu'il fasse peindre la toiture de son église, en gris pâle, et non de couleur aluminium, comme il l'aurait souhaité. Cependant, en 1966, alors que Morisset n'assiste plus aux réunions de la Commission, cette dernière demande à la fabrique de Saint-Jean (île d'Orléans) de faire peindre le toit de l'église en rouge et le clocher, non pas en vert, comme l'aurait voulu la fabrique, mais de couleur aluminium ou gris pâle. Enfin, en 1967, la Commission décide que la toiture et le clocher de l'église de La Présentation seront de couleur aluminium, en remplacement du rouge et du vert qui recouvraient respectivement le toit et le clocher. Connaissant la prédilection de Morisset pour l'emploi du rouge et du gris, sur les toitures, ce dédain des commissaires pour la couleur aluminium apparaît vraiment comme le résultat d'une intervention de Morisset auprès de ses confrères. Son départ, puis le départ progressif des anciens membres, sont à l'origine de l'abandon de cette directive.

Quant à la restauration de l'intérieur des églises, elle ne consiste généralement qu'en des travaux de peinture, justifiés par la nature même des matériaux utilisés dans la finition, soit le bois et le plâtre, mais aussi, par la volonté de Morisset de redonner aux intérieurs leur aspect d'origine, ou du moins ce qu'il croit être cet aspect. D'ailleurs, il devait attacher une grande importance à ces travaux de peinture, puisque ce sont essentiellement ceux-ci que Morisset retient de ses premières restaurations [50].

Dans cette perspective, le choix des couleurs prend une signification particulière. Morisset apporte une distinction dans ce choix, suivant le style du décor. Ainsi, dans les décors d'esprit Louis XV, il fait appliquer un choix de couleurs dans des tonalités pastel, telles que bleu pâle, rose, vert pâle, comme dans les églises de L'Acadie et de Saint-Mathias. Dans les décors d'esprit Louis XVI, comme les appelle Morisset, ou néo-classiques, il emploie non pas tant une gamme de couleurs qu'une gamme de tonalités de blanc, qui va du chamois pastel en passant par le blanc vert jusqu'au blanc bleuté. Comme il l'écrit à propos de la restauration de l'église de Lotbinière, où l'intérieur est peint de cette façon, dans les églises, autrefois, « c'était souvent un mélange fort agréable de blanc laiteux et de blanc bleuté, sur lesquels se détachait la sculpture sur bois doré à la feuille. . . » [51] (figs 12 et 13). C'est ainsi que fut peint l'intérieur de la plupart des églises restaurées par Morisset. À l'église de Saint-Elzéar-de-Beauce, à titre d'exemple, cette gamme de tonalités de blanc se traduit par un emploi généralisé du blanc ivoire dans tout l'intérieur, avec l'emploi plus étudié du chamois, pour souligner les éléments saillants, comme en fait foi cet extrait du devis des travaux de peinture, pour l'intérieur:

> Complètement isolée et abondamment éclairée, cette église devrait être peinte en deux tons seulement: un chamois pas trop vif pour les doubleaux, les ornements de l'attique, les saillies du retable et les trophées, la chaire et le banc-d'oeuvre, les fonts baptismaux: un ton ivoire sur les plans verticaux, la voûte et les panneaux de la chaire et du banc-d'oeuvre. Les doubleaux devraient être épaulés de deux bandes de chamois, dont la largeur pourrait être déterminée sur place. [52]

Dans quelques cas, toutefois, Morisset fait l'inverse, le chamois domine et le blanc ivoire sert à mettre en valeur certains éléments, comme dans les églises de Neuville et de Saint-Eustache.

De plus, ces travaux de peinture trouvent leur utilité, aux yeux de Morisset, en ce qu'ils font disparaître les « imitations ». En effet, il écrit dans son devis pour l'église de Saint-Elzéar (figs 22 et 23):

> Les boiseries du sanctuaire sont « imitées », ainsi que les bancs: il conviendrait, après nettoyage, de les peindre dans un ton brun bien étudié, afin que ces accessoires ne fassent pas tache sur l'ensemble et s'harmonisent avec la balustrade. [53]

Dans le cas présent, le devis ne fait allusion qu'aux imitations de bois précieux, généralement appliquées sur les stalles et les bancs. Il faut ajouter à cela toutes les imitations de marbre, autrefois très nombreuses dans les églises, et les motifs peints au pochoir qui, souvent, avaient pour but de suggérer une architecture intérieure élaborée. Ces imitations étaient considérées par Morisset comme des ajouts de la fin du XIXe siècle alors que, pour suggérer des matériaux plus nobles que les bois communs et le plâtre employés, on imitait le marbre et les bois précieux. Il n'est donc pas surprenant qu'il fasse disparaître les « imitations » de toutes les églises qu'il restaure: à l'église de Saint-François (île d'Orléans), ce sont les marbrures qui, d'après Paul Gouin, créent « une certaine confusion dans les éléments sculptés du retable (figs 16 et 17) [54] et, aux églises de Saint-Mathias, de L'Acadie et de La Présentation, ce sont les motifs peints au pochoir qui complètent un décor intérieur en bois plutôt sommaire (figs 14, 15, 18 et 19). De la disparition de ces « imitations », il résulte des intérieurs d'églises très dépouillés. Cependant, la recherche contemporaine nous révèle plutôt des édifices anciens plus polychromes et avec plus d'« imitations » que Morisset ne voulait le croire [55].

À ce dépouillement obtenu par les travaux de peinture, il faut ajouter un dépouillement plus perceptible qui consiste à enlever les statues de plâtre ou le mobilier victorien meublant le sanctuaire des églises. En effet, dans ses restaurations d'intérieurs d'églises, Morisset fait disparaître, à tout le moins en partie, la « sainte population de plâtre devenue nombreuse avec les années » [56] comme aux églises de Saint-Mathias ou de Saint-Pierre (île d'Orléans) (figs 14, 15, 20 et 21). Cette dernière église demeure l'exemple le plus achevé de cette tendance, puisque, après sa transformation en musée, on a non seulement enlevé les statues de plâtre, mais aussi tous les ornements de tissu qui décoraient le mobilier du sanctuaire de l'église. Les lignes architecturales de l'édifice sont certes apparentes, mais l'impression finale qui se dégage est celle d'un édifice sans vie, désaffecté. Par ce nettoyage des intérieurs, Morisset reprend à son compte une attitude courante chez les restaurateurs français du XIXe siècle, qui pour obtenir une plus grande unité de style dans les églises médiévales, enlevaient tout le mobilier de style postérieur à celui de l'édifice [57].

À ces restaurations d'églises dirigées par Morisset, il faut ajouter celles réalisées par les architectes de la Commission et auxquelles il fut associé. Pour débuter par André Robitaille, puisque ses restaurations se rapprochent le plus de celles de Morisset, ses principales restaurations sont celles des églises Saint-Charles-Borromée, à Charlesbourg, de Saint-Grégoire-de-Nicolet et de l'Hôtel-Dieu, à Québec. Morisset a participé à la préparation du devis de ces trois restaurations et son influence y est d'autant plus perceptible que l'image finale de ces églises, une fois restaurées, se rapproche grandement des églises qu'il a rétablies.

En avril 1958, à la suite d'une demande de classement de la fabrique de Saint-Charles-Borromée, de Charlesbourg, pour l'église de la paroisse, Morisset se déclare prêt à présenter un avant-projet de restauration. Un an plus tard, en avril 1959, il décrit sommairement cet avant-projet:

> Avec photos à l'appui, il explique qu'il s'agirait de restaurer l'ancienne architecture du retable en faisant disparaître une sorte de tribune qui y a été percée et en rétablissant les niches latérales. L'orgue serait replacé à l'arrière de l'église. À l'extérieur, l'enduit peint serait enlevé et la maçonnerie serait restaurée. [58]

Tout reste à l'état de projet jusqu'en janvier 1961. À ce moment, la fabrique ayant entrepris des travaux dans l'église classée depuis août 1959, sans l'autorisation de la Commission, cette dernière intervient pour prendre en main la restauration de l'église. L'architecte André Robitaille s'en voit confier la réalisation. Mis à part le nouveau plancher de béton qui sera réalisé contre le gré de la Commission et de l'architecte, la restauration pratiquée correspond en tout point à l'avant-projet de Morisset. L'intérieur de l'église sera restauré en 1961 et l'extérieur en 1962.

L'église de Charlesbourg, construite de 1828 à 1830 [59], avait toujours été recouverte d'un crépi, à l'extérieur, comme en témoignent toutes les photographies anciennes de l'église. Au début du XXᵉ siècle, vraisemblablement, l'église avait été recouverte d'un enduit en ciment peint en gris, imitant la pierre de taille (fig. 24). Pour ramener l'édifice à son état d'origine, Morisset croit nécessaire d'enlever l'enduit de ciment. Cette opération fut exécutée au jet de sable, mais, une fois la pierre à nu et le jointoiement faits, on recouvre de nouveau la maçonnerie d'un enduit [60]. Il va sans dire que c'eût été beaucoup plus simple de peindre l'enduit de ciment en blanc, plutôt que de reprendre l'opération à zéro, mais, dans la perspective où Morisset voulait faire disparaître toute imitation pour rendre la structure apparente, il devait procéder ainsi. Il est intéressant de remarquer que le type de joint appliqué ne fut pas celui pratiqué par les Gauthier, mais plutôt un joint creux, faisant ressortir les pierres [61]. Enfin, la couverture en tôle à la canadienne fut conservée et peinte en gris, ainsi que les clochers (fig. 25).

L'intérieur de l'église avait subi peu de modifications depuis la construction, sauf au chevet. En 1923, l'orgue avait été installé à l'étage de la sacristie, adossée au chevet de l'église. Pour relier l'étage de la sacristie avec l'église, le chevet avait été percé au-dessus du maître-autel et des portes de la sacristie [62]. Par ce traitement, le retable néo-classique de Thomas Baillairgé n'était pas sans prendre un certain air baroque (fig. 26). Cette interprétation originale du décor de Baillairgé aurait pu être conservée puisqu'elle ne brisait nullement l'architecture du retable, mais dans la mesure où Morisset veut ramener le décor à son état d'origine, cette modification doit disparaître. Pour ce faire, l'architecte, aidé de photographies anciennes (fig. 27), pratique une intervention vraiment mineure: le chevet est fermé au-dessus du maître-autel et les encadrements des niches qui avaient été conservés au sous-sol sont remis à leur place d'origine [63]. Une fois le retable rétabli dans son état d'origine, l'intérieur est peint dans un choix de tonalités de blanc, semblable à celui employé par Morisset pour les intérieurs néo-classiques. Enfin, ces travaux de restauration à l'intérieur sont complétés par l'installation de nouvelles stalles dans le choeur, en remplacement des anciennes d'allure victorienne (fig. 28). Cette restauration, comme on peut le constater, se rapproche grandement de celles exécutées par Morisset.

C'est sensiblement le même scénario qui se répète pour la restauration de l'intérieur de l'église de Saint-Grégoire-de-Nicolet. Morisset se rend à l'église en 1960, à la demande du curé, pour en entreprendre la restauration. Ayant constaté que le plancher pourrait avoir besoin de consolidation, il demande, en juillet 1960, à l'architecte Louis Beaupré, des Trois-Rivières, d'aller en faire l'examen. Ce dernier confirme la nécessité de consolider le plancher. Toutefois, la Commission n'entreprend aucun ouvrage. En septembre 1961, André Robitaille est approché pour préparer un nouveau rapport sur l'état de l'église, et, finalement, c'est lui qui est chargé de la restauration. Le devis de restauration devait prévoir des travaux de consolidation pour le plancher, mais surtout, des travaux de peinture pour l'intérieur. Ici encore, tout comme à Charlesbourg, Robitaille utilise une gamme de tonalités de blanc, pour l'intérieur. Ces travaux de peinture font disparaître les « imitations » de toutes sortes qui ornaient l'église et lui donnaient un caractère monumental, qu'on ne retrouve pas dans l'église restaurée (figs 29 et 30).

Dès février 1961, Morisset parle déjà de plans et devis de restauration pour l'église de l'Hôtel-Dieu de Québec [64]. En mars de la même année, la Commission fait état d'un éventuel projet de restauration. En juillet 1961, après le classement de l'é-difice, la Commission charge André Robitaille de préparer le devis pour les travaux de restauration. Cette restauration s'étend de l'automne 1961 au printemps 1962. Les travaux consistent sur-tout en des travaux de peinture. L'architecte fait encore appli-quer des teintes de blanc. Selon les termes du devis, « d'une manière générale, il s'agira ici de couleurs pâles, ivoire ou cha-mois, mais il pourra y avoir plusieurs teintes choisies dans cette gamme de couleurs » [65]. Comme dans les autres églises, ces tra-vaux font disparaître toutes les « imitations ».

Quant aux restaurations d'églises dirigées par Victor Depocas, nous retenons celles des églises Sainte-Jeanne-de-Chantal, à l'île Perrot, et Saint-Joachim, à Châteauguay. Ces restaurations diffèrent de celles réalisées par Morisset, dans les travaux de peinture exécutés à l'intérieur des églises. Cependant, Morisset a approuvé ces travaux et, tout comme pour les églises restaurées par André Robitaille, il s'est trouvé associé à titre de secrétaire de la Commission à la préparation des devis.

La restauration de l'intérieur de l'église de l'île Perrot, en 1961, ne consiste qu'en des travaux de peinture. Depocas y fait peindre la voûte en blanc, les murs dans un vert-bleu un peu fort et les boiseries en beige, le tout en remplacement d'une plus grande polychromie. Quant à la restauration de l'église de Châ-teauguay, la plus importante dirigée par Victor Depocas, elle est exécutée de 1961 à 1962. Une fois l'agrandissement réalisé, l'as-pect extérieur de l'église se rapproche de celui que Morisset im-prime aux églises qu'il restaure (fig. 33). La pierre est laissée apparente. La couverture de bardeaux d'asphalte est remplacée par une nouvelle couverture de tôle à la canadienne peinte en gris. Les clochers, recouverts de tôle et déjà peints en gris ne sont pas touchés. Pour ce qui est de l'intérieur, on s'éloigne des restaurations de Morisset (figs 34 et 35). Les murs sont repeints en beige et la voûte, en bleu pâle. Ces travaux de peinture servent également à faire disparaître tout ce qui est marbrure ou imita-tion de bois précieux et, plus particulièrement, le décor néo-baroque peint en trompe-l'oeil dans la voûte, qui suggérait une voûte au décor architectural. Morisset avait déjà énoncé l'idée, dès sa première visite, en 1956, qu'il faudrait enlever les tribunes latérales parce que, selon lui, elles « enlaidissent l'intérieur » [66]. Les tribunes sont donc enlevées. Le plancher est refait en béton, pour unir les parties nouvelles à la partie ancienne. Enfin, il faut ajouter à cela l'enlèvement de plusieurs statues puis, avec l'agrandissement, le déplacement de plusieurs éléments du sanc-tuaire vers les bas-côtés; l'impression de vide qui en résulte n'est pas sans rappeler l'intérieur de l'église de Saint-Pierre (île d'Orléans) (fig. 21). Les lignes architecturales sont amplement perceptibles, mais vu le faible développement du décor intérieur de l'église, on ressent davantage cette absence de décor intérieur.

Enfin, il est une dernière restauration de grande importance à laquelle Morisset participe, puisque c'est celle où l'aspect de l'intérieur de l'église est le plus altéré, sous prétexte de ramener l'édifice à son état d'origine. Il s'agit de l'église Saint-Pierre de Sorel. Dès 1957, les fabriciens projettent de faire exécuter divers travaux d'entretien et de consolidation à l'église [67]. En 1959, ils décident d'ajouter à ces travaux le creusage du sous-sol de l'église, pour y installer une salle paroissiale [68]. En février 1960, les fabriciens projettent de faire exécuter divers travaux d'entretien et de consolidation à l'église [67]. En 1959, ils décident d'ajouter à ces travaux le creusage du sous-sol de l'église, pour y installer une salle paroissiale [68]. En février 1960, les fabriciens font appel à Morisset pour qu'il les conseille sur la restauration à entreprendre. Morisset s'y rend en mars 1960, et à son retour, il fait état d'un avant-projet de restauration :

> L'église est intéressante; sa construction remonte au début du dix-neuvième siècle; la sculpture d'Augustin Leblanc est très belle et bien conservée. Les deux tribunes latérales, qui n'ont aucun style, pourraient être supprimées. Le sanctuaire a été gâché par de nombreuses modifications d'un goût douteux. Il mériterait d'être restauré. [69]

Ce n'est qu'en avril 1961 que la fabrique décide de retenir les services de l'architecte Guy Blain, de Sorel, pour la restauration [70]. Ce dernier prépare un devis de restauration, mais en mai de la même année, la Commission hésite à l'approuver, à cause de son coût excessif. Toutefois, la Commission juge nécessaire la plupart de ces travaux puisqu'elle décide que :

> M. Morisset écrira à l'architecte pour demander quel pourrait être le coût d'un nouveau plancher en béton à la grandeur de l'église, de l'aménagement du sous-sol, de la disparition des tribunes, de la consolidation des colonnes et de la peinture à l'intérieur. [71]

En définitive, Morisset apparaît comme le concepteur de l'aspect final de la restauration, puisque la Commission décide que « l'architecte Guy Blain préparera les esquisses suivant les données de M. Morisset et les soumettra pour approbation à la Commission ». [72]

À l'intérieur, on procède à de grandes libérations (figs 36 et 37). Les tribunes latérales sont enlevées ainsi que tout le décor néo-baroque ajouté au décor plus ancien. On exécute des travaux de peinture, en faisant disparaître par la même occasion toutes les « imitations ». Enfin, on enlève bon nombre d'ornements divers. L'aspect final qui résulte de cette restauration en est un de grand vide. Sous cet angle, l'église restaurée de Sorel rappelle celles de Saint-Pierre (île d'Orléans) et de Châteauguay.

Les restaurations de maisons

Les restaurations de maisons réalisées sous la direction de Gérard Morisset sont peu connues, les procès-verbaux de la Commission y faisant peu allusion. C'est pourquoi il faut s'en tenir aux grands projets qui commencent à être connus. Ceux-ci ayant été réalisés avec la collaboration de l'architecte André Robitaille, il est difficile de parler de l'apport de chacun séparément. Les travaux de Morisset et de Robitaille ont donc été étudiés ensemble. Quant aux restaurations de maisons réalisées sous la direction d'autres architectes, il a été jugé inutile d'en parler, à cause du peu de documentation qui a pu être rassemblée à leur sujet.

La restauration la mieux connue d'une maison que Morisset ait réalisée seul est celle du château de Ramezay, à Montréal, en 1953 (figs 38 et 39). Les travaux de restauration furent très sommaires, mais n'en contribuèrent pas moins à changer l'aspect de l'édifice. Le crépi, imitant la pierre de taille, fut enlevé, pour mettre la maçonnerie à nu. Thomas Gauthier fit le jointoiement à sa manière typique. Enfin, la couverture fut couverte de cuivre [73]. Cependant, en plus d'appliquer à cet édifice le même traitement qu'il appliquait aux églises, Morisset cherche à imprimer un caractère précis à l'édifice, soit celui d'un hôtel particulier à la manière française. Comme Morisset l'avait écrit en 1941, « le Château Ramesay (sic), construit en 1705, participe à la fois de l'hôtel parisien et de la maison campagnarde canadienne de cette époque » [74]. L'édifice, en retrait de la rue, avait déjà, pour ainsi dire, une avant-cour. Morisset va chercher à accentuer ce caractère d'hôtel particulier, en modifiant la forme de la grande porte. En effet, cette porte avait dû être agrandie au cours des ans puisque son linteau était plus haut que celui des fenêtres. Morisset profite alors de cette différence de niveau pour y inscrire un arc surbaissé, donnant ainsi une certaine monumentalité à la grande porte. Cette intervention de Morisset disparaîtra dans la dernière restauration de l'édifice, le linteau de la grande porte ayant été ramené au même niveau que celui des fenêtres.

La principale restauration de maison que Morisset ait dirigée, partiellement il est vrai, est celle de l'hôtel Chevalier (fig. 40). La restauration de cet édifice doit être considérée comme l'oeuvre commune de Morisset et de Robitaille. En effet, la conception du projet est attribuable au premier, mais l'aspect technique ayant occupé une très grande place dans la réalisation du projet, il faut reconnaître également l'apport du second. C'est la première restauration à laquelle Morisset ait eu à faire, qui demande un si grand apport technique. Comme il fallait tenter de redonner son aspect d'origine à une maison passablement modifiée et délabrée, la présence d'un architecte était indispensable pour surveiller les libérations et exécuter les complétements nécessaires.

Dès 1951, Morisset avait rédigé un court mémoire en faveur de la restauration de ce qu'il appelait déjà l'hôtel Chevalier, c'est-à-dire un groupe de trois maisons composé de la maison Chevalier, Frérot et Chenaye-de-la-Garenne [75]. Ce mémoire qui est, en fait, un historique sommaire des trois maisons a pour recommandation la restauration de l'hôtel pour mettre en valeur un bon spécimen de notre architecture ancienne et, en même temps, pour donner l'exemple, afin d'amener les propriétaires de la basse-ville à restaurer leurs maisons [76].

En septembre 1955, Morisset, accompagné de Paul Gouin, présente le mémoire au premier ministre d'alors, Maurice Duplessis. Dès mai 1956, le gouvernement fait l'acquisition des trois maisons appelées à former l'hôtel Chevalier. Les commissaires chargent aussitôt André Robitaille d'effectuer les relevés des maisons, et en octobre 1956 débutent les travaux de démolition des cloisons intérieures. En février 1957, la Commission crée un comité pour dresser un avant-projet, composé de Morisset, Fontaine et Robitaille. Ces derniers ont recours à des photographies anciennes pour préparer leur projet.

Les membres du Comité ont tôt fait de s'entendre, puisque en juin 1957, Robitaille présente la maquette du projet de restauration à la Commission (fig. 41). L'hôtel Chevalier y apparaît à quelques différences près dans l'état dans lequel il a été restauré. Les modifications apportées au cours de la réalisation consistent à suggérer davantage l'existence d'une seule maison, en particulier par la suppression de la porte prévue à l'arrière de la maison Chenaye-de-la-Garenne. Toutefois, bien que Morisset prévoie la suppression du toit à la mansarde de la maison Frérot, celui-ci est conservé à la demande de Léopold Fontaine, sous prétexte qu'il aurait été trop coûteux d'en construire un nouveau. D'après lui, ce toit pouvait également être d'origine, ce que les anciennes photographies infirment (fig. 42) [77].

Quant à l'hôtel Bertrand qui occupait l'emplacement de la maison Chenaye-de-la-Garenne, il était en brique et dans un très mauvais état. En 1957, les commissaires décident de le faire démolir, car d'après eux, il en coûterait moins cher de le reconstruire à neuf que de le restaurer. Une nouvelle maison est donc construite de 1959 à 1960, d'après les plans de Robitaille. Il faut encore ajouter l'achat de la maison Faucher, en 1961, et sa démolition, en 1962, pour dégager l'hôtel Chevalier et permettre l'aménagement d'une avant-cour.

Les travaux prévus pour l'exécution du projet de restauration sont semblables à ceux que Morisset faisait exécuter pour la restauration des églises. Le crépi est enlevé, pour mettre la pierre à nu. De nouvelles fenêtres à vingt-quatre carreaux sont posées. La toiture est refaite en tôle à la canadienne et peinte en rouge. Cependant, dans le cas présent, Morisset imprime à l'édifice, et d'une manière plus forte encore qu'au château de Ramezay, cet aspect d'hôtel particulier français. D'abord, Morisset réoriente l'édifice en faisant percer une grande porte surmontée d'un arc surbaissé, très semblable à celle du château de Ramezay, et cela, dans ce qui était le mur arrière de la maison Chevalier. Puis, il transforme en avant-cour ce qui était jusque là l'arrière-cour commune aux trois maisons.

Dans le mémoire qui est à l'origine de la restauration, Morisset rapprochait la maison Chevalier de certains monuments du moyen âge français [78]. Cette référence et l'aspect qu'il donne à l'hôtel Chevalier, semblable à celui qu'il avait donné au château de Ramezay, suggèrent justement l'existence d'un modèle bien précis, commun aux deux restaurations mais qui demeure inconnu. Il est certain qu'en réalisant une telle interprétation de l'architecture de l'édifice, on s'éloigne de son état d'origine. Il faut croire que pour Morisset, cette interprétation pouvait se justifier par le maintien du même style. En effet, pour Morisset, la maison est « si typiquement française qu'elle serait parfaitement à sa place, même qu'elle serait remarquée dans l'une quelconque des villes-musées de France. . . » [79]. Il n'y avait donc rien de contradictoire à lui donner l'allure d'un hôtel particulier français, quoique cela constitue une interprétation pour le moins discutable de l'architecture de la maison.

En ce qui concerne la restauration des maisons de bois, Morisset et Robitaille cherchent à donner à ces édifices la même image que celle qu'ils donnent aux maisons de pierre. En effet, l'école de la fabrique de Saint-François (île d'Orléans), une fois déplacée, est recouverte de bardeaux de cèdre peints en rouge. Les murs sont peints en gris, de la même couleur que le recouvrement de l'abside de l'église restaurée. Dans ce cas précis, Morisset cherche sûrement à créer une unité de style entre les différentes composantes de l'enclos paroissial, surtout si l'on ajoute à l'église et à l'école qui ont les mêmes couleurs, le mur du cimetière dont le chapeau devait être peint du même rouge que celui de la toiture de l'église.

En juin 1960, un avant-projet de restauration auquel Morisset n'est pas étranger est présenté à la Commission par Léopold Fontaine, pour la maison Routhier de Sainte-Foy. On décide d'en confier l'exécution à André Robitaille. La restauration dure de 1960 à 1961. À l'aide de photographies anciennes, l'architecte cherche à donner une allure plus vieille ou d'aspect plus traditionnel à la maison. Il remplace le déclin qui recouvrait les longs-pans de la maison, par des planches verticales, mais il conserve le bardeau sur les murs-pignons. Il fait enlever les cadres moulurés des ouvertures et fait poser de nouvelles fenêtres à vingt carreaux, en remplacement des anciennes fenêtres à six carreaux. Le bardeau d'asphalte qui recouvrait deux versants de la couverture est remplacé par du bardeau de cèdre. À l'intérieur, on enlève quelques cloisons, pour retrouver la disposition ancienne.

Libérations et complétements en style

La recherche d'un état d'origine et d'une unité stylistique engendre immanquablement des démolitions et des reconstructions en style. Morisset lui-même encourage l'enlèvement des enduits et des recouvrements de bois, ce qui demeure des libérations sommaires. Avec l'appui technique des architectes, Morisset va entreprendre des libérations et des complétements en style d'une importance beaucoup plus grande. Toutefois, les libérations et complétements qui sont exécutés ne représentent qu'une partie des nombreux projets que Morisset a nourris en ce sens. Aussi, est-il intéressant de tenir compte autant des projets, du moins ceux qui ont pu être retrouvés, que des réalisations.

Un projet de reconstruction qui tenait à coeur à Morisset, mais qui ne fut pas réalisé, est celui de la façade de l'église de Saint-Joachim-de-Montmorency. En avril 1959, la Commission traite d'une demande prochaine de classement de l'église venant du curé de la paroisse. Les commissaires évoquent alors la possibilité de ne classer que l'intérieur de l'église « car la façade actuelle de cet édifice laisse à désirer » [80]. Finalement, l'église est classée en entier, en juin 1959, mais en août de la même année, Morisset

> soulève la question de la façade qui est d'une architecture pitoyable et qui en plus est sérieusement détériorée. N'y aurait-il pas lieu de la reprendre au complet? Le projet pourrait être étudié dans le cours de l'hiver et se réaliser le printemps prochain. M. Morisset souhaite aussi la démolition du petit clocher de l'abside. [81]

La nouvelle façade aurait été reconstruite d'après une ancienne photographie qui, croyait-on, se trouvait à l'université McGill. On décide alors d'envoyer Léopold Fontaine faire l'inspection de la façade. Toujouts en août 1959, Fontaine fait rapport. Il juge qu'il n'est pas urgent de réparer ou de reconstruire la façade de l'église. Cependant, près d'un an plus tard, en juillet 1960, Fontaine y retourne de nouveau, mais cette fois-ci, en compagnie de Morisset. Ce dernier a peut-être réussi à convaincre son collègue de la nécessité d'un tel projet, puisque dans les prévisions budgétaires pour l'année 1961, on prévoit dépenser 12 000 $ pour la façade de cette église. Toutefois, ce projet reste sans suite.

Ce n'était pas la première fois que Morisset songeait à faire disparaître la façade d'une église, sous prétexte qu'elle était de mauvais goût. Dès 1956, comme nous l'avons vu, Morisset avait songé à agrandir l'église de l'île Perrot par la façade. À première vue, un tel projet semble s'inscrire dans la logique de Morisset d'agrandir une église ancienne à la manière traditionnelle. Cependant, quand on sait que la façade néo-romane de l'église date du tout début du XXe siècle et que Morisset a condamné à maintes reprises ces ajouts de façades de style devant des églises anciennes, l'agrandissement par la façade apparaît alors comme une occasion rêvée de faire une nouvelle façade d'inspiration traditionnelle.

Morisset a dû concevoir des projets semblables pour la plupart des églises anciennes dotées d'une façade d'une époque jugée trop récente. Il dût en être de même pour les clochers d'abside, car tout comme pour l'église de Saint-Joachim-de-Montmorency, Morisset suggère à propos de l'église Saint-Georges, à Cacouna, « qu'à l'occasion d'une réfection éventuelle de la toiture de cette église, il faudrait songer sérieusement à faire disparaître le clocher de l'abside, oeuvre de David Ouellet » [82].

Enfin, pour traiter maintenant d'une réalisation, il sera question de la démolition de l'ancien clocher de l'église de Saint-François (île d'Orléans) et de la construction du clocher actuel (figs 3, 4 et 5). Dans ses explications pour justifier la démolition du vieux clocher de l'église, érigé en 1863, Morisset dit qu'il « est très lourd; construit en encorbellement sur les piliers de l'intérieur, il fatigue la charpente; au reste, il penche d'environ deux pieds vers l'est et d'environ dix pouces vers le nord » [83]. Pour le remettre en état, il aurait fallu le déposer puis le remonter. Aussi, Morisset opte-t-il pour la démolition pure et simple. Il dresse alors une esquisse pour un nouveau clocher d'allure XVIIIᵉ siècle, d'après une photographie de l'ancienne église de Sainte-Foy, comme nous l'avons vu plus haut. Enfin, Morisset fait appel à l'architecte André Robitaille, pour dresser les plans de ce nouveau clocher. C'est la première fois que Morisset fait intervenir un architecte qualifié dans une restauration. Cela s'explique par l'aspect technique que comporte la réalisation de ce projet.

Morisset apprécie particulièrement une libération à l'extérieur des églises: celle des cheminées de briques, souvent qualifiées de « vilaines » [84]. Il autorise cette libération pour les églises de Saint-Mathias (figs 1 et 2), de La Présentation, de Saint-François, de Charlesbourg et de Châteauguay (figs 32 et 33). Dans ce dernier cas, le devis de restauration prévoyait la reconstruction de la cheminée en pierre et à l'arrière de la sacristie. Cependant, pour une raison inconnue, elle est reconstruite en briques et à l'intérieur même de la sacristie, accolée au pignon.

Dans certains cas, Morisset encourage la suppression des chemins couverts. Sur les églises anciennes, cette partie est toujours un ajout, construit généralement en bois; cet ajout n'est donc jamais parfaitement intégré à l'architecture de l'église, et il ne trouve sa justification que dans la mesure où il est utile. Aussi, si l'on veut redonner à l'édifice son état d'origine, cette partie apparaît comme une cible tout indiquée. Il n'y a donc rien de surprenant à ce que le chemin couvert de l'église de Saint-Pierre ait été enlevé, puisque avec la désaffectation de l'église, comme lieu de culte, il était appelé à servir rarement. Morisset était également favorable à l'enlèvement de cet élément à l'église de Saint-Sulpice [85].

Dans le cas de l'église de Châteauguay, pour faire l'agrandissement et, en même temps, redonner à l'église son unité stylistique, il a fallu démolir plusieurs adjonctions. Ainsi, furent détruits, du côté sud, le charnier, situé derrière la tour et le chemin couvert en bois qui sera remplacé par un nouveau, et, du côté nord, la chapelle des fonts baptismaux et la cheminée de brique (figs 31 et 32). Enfin, les clochers seront consolidés par l'ajout de croix-de-saint-André au niveau de la lanterne, en remplacement de la balustrade en fer forgé (fig. 33). Il va sans dire que ce dernier ajout n'est pas sans donner un air XVIIIᵉ siècle à la façade de l'église qui, par ses caractéristiques néo-classiques, témoigne bien de son année de construction, soit 1840.

Dans un autre cas, il est question de reconstituer un édifice religieux dans son état d'origine. En effet, en mai 1956, la Commission charge l'architecte Roy Wilson de préparer les plans et devis pour la restauration de la chapelle Cuthbert, à Berthierville. Wilson remet ses plans en août de la même année. Morisset les montre à la Commission en faisant remarquer « qu'au lieu d'entreprendre une simple restauration dans le genre de celle de la chapelle de procession de Neuville, M. Wilson a dressé des plans de reconstitution de la dite chapelle, ce qui entraîne à des dépenses considérables » [86]. La Commission aurait préféré s'en tenir à des travaux de consolidation. La chapelle ne sera pas reconstituée, du moins pas à cette époque, parce que la Commission préférait reconstituer d'autres édifices plutôt que celui-là.

En ce qui a trait aux maisons, Morisset était favorable à des reconstructions en style. La première maison qui ait été reconstruite en style par la Commission est la maison Chenaye-de-la-Garenne, une des trois maisons formant l'hôtel Chevalier. Il semble que la seconde soit la maison Fornel, à la Place Royale (fig. 43). Cette maison est construite en 1962 [87], à l'emplacement de la maison Saks détruite par un incendie deux ans plus tôt (fig. 44) [88]. Dans ce dernier cas, la maquette Duberger a servi de modèle [89]. Il va sans dire que ces reconstructions adoptent l'allure préconisée par Morisset, avec pierres apparentes, toitures en tôle à la canadienne peintes en rouge. En 1961, la Commission suggère la démolition de vieilles maisons incendiées dans la rue Saint-Jean à Québec et, en remplacement, la construction d'un nouvel édifice s'inspirant de l'hôtel Rasco (Montréal) ou de la maison Ranvoyzé (Québec) [90].

Pour décrire ces derniers cas, il faut parler d'architecture d'accompagnement, c'est-à-dire une architecture de style qui s'intègre aux maisons voisines. Il est possible et même probable qu'on se soit inspiré des chantiers de reconstruction d'après-guerre en Europe. En effet, en mars 1952, Paul Gouin donnait une causerie à Québec sur « Le charme et la beauté de Québec » en terminant par un rappel du

> geste des habitants de St-Malo, en France, qui ont reconstruit dans le style d'autrefois leur ville dévastée au cours de la guerre. Les Québécois se souviendront que la plupart de leurs ancêtres et (sic) partirent de St-Malo pour venir s'établir en Nouvelle-France et sauront, sans aucun doute, s'inspirer de cet exemple qui, lui aussi, vient de St-Malo. [91]

Les chantiers de reconstruction d'Europe étaient donc connus de Paul Gouin, et sûrement aussi de Morisset. L'influence de ces villes européennes reconstruites en style apparaît au grand jour, en juin 1961, dans le projet d'achat du terrain où se trouvaient les vieilles forges, aux Trois-Rivières, et de leur reconstruction. Il suffira que l'on s'informe du coût d'un tel projet pour qu'il reste sans suite [92].

Dans un autre ordre d'idées pour ces complétements ou reconstructions en style, se pose immanquablement la question des techniques à employer. Viollet-le-Duc, dans sa définition de la restauration, précise qu'en plus de l'unité formelle, il faut l'unité de structure. Pour une architecture de structure, comme l'est l'architecture gothique, où la plupart des éléments jouent un rôle dynamique, l'unité de structure va de soi, mais dans une architecture statique comme notre architecture ancienne, cela n'est pas une nécessité.

Morisset a appliqué ce principe d'unité de structure, dans

une de ses restaurations. Quand il fait reconstruire le clocher de Saint-François, suivant un modèle du XVIIIe siècle, Morisset donne une structure qui correspond avec la forme ancienne, c'est-à-dire avec une charpente semblable à celles que l'on faisait aux XVIIe et XVIIIe siècles, sauf que les pièces ont été assemblées par des ferrures au lieu du système de tenons et mortaises (fig. 5). Toutefois, il semble que le clocher de l'église de Saint-François soit la seule construction où ce principe ait été appliqué durant cette période, car, par la suite, on ne retrouve plus de cas semblables. Cela vient peut-être de ce que l'on avait oublié les méthodes traditionnelles, ou encore parce que les architectes ne voulaient pas les utiliser. Toujours est-il que les architectes oeuvrant pour la Commission font appel aux procédés les plus divers pour reconstruire en neuf, tout en donnant l'allure de l'ancien.

* * *

Gérard Morisset, en appliquant la théorie de la restauration stylistique dans ses restaurations, a amené un changement majeur dans la pratique de la restauration au Québec. En effet, à partir de ses restaurations, une conscience historique s'installe dans la pratique de la restauration. Désormais, on ne vise plus à adapter les édifices anciens aux courants stylistiques contemporains. On tente plutôt de préserver leur caractère ancien.

Par ailleurs, il faut remarquer que, au début des années 1950, il est encore courant de pratiquer la restauration stylistique, comme sur les chantiers de restauration d'après-guerre en Europe. Dans cette optique, les restaurations en style de Morisset peuvent être admises. Cependant, au début des années 1960, une telle pratique commence à se faire ancienne.

Le départ de Morisset de la direction de la Commission aurait pu amener un changement d'attitude chez les commissaires et les architectes, et l'adoption d'une nouvelle théorie de la restauration. Pourtant, ce ne fut pas le cas. Cela peut s'expliquer par le fait qu'on était peu intéressé à approfondir des théories dans ce domaine. Cependant, en restant dans le cadre de la théorie de Viollet-le-Duc, sans les connaissances en architecture ancienne de Morisset, les architectes en sont réduits à leur intuition, pour se guider dans leurs interventions. Une théorie plus contemporaine aurait donné davantage de moyens pour tracer la voie à suivre. Aussi, la pratique de la restauration au Québec, après Gérard Morisset, et pour plusieurs années, apparaît-elle comme très discutable.

ANNEXE

TABLEAU DES ÉDIFICES RESTAURÉS D'APRÈS UN DEVIS DE GÉRARD MORISSET *

1952 — Lotbinière. Église Saint-Louis (intérieur) et chapelle de procession.
— Cap Santé. Église Sainte-Famille (extérieur).

1953-1955 — Saint-Mathias-de-Rouville. Église Saint-Mathias (intérieur et extérieur).
— Saint-François-de-l'île d'Orléans. Église Saint-François (intérieur et extérieur).

1954 — Neuville. Église Saint-François de Sales (intérieur).

1955 — Neuville. Chapelle de procession.
— Cap Saint-Ignace. Moulin Vincelotte (extérieur).
— Montréal. Château de Ramezay (extérieur).
— L'Acadie. Église Sainte-Marguerite (intérieur et extérieur).
— Saint-Isidore-de-Dorchester. Église Saint-Isidore (intérieur et extérieur.

1955-1956 — La Présentation-de-Saint-Hyacinthe. Église La Présentation (intérieur et extérieur).
— Saint-Jean-de-l'île d'Orléans. Église Saint-Jean (extérieur).

1955-1957 — Village-des-Hurons. Église Notre-Dame-de-Lorette (intérieur et extérieur)

1956 — Beloeil. Maison Pré-Vert (extérieur).
— L'Acadie. Presbytère (intérieur et extérieur).

1956-1962 — Québec. Hôtel Chevalier (intérieur et extérieur). Avec la collaboration de l'architecte André Robitaille.

1957 — Saint-Eustache-des-Deux-Montagnes. Église Saint-Eustache (intérieur).
— Saint-Grégoire-de-Nicolet. Moulin à vent (extérieur).

1958-1959 — Québec. Église Notre-Dame-des-Victoires (intérieur).
— Saint-Pierre-de-l'île d'Orléans. Église Saint-Pierre (intérieur et extérieur).

1959 — Saint-François-de-l'île d'Orléans. École de la fabrique (extérieur).

1960 — Saint-Elzéar-de-Beauce. Église Saint-Elzéar (intérieur et extérieur).

1960-1961 — Cap Saint-Ignace. Manoir Gamache (extérieur).

1961 — Île-aux-Coudres (La Baleine). Maison Leclerc (intérieur).

* Ces restaurations ont été identifiées et datées à l'aide des procès-verbaux de la Commission des monuments historiques, des dossiers de *l'Inventaire des biens culturels* et, dans le cas de l'église de Saint-Eustache, du dossier du *Service des monuments historiques*.

NOTES

1. Cette étude est essentiellement basée sur les procès-verbaux de la Commission des monuments historiques. Les volumes dépouillés sont les suivants: vol. 1, *10 mai 1955 — 24 août 1959*, vol. 2, *29 septembre 1959 — 9 juillet 1963*. Les volumes 1, 2 et 3 des procès-verbaux de la nouvelle Commission, instaurée en 1963, ont été dépouillés partiellement. Vu l'homogénéité de la documentation, nous avons jugé préférable de n'indiquer les références complètes que pour les citations ou pour les données présentant une importance certaine. Par ailleurs, cette étude aurait pu être plus complète, si la consultation des devis de restaurations contenues dans les dossiers du *Service des monuments historiques* avait été permise. Malheureusement, tel ne fut pas le cas. À défaut des devis, les programmes de restauration ont dû être reconstitués en grande partie, à l'aide de photographies et de documents épars.

2. *Loi relative aux monuments, sites et objets historiques ou artistiques*, S.R. 1952, chap. 24, art. 3.

3. *Ibid.*, art. 8.

4. Victor Depocas, « Vers une architecture régionale », *Architecture. Bâtiment. Construction*, vol. II, n° 120 (avril 1956), pp. 39-41.

5. Colette LaBonté et Madeleine Robin, *André Robitaille, architecte-restaurateur*, texte manuscrit, université Laval, automne 1977, n.p.

6. *Loi des monuments historiques*, S.R. 1963, chap. 22, art. 17.

7. *Procès-verbaux de la [nouvelle] Commission des monuments historiques*, vol. 1, *1963-1965*, p. 78.

8. *Ibid.*, vol. 2, *1963-1965*, p. 78.

9. Jacques Robert, *Gérard Morisset: architecte et restaurateur?* Texte manuscrit, 1978, p. 7.

10. Gérard Morisset, « Pierrefonds », *Almanach de l'Action sociale catholique*, vol. 17 (1933), pp. 47-55.

11. Eugène Viollet-le-Duc, *Entretiens sur l'architecture*, Paris, A. Morel et Cie Éditeurs, 1863, t. 1, pp. 330-340.

12. Gérard Morisset, *L'architecture en Nouvelle-France*, Québec, 1949, p. 86.

13. *Ibid.*, pp. 15-16.

14. *Ibid.*, pp. 17-18.

15. *Ibid.*, p. 17.

16. *Procès-verbaux de la [nouvelle] Commission des monuments historiques*, vol. 3, *1967-1968*, p. 492.

17. Gérard Morisset, *L'architecture* . . . , p. 100.

18. *Ibid.*, p. 90.

19. Eugène Viollet-le-Duc, *Dictionnaire raisonné de l'architecture française du XIe au XVIe siècle*, Paris, Morel & Cie Éditeurs, 1875, t. VIII, p. 14.

20. *Ibid.*, p. 26.

21. *Ibid.*, p. 23.

22. Gérard Morisset, « Pour la conservation des oeuvres d'art », *La Nation*, 29 février 1936, p. 4.

23. Gérard Morisset, *L'architecture . . . .* , pp. 9-10.

24. Gérard Morisset, « La conservation historique », *Congrès de refrancisation*, Québec, Les éditions Ferland, 1959, t. V, p. 18.

25. « Délégation chez M. Duplessis concernant un projet d'agrandissement de l'église de St-Pierre de l'Île », *L'Action Catholique*, 12 mars 1953.

26. Gérard Morisset, *La peinture traditionnelle au Canada français*, [Ottawa], Le Cercle du Livre de France, [1960], pp. 61-62.

27. Jacques Trépanier, « Les trésors de Saint-Pierre, île d'Orléans, monument historique », *La Patrie*, 11 juillet 1954, p. 65.

28. *Procès-verbaux de la Commission des monuments historiques*, vol. 1, *1955-1959*, p. 143.

29. *Ibid.*, pp. 40-41.

30. *Ibid.*, vol. 2, *1959-1963*, p. 229.

31. Luc Noppen, *Les églises du Québec (1600-1850)*, [Montréal], Éditeur officiel du Québec/Fides, [1977], p. 98.

32. *Procès-verbaux de la Commission des monuments historiques*, vol. 2, *1959-1963*, p. 209.

33. *Québec, Châteauguay, Archives de la paroisse de Saint-Joachim, Livre de comptes et délibérations 1952-1965*, pp. 74-75.

34. *Ibid.*, pp. 79-80.

35. Luc Noppen, *op. cit.*, p. 18.

36. Luc Noppen, *Notre-Dame de Québec. Son architecture et son rayonnement (1647-1922)*, Québec, Éditions du Pélican, [1974], p. 97.

37. Marie-Thérèse Thibault, *Monuments et sites historiques du Québec*, [Québec], Ministère des Affaires culturelles, 1978, p. 161.

38. *Procès-verbaux de la Commission des monuments historiques*, vol. 1, *1955-1959*, p. 68.

39. Marie-Thérèse Thibault, *op. cit.*

40. Gérard Morisset, *Le Cap-Santé, ses églises et son trésor*, Québec, Médium, 1944, p. 28.

41. *Ibid.*

42. *Procès-verbaux de la Commission des monuments historiques*, vol. 1, *1955-1959*, p. 11.

43. *Ibid.*

44. *Ibid.*, p. 49.

45. *Ibid.*, p. 94.

46. *Ibid.*, p. 146.

47. Victor Depocas, *Église paroissiale de Châteauguay « St Joachim ». Projet de restauration et d'agrandissement*, Montréal, 2 juin 1961, art. 28. Annexé au procès-verbal de la réunion du 27 juin 1961. *Procès-verbaux de la Commission des monuments historiques*, vol. 1, *1955-1959*, p. 294.

48. *Procès-verbaux de la Commission des monuments historiques*, vol. 1, *1955-1959*, p. 13.

49. Gérard Morisset, *Les églises et le trésor de Lotbinière*, Québec, 1953, p. 37.

50. Gérard Morisset, « La conservation historique », *Congrès de refrancisation*, pp. 20-22.

51. Gérard Morisset, *Les églises et le trésor de Lotbinière*, p. 37.

52. *Québec, Québec, Inventaire des biens culturels*, (dorénavant *QQIBC*), Fonds Morisset, Dossier: *Saint-Elzéar, (Beauce). Église*, Lettre de G. Morisset à Mgr M. Roy, s.l., le 6 avril 1960.

53. *Ibid.*

54. Paul Gouin, « Nos monuments historiques », *Vie des arts*, n" 1 (Janvier-février 1956), p. 12.

55. Luc Noppen, *Les églises du Québec. . .* , p. 46.

56. Gérard Morisset, « La conservation historique », *Congrès de refrancisation*, p. 20.

57. Paul Léon, *La vie des monuments français. Destruction. Restauration*, Paris, Éditions A. et J. Picard et Cie, 1951, pp. 419-420.

58. *Procès-verbaux de la Commission des monuments historiques*, vol. 1, *1955-1959*, p. 133.

59. Luc Noppen, *op. cit.*, p. 94.

60. André Robitaille, « La restauration de l'église de Charlesbourg », *Bulletin du Conseil des monuments et sites du Québec*, n" 6 (mai 1978), p. 34.

61. *Ibid.*

62. *Ibid.*, n" 5 (novembre-décembre 1977), p. 38.

63. *Ibid.*, p. 40.

64. *Québec, Québec, Archives du Monastère de l'Hôtel-Dieu*, (dorénavant *QQAMHD*), Dossier: *Église — Monument historique — 1957-1961*, Lettre de Mère Saint-Adolphe, Supérieure, à Mgr M. Roy, Québec, le 18 février 1961.

65. *QQAMHD*, André Robitaille, *Chapelle extérieure de l'Hôtel-Dieu. Québec. Devis de réfection, 1er septembre 1961*, art. 5.

66. *Procès-verbaux de la Commission des monuments historiques*, vol. 1, *1955-1959*, pp. 5-6.

67. *QQIBC, [Gaétan Chouinard], Inventaire de l'église Saint-Pierre de Sorel. Comté de Richelieu*, janvier 1977, n.p.

68. *Ibid.*

69. *Procès-verbaux de la Commission des monuments historiques*, vol. 2, *1959-1963*, p. 185.

70. *QQIBC, [Gaétan Chouinard], op. cit.*

71. *Procès-verbaux de la Commission des monuments historiques*, vol. 2, *1959-1973*, p. 291.

72. *Ibid.*, p. 300.

73. Victor Morin, *Le Gouverneur et Madame de Ramezay reçoivent. Chronique des fêtes du 250ᵉ anniversaire du Château de Ramezay*. Montréal, La Société d'archéologie et de numismatique, 1957, p. 17.

74. Gérard Morisset, *L'architecture. . .* , p. 41.

75. *QQIBC, Fonds Morisset, Dossier: Québec. (Québec). Maison Chevalier*, Lettre de G. Morisset à P. Gouin, Québec, le 20 décembre 1951.

76. Gérard Morisset, *Mémoire sur l'hôtel Chevalier à Québec*, texte dactylographié, p. 4.

77. André Robitaille, « La restauration de l'hôtel Chevalier. . . Vingt ans après », *Bulletin du Conseil des monuments et sites du Québec*, n" 9 (automne 1979), pp. 60-61.

78. Gérard Morisset, *Mémoire. . .* , p. 3.

79. *Ibid.*

80. *Procès-verbaux de la Commission des monuments historiques*, vol. 2, *1959-1963*, p. 137.

81. *Ibid.*, p. 152.

82. *Ibid.*, p. 175.

83. *Procès-verbaux de la Commission des monuments historiques*, vol. 1, *1955-1959*, p. 7.

84. *Procès-verbaux de la Commission des monuments historiques*, vol. 1, *1955-1959*, p. 13.

85. *Ibid.*, vol. 2, *1959-1963*, p. 138.

86. *Ibid.*, vol. 1, *1955-1959*, p. 46.

87. *Ibid.*, vol. 2, *1959-1963*, pp. 371, 379 et 399.

88. *Ibid.*, p. 197.

89. Michel Gaumond, *La maison Fornel. Place Royale, Québec.* Québec, Ministère des Affaires culturelles, 1965, p. 27.

90. *Procès-verbaux de la Commission des monuments historiques,* vol. 2, *1959-1963,* p. 338.

91. Paul Gouin, « Le charme et la beauté de Québec », *Le Canada,* 5 mars 1952, p. 2.

92. *Procès-verbaux de la Commission des monuments historiques,* vol. 2, *1959-1963,* p. 300.

93. André Robitaille, « La restauration de l'hôtel Chevalier. . . Vingt ans après », *Bulletin du Conseil. . . ,* p. 61.

Saint-Mathias de Rouville. Église Saint-Mathias. Vue de l'église avant la restauration. Photographie prise par Gérard Morisset, le 26 mai 1948. (Photo: *Inventaire des biens culturels*).

Saint-Mathias de Rouville. Église Saint-Mathias. Vue de l'église après la restauration effectuée de 1953 à 1955, par la firme Thomas Gauthier et fils, sous la direction de Gérard Morisset. Photographie prise en octobre 1955. (Photo: *Inventaire des biens culturels*).

3

Saint-François de l'île d'Orléans. Église Saint-François. Vue de l'église avant sa restauration. (Photo: *Inventaire des biens culturels*).

4

Saint-François de l'île d'Orléans. Église Saint-François. Vue de l'église après la restauration de 1953-1955. Le jointoiement a été fait par la firme Thomas Gauthier et fils et le nouveau clocher d'après les plans de l'architecte André Robitaille. Photographie prise en juin 1960. (Photo: *Inventaire des biens culturels*).

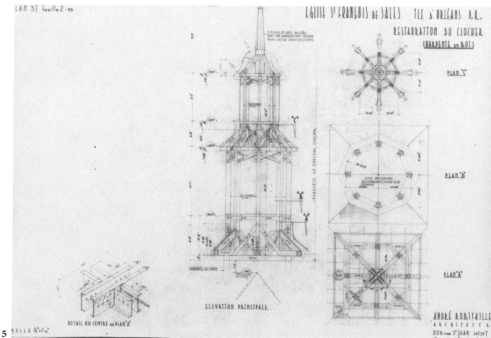

5

Plan pour la construction du nouveau clocher de l'église de Saint François de l'île d'Orléans. André Robitaille, architecte. (Photo: *Collection André Robitaille*).

6

7

L'Acadie. Église Sainte-Marguerite. Vue de l'église avant la restauration. Photographie prise par Gérard Morisset, le 15 octobre 1948. (Photo: *Inventaire des biens culturels*).

L'Acadie. Église Sainte-Marguerite. Vue de l'église après la restauration effectuée par la firme Thomas Gauthier et fils, sous la direction de Gérard Morisset, en 1955. Photographie prise en août 1963. (Photo: *Inventaire des biens culturels*).

8

Saint-Jean de l'île d'Orléans. Église Saint-Jean. Vue de l'église avant sa restauration. (Photo: *Éditeur officiel du Québec*).

9

Saint-Jean de l'île d'Orléans. Eglise Saint-Jean. Vue de l'église après la restauration de 1955, effectuée par la firme Thomas Gauthier et fils, sous la direction de Gérard Morisset. (Photo: *Éditeur officiel du Québec***).**

10

Saint-Pierre de l'île d'Orléans. Église Saint-Pierre. Vue de l'église avant sa restauration. Photographie prise par Gérard Morisset, le 20 septembre 1947. (Photo: *Inventaire des biens culturels***).**

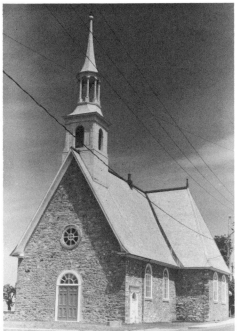

11

12

Saint-Pierre de l'île d'Orléans. Église Saint-Pierre. Vue de l'église après la restauration de 1958-1959, réalisée selon un devis rédigé en partie par Gérard Morisset. (Photo: *Éditeur officiel du Québec*).

Lotbinière. Église Saint-Louis. Vue du retable du sanctuaire avant sa restauration. Photographie prise par Gérard Morisset, le 9 septembre 1945. (Photo: *Inventaire des biens culturels*).

13

Lotbinière. Église Saint-Louis. Vue de l'intérieur après la restauration de 1952, réalisée sous la direction de Gérard Morisset. Photographie prise par Gérard Morisset le 18 décembre 1952. (Photo: *Inventaire des biens culturels*).

14

15

Saint-Mathias de Rouville. Église Saint-Mathias. Vue de l'intérieur de l'église avant sa restauration. Photographie prise par Gérard Morisset, en août 1937. (Photo: *Inventaire des biens culturels*).

Saint-Mathias de Rouville. Église Saint-Mathias. Vue de l'intérieur de l'église après la restauration de 1953-1955, faite sous la direction de Gérard Morisset. À remarquer la disparition des motifs peints au pochoir et des statues de plâtre. (Photo: *Inventaire des biens culturels*).

16

Saint-François de l'île d'Orléans. Église Saint-François. Vue de l'état de l'intérieur, au début du XXᵉ siècle, comme il devait se présenter encore en 1955. (Photo: *Inventaire des biens culturels*).

17

18

Saint-François de l'île d'Orléans. Eglise Saint-François. Vue de l'intérieur après la restauration de Gérard Morisset, réalisée de 1953 à 1955, et qui sera achevée, plus tard, par le rétablissement de l'ancien maître-autel. Photographie prise en juin 1960. (Photo: *Inventaire des biens culturels*).

L'Acadie. Église Sainte-Marguerite. Vue de l'intérieur de l'église avant la restauration. (Photo: *Inventaire des biens culturels*).

19

20

L'Acadie. Église Sainte-Marguerite. Vue de l'intérieur de l'église après la restauration de 1955, effectuée sous la direction de Gérard Morisset. (Photo: *Inventaire des biens culturels*).

Saint-Pierre de l'île d'Orléans. Église Saint-Pierre. Vue de l'intérieur de l'église avant sa restauration et sa désaffectation comme lieu de culte. (Photo: *Inventaire des biens culturels*).

21

Saint-Pierre de l'île d'Orléans. Église Saint-Pierre. Vue de l'intérieur après la restauration de 1958-1959 et la transformation de l'église en musée. Photographie prise en juillet 1963. (Photo: *Inventaire des biens culturels***).**

22

Saint-Elzéar-de-Beauce. Église Saint-Elzéar. Vue de l'intérieur de l'église avant sa restauration. À remarquer la présence d'une polychromie contrastante et de peinture d'imitation sur le mobilier. Photographie prise par Gérard Morisset, le 15 juillet 1946. (Photo: *Inventaire des biens culturels***).**

23

Saint-Elzéar-de-Beauce. Église Saint-Elzéar. Vue de l'intérieur après la restauration de 1960, effectuée sous la direction de Gérard Morisset. À remarquer la présence de tonalités douces et peu contrastantes, ainsi que la disparition de plusieurs statues de plâtre. Photographie prise en octobre 1963. (Photo: *Inventaire des biens culturels*).

24

Charlesbourg. Église Saint-Charles-Borromée. Vue ancienne avant la restauration de 1961-1962. (Photo: *Inventaire des biens culturels*).

25

Charlesbourg. Église Saint-Charles-Borromée. Vue de la façade après la restauration de 1961-1962, dirigée par l'architecte André Robitaille. (Photo: *Éditeur officiel du Québec*).

26
Charlesbourg. Église Saint-Charles-Borromée. Vue du retable de l'église dans l'état où il se trouvait avant sa restauration. Photographie prise le 30 septembre 1942. (Photo: *Inventaire des biens culturels*).

28
Charlesbourg. Église Saint-Charles-Borromée. Vue du retable après la restauration de 1961-1962, effectuée sous la direction de l'architecte André Robitaille. (Photo: *Inventaire des biens culturels*).

27
Charlesbourg. Église Saint-Charles-Borromée. Vue ancienne du retable de l'église, dans l'état où il se trouvait à la fin du XIXᵉ siècle. C'est une vue semblable qui a servi pour la restauration de l'église en 1961-1962. (Photo: *Inventaire des biens culturels*).

29

Saint-Grégoire de Nicolet. Église Saint-Grégoire. Vue ancienne de l'intérieur de l'église, dans l'état où il devait se trouver avant la restauration de 1961. (Photo: *Inventaire des biens culturels*).

30

Saint-Grégoire de Nicolet. Église Saint-Grégoire. Vue de l'intérieur de l'église après la restauration de 1961, dirigée par l'architecte André Robitaille. (Photo: *Inventaire des biens culturels*).

31

Châteauguay. Église Saint-Joachim. **Vue ancienne du côté sud de l'église, avant l'agrandissement, avec le chemin couvert et le charnier accolé à la tour. Photographie prise le 11 avril 1955. (Photo:** *Inventaire des biens culturels***).**

32

Châteauguay. Église Saint-Joachim. **Vue ancienne de l'église du côté nord, avant la restauration de 1961, avec le baptistère et la cheminée de brique. (Photo:** *Inventaire des biens culturels***).**

33

Châteauguay. Église Saint-Joachim. Vue du côté nord de l'église après l'agrandissement et la restauration exécutés, en 1961, sous la direction de l'architecte Victor Depocas. (Photo: *Inventaire des biens culturels*).

34

Châteauguay. Église Saint-Joachim. Vue ancienne de l'intérieur de l'église. (Photo: *Archives de la paroisse*).

35 Châteauguay. Église Saint-Joachim. Vue de l'intérieur après l'agrandissement et la restauration effectués sous la direction de l'architecte Victor Depocas, en 1961. A remarquer la présence de couleurs peu contrastantes, la disparition de toutes les « imitations » peintes, ainsi que de plusieurs statues. Photographie prise en août 1963. (Photo: *Inventaire des biens culturels*).

36 Sorel. Église Saint-Pierre. Vue ancienne de l'intérieur de l'église, dans l'état où il se trouvait avant la restauration de 1961. (Photo: *Inventaire des biens culturels*).

38

Montréal. Château de Ramezay. Vue de l'édifice avant sa restauration. Photographie prise par Gérard Morisset, le 21 avril 1948. (Photo: *Inventaire des biens culturels*).

7

Sorel. Église Saint-Pierre. Vue de l'intérieur après la restauration de 1961, réalisée sous la direction de l'architecte Guy Blain. (Photo: *Inventaire des biens culturels*).

39

Montréal. Château de Ramezay. Vue de l'édifice après la restauration de 1953, exécutée par la firme Thomas Gauthier et fils, sous la direction de Gérard Morisset. Photographie prise en juillet 1963. (Photo: *Inventaire des biens culturels*).

40

Québec. Hôtel Chevalier. Vue de la maison Chevalier, à gauche, et des maisons Frérot et Chenaye-de-la-Garenne, à droite, après la restauration effectuée par Gérard Morisset et André Robitaille, de 1956 à 1962. (Photo: *Éditeur officiel du Québec***).**

41

Vue de la maquette de l'hôtel Chevalier qui servira de modèle pour la restauration. Elle fut exécutée sous la direction de l'architecte André Robitaille, en 1957. (Photo: *Inventaire des biens culturels***).**

42

Vue ancienne des trois maisons formant l'hôtel Chevalier. (Photo: *Archives publiques du Canada*).

43

Québec. Place Royale. Maison Fornel. Vue de la maison après sa construction, d'après les plans de l'architecte André Robitaille. Photographie prise en septembre 1963. (Photo: *Inventaire des biens culturels*).

44
Québec. Place Royale. Maison Saks. Vue ancienne de la maison (la deuxième en partant de la gauche) qui sera incendiée en 1960, puis démolie. (Photo: *Inventaire des biens culturels*).

45
Chambly. Maison Saint-Hubert. Il s'agit d'une reconstitution de l'ancienne maison des soeurs du Sacré-Coeur-de-Jésus, autrefois à Saint-Hubert, démolie et reconstituée sur un nouvel emplacement, sous la direction de l'architecte Victor Depocas. (Photo: *Inventaire des biens culturels*).

GÉRARD MORISSET ET L'HISTOIRE DE L'ART AU QUÉBEC

par Laurier Lacroix
professeur d'histoire de l'art
université Concordia

Je cherche uniquement à faire réfléchir mes lecteurs sur la vie profondément humaine de nos pères, sur le moteur de leur force morale, sur les causes de notre décadence.
Coup d'oeil sur les arts en Nou-velle-France, *1941, pp. IX-X.*

Qu'on y songe: il n'y a point de manuel d'histoire de l'art canadien. Quelques chapitres plus ou moins bourrés de faits incomplets, des biographies élo-gieuses, des considérations esthétiques incompréhensibles, des paragraphes où les erreurs de faits le disputent en nom-bre aux coquilles typographiques, voilà pour les sources imprimées.
Peintre et tableaux, *1936, vol. I, p. IX.*

L'historiographie de l'art au Canada et au Québec reste encore à écrire et il peut sembler téméraire de situer hâtivement Gérard Morisset dans un ensemble qui reste à élaborer [1]. Ce court article qui prendra trop souvent la forme d'une biographie com-mentée, servira à fournir des éléments qui pourront, je l'espère, permettre la constitution de cette historiographie. Je tiendrai trop peu compte des idéologies dominantes, du développement des concepts et des méthodes élaborés en histoire et en histoire de l'art; aussi mon propos ne fera qu'aborder la question.

Les lecteurs de Gérard Morisset ont sûrement été frappés par sa conception de l'histoire de l'art, qui se définissait, non pas comme une science utilisant des méthodes précises, mais comme une éthique. Jonction d'un mode et d'un idéal de vie, l'histoire de l'art telle qu'incarnée par Morisset semble avoir atteint au cours

des années 1940 un moment utopique. L'historien était ce chercheur, porte-parole de l'idéologie de conservation, pour qui l'objet
de son travail représentait une symbiose avec sa façon d'être au
monde. Son oeuvre nous apparaît comme un effort pour reconstituer cette époque heureuse où:

> Normalement épaulé par un ordre social sainement équilibré,
> un humble artisan pouvait exprimer son caractère et ses aspira-
> tions dans le métier qu'il avait choisi, avec le goût naturel de la
> forme et le sens de l'oeuvre d'art — c'est-à-dire la petite chose
> bien faite [2].

D'un point de vue chronologique, je considérerai l'activité
de Morisset entre 1930 et 1960: confluent des sources et des modèles qui l'ont précédé et apportant sa contribution à la fois comme
documentaliste (I.O.A.) et vulgarisateur de cette nouvelle information (la bibliographie publiée dans cet ouvrage est éloquente
sur ce point). Son apport commence avec la rédaction d'un mémoire pour l'École du Louvre (1934), contemporain de la série
d'articles parus dans *Le Canada français* et portant sur la collection
Desjardins [3]. Les articles suivant son retour, réunis pour la plupart
dans *Peintres et Tableaux* (1936-37), établissent la mise en place
des principales méthodes et idées que Morisset développera et
défendra tout au long de sa carrière.

Cet essai sera donc divisé pour des raisons de clarté et
d'efficacité en trois parties: avant 1930, de 1930 à 1960 (dates de
l'activité principale de Morisset), après 1960. Il va sans dire que la
prolifération de textes qui viennent de marquer les deux dernières
décennies ne seront pas étudiés à leur juste valeur. Je tenterai de
souligner plus simplement l'influence de Morisset, plutôt que de
donner un aperçu de l'ensemble de la production dans le domaine.

Les textes imprimés qui sont de nature à intéresser l'historien d'art (surtout ceux d'avant 1930), peuvent être classés, selon
leur objet et leur méthodologie, en trois catégories distinctes:
1) monographies de paroisses, biographies et textes historiques,
2) inventaires de collections, catalogues d'expositions et 3) monographies et textes d'histoire de l'art à proprement parler. Les textes
autobiographiques d'artistes et les textes de célébration rédigés
par les amis sont, à titre rétrospectif, utiles à l'historien d'art. Leur
caractère anecdotique et laudatif intéresse davantage une histoire
de la critique au Québec que celle de l'histoire de l'art. Pour cette
raison les écrits de Fairchild [4], Chauvin [5], Laberge [6], Magnan [7],
Maurault [8], Lesage [9] et de plusieurs autres ne seront pas considérés ici. Livres de souvenirs personnels, ils seraient à intégrer
à une étude de l'évolution de la pensée critique à l'intérieur d'un
mouvement qui prendrait son origine dans les textes de Napoléon
Aubin, Antoine Plamondon, Napoléon Bourassa, et qui se développera par la suite avec John Lyamn, et Maurice Gagnon ou
encore la série des « Cahiers d'art » (Fides) et la collection « Art
vivant » publiée aux éditions de l'Arbre.

A — *L'histoire de l'art au Québec avant 1930: l'accumulation*

1) *Monographies de paroisses, biographies, textes historiques.*
Il convient de faire une place aux ouvrages de nature historique
parus sur le Canada français durant la deuxième moitié du XIXe
et au XXe siècles. Bien que n'ayant pas pour objet les oeuvres
d'art et la production artistique au Québec, plusieurs ouvrages
traitent des institutions religieuses, des maisons d'enseignement,
des paroisses, des fondateurs du Canada et évoquent ainsi des
facettes de la place qu'occupait l'art dans la colonie française et
britannique.

Utilisant des sources archivistiques et rééditant des textes
anciens, plusieurs auteurs s'intéressent à colliger et à interpréter
les faits et gestes des figures dirigeantes qui ont marqué l'évolution
du pays. L'abbé Faillon mentionnait les talents de Jeanne LeBer
dans la biographie qu'il lui consacrait (1860) [10]. L'édition de la correspondance de mère Marie de l'Incarnation (1876) [11] relevait l'activité artistique de Jean Pierron, et 1896 marquait le début de la
publication des *Relations* des Jésuites par Twhaites [12]. Jacques
Viger note dans son *Archéologie religieuse* [13] des détails concernant
la commande d'oeuvres d'art pour certaines églises de la région
de Montréal. Les abbés J. B. A. Ferland, Louis Bois, L. P. Turcotte,
O. Paradis, H. R. Casgrain, F.X. Gatien, C. Trudelle, Mailloux
et J. Edmond Roy publièrent des histoires de paroisses ou d'institutions d'enseignement qui furent souvent rééditées et augmen-
tées tout au long du XXe siècle [14]. C'est dans *L'Instruction au Canada
sous le régime français (1635-1760)* de l'abbé Amédée Gosselin (1911)
que l'on retrouve les paragraphes créant l'École de Saint-Joachim
qui ont eu cours jusqu'à il y a quelques années [15].

Tous ces efforts allaient être épaulés par le *Bulletin des
recherches historiques* qui, à partir de 1891, fournit de façon spora-
dique mais rigoureuse, des informations d'ordre biographique
sur les artistes actifs au Canada. Cette partie de la constitution
de l'histoire du Québec s'intéresse surtout à l'identification des ancêtres et commence lentement à percer les activités quotidiennes.
C'est ce que faisait excellemment Pierre-Georges Roy. C'est lui,
par exemple, qui publia une première biographie de François
Beaucourt dans les *Petites choses de notre histoire*, [16] reprenant de
façon beaucoup plus méthodique les détails biographiques qu'a-
vaient déjà fournis Maximilien Bibaud dans son *Panthéon canadien* [17].

2) *Inventaires et catalogues.* Préliminaires à l'analyse de
l'oeuvre d'art, l'inventaire et le catalogue sont essentiels à la démarche de l'historien qui doit établir le corpus des oeuvres dont
il dispose. Établir la documentation technique la plus complète
(auteur, titre, date, médium, dimensions, historique, localisation,
exposition, bibliographie) restera toujours la première démarche
de l'historien. Ce travail est également fait en fonction d'un public
visiteur, et il existe au XIXe siècle un certain nombre de listes
d'oeuvres qui démontrent l'importance de l'information factuelle
en vue d'apprécier une oeuvre d'art. Pour le public connaisseur,
une oeuvre n'est pas qu'une surface colorée ou un bâtiment ayant

des formes particulières. C'est plutôt la création d'une période donnée, par un artiste spécifique et cette oeuvre prend de la valeur selon l'origine de son commanditaire, son historique et ses collectionneurs. Le tableau est un objet esthétique et social: c'est ce que révèlent les notices publiées au siècle dernier. Joseph Légaré en témoigne lorsqu'il publie en 1852 le catalogue de la *Quebec Picture Gallery* où l'on retrouve à côté des oeuvres européennes de la collection Desjardins, avec leur historique sommaire, ses propres compositions. C'est encore ce que réalise James McPherson Le Moyne en rédigeant *L'Album du touriste* (1872) qui reprenait en grande partie les listes rédigées par Bourne dans *The Picture of Quebec* en 1829.

Ces listes commentées offrent au visiteur la nomenclature des oeuvres que l'on retrouve dans les différentes églises et dans les collections privées de Québec et de la région en ajoutant les attributions et certaines informations sur leur provenance. Elles sont surtout un objet de valorisation pour les propriétaires. James Purves Carter amplifiera cet aspect du rôle de la notice de catalogue en multipliant, pour les oeuvres européennes, les fausses attributions dans son catalogue de la collection de l'université Laval [18].

À part quelques manifestations de la *Literary and Historical Society of Quebec* [19] et, à Montréal, de la *Numismatic and Antiquarian Society* [20], il n'existe pas véritablement de catalogues d'expositions qui tentent de faire une synthèse des connaissances en histoire de l'art. La qualité technique du catalogue de la collection iconographique des Archives publiques du Canada [21] ne semble pas avoir servi de modèles au Québec et le catalogue de la collection de la *Canada Steamship Lines* du Manoir Richelieu ne continuera d'être qu'une liste d'oeuvres [22].

L'apport le plus important de cette période vient probablement de Pierre-Georges Roy. L'archiviste de la province de Québec devint membre de la Commission des Monuments historiques lors de sa création en 1922. La publication des *Monuments historiques de la province de Québec* (1923), des *Vieilles églises* (1925) et des *Vieux manoirs* (1927) [23] rendait accessible un nouveau corpus d'information historique et visuelle sur les faits héroïques de notre histoire et sur l'environnement architectural dans lequel avait vécu l'élite canadienne. Ces ouvrages conservent l'esprit de travail de l'archiviste et de l'historien compilateur de faits. Les informations sont enrobées dans un texte proclamant le respect dû aux valeurs représentées par la famille, les ancêtres et la vertu du travail des pionniers.

3) *Textes d'histoire de l'art.* Ces listes parues dans les guides touristiques et ces notes biographiques fournies par les historiens, il fallait les réunir pour jeter les bases d'une histoire de l'art et, à partir de ces notations, compléter la recherche et l'interprétation. La caractéristique générale des textes d'histoire de l'art parus avant 1930 est de se présenter comme une suite de faits détachés, les oeuvres elles-mêmes n'étant pas traitées comme des oeuvres d'art. La fin du XIXe siècle regarde la production antérieure com-

me une espèce de préhistoire, gestation nécessaire pour atteindre le niveau de production de l'époque qui réussit enfin à produire quelque chose que l'on pourrait appeler de l'art. Le texte de Robert Harris paru en 1898 [24] a le mérite d'être la première compilation cohérente des mentions publiées précédemment. Edmund Morris en 1911 [25] reprendra maladroitement les informations recueillies par Harris en y joignant les textes de Fairchild sur Krieghoff, tout en reconnaissant la difficulté de réunir les informations de base.

Il semble s'affirmer dans les années 1910 une différence d'attitude entre les historiens de l'art canadiens anglophones et francophones. Alors que ceux-là sont à la recherche d'un art qui représenterait l'ensemble du Dominion, ceux-ci s'identifient et se reconnaissent dans l'héritage laissé par les colonisateurs français. Dans un cas, comme chez Morris ou Johnston [26] ou McTavish [27], l'art canadien commence au XIXe siècle; pour Massicotte ou Vaillancourt, l'on peut faire remonter la tradition artistique canadienne jusqu'au moyen âge, en passant par le Régime français.

Une attitude de respect quasi religieux se dégage devant l'art produit au Québec sous la plume de Édouard-Zotique Massicotte.

> En exhumant de l'oubli ce passé qui nous honore, l'auteur (Émile Vaillancourt) procure aux patriotes une consolante nouvelle; il leur sera agréable de savoir qu'un jour d'obscurs fils de paysans, sentant surgir en eux le feu divin, décident de créer un foyer d'art et d'y façonner les intelligences à la reproduction du beau. [28]

On a vite compris qu'il ne s'agit pas de remettre en question l'origine sociale de nos artistes (qui sont par ailleurs les « disciples naturels des maîtres du moyen âge » [29]), non plus que de dégager les sources d'inspiration, ni la qualité du travail produit. Ce recours à un passé médiéval et religieux est celui que les folkloristes sont en train de retracer dans d'autres facettes de la culture québécoise, et en particulier dans l'art populaire. Comme le signale encore Massicotte, cet intérêt pour les faits et gestes quotidiens fut produit par une modification du type de recherches historiques réalisées dans le premier quart du XIXe siècle.

> Pourquoi, ce fait important et bien d'autres de même catégorie ont-ils échappé à nos historiens? Pourquoi ces derniers se sont-ils bornés aux récits de combats, aux dissertations sur les administrateurs de la colonie et à des inductions habiles sur le développement graduel de la race, les manifestations de sa vitalité, les phases plus ou moins apparentes de son évolution et de ses progrès? C'est que la documentation leur faisait défaut, que les analyses de nos riches archives, les généalogies, les dictionnaires, les annales paroissiales, les mémoires, les monographies leur manquaient.
>
> Depuis, les folkloristes et les chercheurs, fantassins de l'histoire, en recueillant les traditions, en scrutant les actes notariés, les pièces judiciaires et les actes de l'état civil, ont étendu nos connaissances sur la vie sociale et domestique de nos aïeux. Grâce à leurs minutieux travaux, nous saurons bientôt comment les générations qui nous ont précédés, résolvaient le problème quotidien de l'existence, quels étaient les métiers, les industries, les professions de jadis; et ces renseignements ne serviront qu'à

satisfaire une vaine curiosité; l'histoire des arts et l'économie politique en feront leur profit. [30]

Cette approche est la plus courante dans l'historiographie de la période, et la synthèse nationaliste que formulera l'abbé Lionel Groulx en perpétuera l'influence idéologique pendant les années 1930.

La publication de *La Paroisse* (1929) avec ses nombreuses informations sur l'architecture et la décoration est la première monographie d'importance sur un seul bâtiment [31]. Il faut encore souligner les quelques études iconographiques parues grâce aux soins des PP. Hugolin et Jouve, o.f.m. et du père Charland, o.p., portant sur saint Antoine de Padoue, saint François d'Assise et sainte Anne [32], et qui retracent, à travers l'évolution de la dévotion à ces saints au Québec, le développement d'une tradition iconographique au Canada français appuyée sur des oeuvres d'importation et sur la production locale.

L'ouvrage d'Antoine Roy, *Les Lettres, les Sciences et les arts au Canada sous le régime français* (1930) nous servira de titre charnière entre ce premier groupe d'écrits et la période 1930-1960. Ce texte d'une tenue scientifique absolument remarquable par la documentation qu'il accumule est véritablement une synthèse de toutes les parutions antérieures. Il a de plus le mérite de vouloir replacer les événements dans une suite chronologique. L'ensemble dégage une impression de probité et d'objectivité. En fait, l'étude révèle le maintien de l'attitude laudative et respectueuse que l'on décelait chez Pierre-Georges Roy. Antoine Roy n'apporte aucun élément personnel dans l'interprétation du développement artistique en Nouvelle-France. Son jugement esthétique est fondé sur l'existence quantitative et sur les jugements de valeurs de ses contemporains (p. 232). Le rôle de la France est amplifié, et même si Roy affirme qu'en architecture il n'y a pas eu de bris après la Conquête, il proclame (p. 225) que la vie artistique en général a subi un net recul après 1760. Publié en France, l'ouvrage se devait de faire des mises en garde et tentait de corriger des jugements de valeur:

> Il ne faut pas se représenter les Canadiens comme plus sauvages qu'ils n'étaient et s'imaginer qu'ils ne savaient pas ce que c'était que des tableaux. [33]

La bibliographie compilée par Roy est de nature encyclopédique et marque un pas important dans l'accessibilité des connaissances, éparses jusque-là. Comme l'*Exposition rétrospective des colonies françaises de l'Amérique du nord* tenue à Paris en 1929, il s'agit d'une synthèse réalisée en Europe et dont le projet, de nature historique, ne s'intéresse qu'à l'aspect documentaire des pièces présentées, la démonstration de l'importance de la civilisation française en terre d'Amérique se faisant plus par l'accumulation que par la discussion.

B — 1930-1960, Gérard Morisset et ses contemporains: la professionnalisation

Les transformations de la science historique au Québec, qui va de la préoccupation généalogique et de la connaissance des faits glorieux de l'histoire vers une interprétation sociale plus globale, guidée par une méthodologie plus complexe va entraîner des répercussions importantes en histoire de l'art. Les tentatives des années précédentes vont se développer dans un sens plus rigoureux et avec plus de fréquence. La création de la Commission des monuments historiques en 1922, de l'École des beaux-arts de Québec (1920) et de Montréal (1923), l'organisation du Musée de la province de Québec en 1932 et la création de l'École du Meuble (1935) vont mettre en place un réseau d'organismes et d'individus qui entraînera une identification du champ de l'histoire de l'art. La recherche n'est plus confiée uniquement à des historiens ou à des amateurs, dont les connaissances en histoire de l'art faisaient souvent défaut.

La mise en place de ces nouvelles structures de travail, sous l'égide du Secrétaire de la province, Athanase David, allaient permettre à quelques individus de créer les mécanismes visant à la formation de chercheurs spécialisés et la diffusion de la connaissance acquise. L'institution de cours d'histoire de l'art à l'université de Montréal (J.-B. Lagacé) et les recherches entreprises en architecture à l'université McGill (Nobbs, Carless et Traquair) s'ajoutèrent à ces facteurs gouvernementaux déterminants.

Dans cette conjoncture, qui ne doit pas faire oublier les luttes constantes des fonctionnaires pour se procurer les fonds suffisants afin d'appliquer les politiques établies, apparaît la figure de Gérard Morisset.

1) *Inventaires et catalogues.* La publication des rapports de la Commission des monuments historiques que nous avons mentionnée plus tôt fournissait des fiches signalétiques: informations historiques sur la construction, la décoration, les commanditaires et l'évolution du bâtiment, en plus de fournir une riche documentation iconographique. L'attachement de Roy au Régime français et son souci d'archiviste lui faisaient regretter la disparition des traces de la colonisation française et rejeter les esthétiques du XIXᵉ siècle:

> Nous sommes bien obligés d'avouer que, trop souvent, on a fait subir à presque toutes nos vieilles églises des modifications de mauvais goût. [34]

Cette idée, chère à Morisset, est donc très présente dans le milieu québécois à cette époque. La francophilie, qui culmine avec l'exposition parisienne de 1929, avait pris un sérieux coup avec le texte très diffusé publié par Louis Gillet dans l'*Histoire de l'art* d'André Michel [35]. Pour cet auteur, l'architecture religieuse de la colonie française « mérite à peine le nom d'architecture », nos artistes ne sont que « d'humbles personnages qu'on oserait inscrire sur un catalogue d'artistes ». Il déclare sans ambages que

« l'inventaire de ces objets touchants n'ajoute rien sans doute à la liste des chefs-d'oeuvre ».

Pourtant la mode est à l'inventaire au cours de cette période. Aux relevés de Pierre-Georges Roy, il faut ajouter ceux de Ramsay Traquair. Son intérêt pour l'architecture rurale l'amène à diriger des travaux pratiques et, avec ses étudiants, il exécute des relevés de plans d'églises et de bâtiments ainsi que de leur décoration [36]. L'île d'Orléans apparaît comme son champ de prédilection, comme pour les spécialistes de l'ethnographie et du folklore.

La publication des plans d'architecture traditionnelle s'accompagnait d'essais et de textes d'introduction s'adressant à un public anglophone, composé d'étudiants en architecture, et aux rares amateurs, collectionneurs et historiens. Il ne craint pas de porter un jugement, ainsi qu'il écrivait à propos de l'architecture domestique, dès 1926:

> The old cottage of Quebec are one of the few genuine vernacular styles of North America. They form a true natural style and lacking perhaps in the graces of skilled ornementation, but none the less well built, well adapted to their purpose and with the charm which always accompanies direct and honest work. [37]

Sa formation d'architecte et d'historien l'autorise à établir des classifications, à dégager des caractéristiques, à fournir des cadres pour l'analyse des pièces étudiées et même à rédiger une première synthèse dès 1947 [38]. Appuyées sur l'observation et l'examen minutieux des bâtiments, ses conclusions seront souvent reprises, comme sa distinction entre les écoles de Québec et de Montréal [39].

À la suite des efforts de Roy et de Traquair, l'on comprend mieux l'importance de l'organisme que serait l'Inventaire des Oeuvres d'Art, constitué de façon modeste par Gérard Morisset. À son retour de Paris en 1934, l'Inventaire fut officiellement créé en 1937 sous l'égide du ministère du Commerce. Il s'agissait de recenser toutes les oeuvres jugées valables esthétiquement et historiquement en les mettant en rapport avec les informations contenues dans les archives que l'on dépouillait en même temps. L'accumulation de fiches descriptives, de photographies, de mentions d'archives progressa rapidement, pour donner des résultats numériquement phénoménaux [40]. Le nombre d'artistes qui sortirent de l'ombre et la quantité d'oeuvres dénombrées modifièrent profondément la perception que l'on pouvait avoir de la production artistique. Le but poursuivi par Morisset était de répertorier les oeuvres afin d'en assurer la conservation. L'Inventaire, en décrivant une pièce, aurait le pouvoir de montrer son originalité, son importance et sensibiliserait le propriétaire à sa mise en valeur. L'effet d'entraînement ne fut pas aussi rapide qu'escompté. Il faut plus qu'une pièce soit attribuée, datée, mesurée et photographiée pour lui faire acquérir le statut qui autorise sa protection. De là découle le rôle d'interprète de ces documents et son engagement dans la protection du patrimoine [41].

Comme Morisset connaissait très bien les sources secondaires, monographies et textes historiques, le travail de l'Inventaire l'aidera à compléter la documentation portant sur les lieux étudiés. Plusieurs de ses textes ont comme moteur le fait qu'il avait accumulé suffisamment de matériel noúveau sur un sujet précis.

> . . . c'est d'abord pour grouper en quelques pages les éléments qui, dans le livre de l'abbé Paradis, sont comme noyés dans les menus faits de l'existence paroissiale et échappent ainsi à l'attention du lecteur; c'est ensuite pour compléter, par des documents ignorés jusqu'ici, les nombreuses écritures que le monographe de Lotbinière a amassées au cours de ses recherches et qui, pourtant, sont insuffisantes sur certains points; c'est enfin pour faire mieux connaître les oeuvres d'art qui font de Lotbinière l'une des églises les plus attachantes du pays. [42]

Le problème de l'I.O.A. reste toujours celui de l'accessibilité de l'information qui requiert la consultation sur place. L'information complétée, si elle n'est pas diffusée, est peu utile. Marius Barbeau le savait bien, lui qui par exemple prépara le manuscrit du *Trésor des Anciens Jésuites* dès 1944, dont le texte imprimé ne verra le jour qu'en 1957. Aussi, tous deux tentèrent de tirer parti de toutes les sources de diffusion possibles.

La période 1930-1960 voit l'émergence de grandes expositions historiques sur l'art canadien, manifestations qui font une part importante à l'art du Québec [43]. Le Canada avait participé aux *British Empire Exhibitions* de Londres dès 1924, mais ces présentations, tout comme l'exposition du Jeu de Paume [44] et celle de la Tate Gallery en 1938 [45] insistent sur l'art contemporain. C'est Martin Baldwin qui organisa pour Toronto la première rétrospective historique d'importance, *Le développement de la peinture au Canada* [46]. L'information rendue accessible par Morisset contribua à la sélection des oeuvres démontrant la variété de la production picturale sous le Régime français. Par la suite, Morisset collabora à toutes les grandes expositions sur le sujet: Albany [47], Détroit [48]. . . Il organisa celles de Québec en 1952 [49] et de Vancouver [50]. Bien que les textes des catalogues soient peu élaborés, l'historien en profite pour faire la preuve visuelle [51] des théories et des hypothèses développées dans les articles et les monographies.

2) *Monographies et textes d'histoire de l'art.* En 1919, Marius Barbeau avait participé à l'organisation d'un festival de folklore à la Bibliothèque St-Sulpice. La formation et les intérêts de Barbeau combinaient ceux d'un archéologue, d'un anthropologue et d'un ethnologue. Sa connaissance du folklore l'a amené à s'intéresser à l'art populaire et à publier des monographies sur des artistes qui ont illustré la vie rurale ou ont été au service du goût populaire. Cornelius Krieghoff [52], Henri Julien [53] et Jean-Baptiste Côté [54] furent des artistes pour lesquels Barbeau montra une certaine prédilection.

Malgré son style lourd et répétitif, Barbeau recherche la vitalité de l'expression. Il refuse de s'aventurer dans les comparaisons entre artistes, s'attachant à décrire et documenter les oeuvres. Cela ne l'empêche pas de formuler des jugements sévères sur les aspects de la production qu'il connaît plus intimement [55]. Sa méthode descriptive lui évite de tirer des conclusions pour combler les lacunes de l'information. Ses mises en contexte d'une production restent floues car il ne dispose pas toujours suffisamment d'information sur la période traitée. Morisset le lui reprochera: « On chercherait vainement dans l'ouvrage de M. Barbeau un jugement d'ensemble sur l'art de Krieghoff [56]. » Pour Barbeau, la valeur hiérarchique des images est inexistante; qui plus est, il apporte à ce milieu chauvin, francophile et passéiste une pensée plus cosmopolite (entendez nord-américaine) qui lui manque. Il s'en explique ainsi: « it is not necessary to be born in a country to belong to it and appropriate it » [57].

Il est curieux de remarquer l'étanchéité entre les oeuvres de contemporains aussi importants les uns que les autres que furent Traquair, Barbeau et Morisset. Non pas que certaines idées ne vont pas de l'un à l'autre, mais chacun se comporte comme si tel n'était pas le cas. Faut-il chercher la réponse du côté des seules différences idéologiques ou méthodologiques?

Formé à l'école française d'histoire de l'art, Morisset a introduit dans les études canadiennes des éléments nouveaux de méthodologie iconographique et stylistique et surtout une volonté de créer une tradition, un style, une école artistique propre au Québec. Il est fasciné par le système d'apprentissage, par la transmission d'un motif, d'une forme, par la filiation des influences et il a cherché, souvent exagéré des éléments de continuité ou de rupture qui s'accorderait avec ses idées esthétiques. Son vocabulaire technique est d'une grande précision et il décrit les oeuvres (souvent en ignorant la photographie qui voisine le texte) en utilisant tout son talent d'écrivain pour capter l'attention du lecteur profane.

Que l'on examine un instant le plan de la grande série d'articles parus sur la collection Desjardins entre 1933 et 1936 [58]. Tous les éléments sont soigneusement mis en place: historique de la collection, notes biographiques sur les artistes, description des oeuvres, évaluation esthétique, présentation des sources stylistiques et iconographiques, analyse de l'influence de l'oeuvre et, comme toujours, une note pour inciter à la conservation. À toutes les étapes, les sources primaires et secondaires sont citées. Des problèmes non résolus qui se cachent tout au long du discours ne sont cependant pas indiqués. Refusant le « quoi qu'il en soit » si fréquemment utilisé de nos jours pour contourner une difficulté, Morisset cite les sources partiellement et complète par des extrapolations l'information manquante entre deux documents. Procédant à une attribution, il tire des conclusions stylistiques parfois hâtives. Là où la collecte de nouvelles données pouvait faire espérer des additions précises dans l'interprétation, l'on retrouve souvent des conclusions peu fouillées. L'importance des documents nouveaux, des photographies, des descriptions justes est mise en veilleuse par une interprétation dans le but de fournir une explication qui couvrirait l'ensemble de la question mais qui en fait falsifie et romance la démonstration.

Ce jugement rapide appelle plusieurs réserves, et s'il s'applique de façon générale à l'ensemble des textes qui se veulent accessibles, l'on retrouve des passages et des ouvrages qui démontrent une plus grande rigueur [59]. Le point de départ d'un texte est souvent un attachement personnel de l'auteur pour le sujet traité. Que l'on relise l'avant-propos de *Cap-Santé, ses églises et son trésor* ou ce qu'il écrivait au sujet de Lotbinière:

> Au reste, il me plaît de rédiger quelques pages sur un coin de pays qui est pittoresque à souhait, et sur une église qui m'a laissé, un certain jour de mai 1905, le souvenir d'une blanche nef ponctuée d'or. [60]

Cette émotion esthétique, ce sentimentalisme sont soutenus par le besoin de recréer la civilisation française qui « a brillé en Nouvelle-France pendant près de deux siècles [61] » et qui s'est exprimé dans un ordre social (maintenant périmé) sainement équilibré qui repose sur une sorte d'ennoblissement. . .

> la corporation ouverte [ou] . . . l'esprit véritable de la corporation: la nécessité évidente de l'apprentissage et du compagnonnage, le respect des matériaux, le goût de « la belle ouvraige bien faite », la solidarité professionnelle. [62]

L'influence de Morisset durant cette période se fit donc sentir dans la recherche fondamentale, dans ses publications et dans la qualité des expositions auxquelles il collabora. Son disciple le plus immédiat est sans doute Alan Gowans, qui publia en 1952 un important article sur Thomas Baillairgé dans le *Art Bulletin* [63]. Cet article fut suivi de *Church Architecture in New France* (1955) et de *Building in Canada* (1958). Dans son premier texte, Gowans se situe dans une problématique de l'artiste-héros, héritière d'une tradition qui remonte loin au XIXe siècle. Il applique la même théorie évolutionniste, sans bien connaître les fondements sur lesquels s'appuyait la carrière de Thomas Baillairgé, appliquant des termes moraux sur un schéma politique:

> . . . in a way, Thomas Baillairgé's earlier life was an expression of the new, mature, counscious nationalism of French Canada — the « Québécois Renaissance » — just as his architecture was. [64]

Contrairement à la tendance que l'on verra se dessiner dans les années 1960 où l'historien cherchera une plus grande adéquation entre un sujet réduit, la méthode utilisée pour l'analyser et la façon de présenter cette étude, l'historien des années 1940 se veut totalisateur et ne craint pas les conclusions générales auxquelles l'état de la recherche ne lui permet pas toujours d'arriver [64].

C — 1960-1980: la spécialisation

La publication de *La peinture traditionnelle au Canada français* est la dernière contribution majeure de Morisset à l'histoire de l'art [65]. Il reprenait dans cette ultime synthèse l'évolution de la peinture au Québec. Le plan qu'emprunte le volume offre un modèle qu'utiliseront par la suite de nombreux historiens. Robert H. Hubbard dans *An Anthology of Canadian Art* (1960) et dans *L'Évolution de l'art au Canada* (1963) doit beaucoup à Morisset au plan de la théorie évolutionniste des arts au Canada. Sa synthèse tente de replacer la production canadienne dans un mouvement international plus vaste, ce qui l'autorise à faire des rapprochements avec l'art américain jusqu'alors trop négligé. Ses textes ne se limitent pas au seul Régime anglais et sont rédigés dans la dominante nationaliste que l'on retrouvait précédemment chez les historiens. Hubbard a aussi le mérite de situer à leur juste place les mouvements artistiques du XIXe siècle, ce qui permettra, au cours des décennies suivantes, d'en entreprendre l'examen.

L'on peut encore reconnaître des tendances nationalistes chez les historiens qui ont traité de l'art produit au Québec, inspirés par les idéologies du groupes culturel auxquels ils appartiennent [66]. Les schémas d'interprétation se sont cependant complètement transformés devant l'utilisation toujours croissante des sciences connexes qui ont infiltré le domaine de l'histoire de l'art et modifié son utilisation. Son champ d'activité est passé du tourisme culturel de l'inventaire et de la valorisation sociale à une science constamment en voie de redéfinition.

La fin des années 1960 semble être l'aboutissement de toute une série d'ouvrages de type encyclopédique [67] et la tendance générale chez les historiens est à la spécialisation selon un découpage par période, médium ou problématique [68]. De la même façon, les expositions sont de nature de plus en plus monographiques [69]. La multiplication des cours universitaires, des organismes gouvernementaux ou para-gouvernementaux et des musées où l'on fait de la recherche en histoire de l'art sont responsables de cette spécialisation. Dans tous les secteurs l'on a recours à l'Inventaire comme source d'informations, mais les interprétations de Morisset et l'idéologie qu'il représentait sont vivement remises en question.

Qu'est-il possible de conclure à partir des remarques sommaires qui précèdent? L'importance de l'oeuvre de Morisset tient à trois facteurs: la cueillette des données, la diffusion de l'information et l'engagement personnel de l'historien par rapport à son sujet.

La création et le développement de l'Inventaire des Oeuvres d'Art ont fourni un outil inestimable de recherche en facilitant la cueillette et la classification de données de première main qui ont permis d'entreprendre des études monographiques ou de synthèse sur différents aspects de l'art au Québec. De plus, en profitant de tous les types de publication (monographies, articles dans les revues spécialisées ou d'intérêt général, journaux, catalogues d'exposition), en multipliant les causeries et les conférences, Gérard Morisset allait rendre accessible une partie de l'information ainsi accumulée et faire connaître des centaines d'oeuvres d'art jusque là inconnues.

Le concept d'histoire de l'art qui domine dans l'oeuvre écrite de Morisset est celui de l'histoire des styles, marqués par leur évolution depuis l'apparition jusqu'à la décadence. Il a cherché à retracer la source des motifs que l'on retrouve en art québécois afin de le définir. Convaincu que cet art puise à la seule tradition française, il y a retrouvé à la période classique, baroque et néoclassique les sources d'un art québécois véritable. L'originalité de cet art provient de la qualité du travail bien fait transmis par l'apprentissage. Des éléments de concepts économiques et sociologiques sont ainsi introduits dans le schéma explicatif du développement artistique au Québec. L'immigration et l'industrialisation ont entraîné la décadence de cet art, ce qui a pour corollaire la sélection des oeuvres inventoriées. À mesure que changent les critères de définition de l'oeuvre d'art, le corpus des oeuvres à répertorier se modifie: d'où l'importance du rôle du responsable de l'inventaire dans la définition de l'histoire de l'art.

Ce rôle sélectif est couplé chez Morisset à son activité de vulgarisateur qui l'invite à reprendre sans cesse les mêmes formules, à les transmettre de façon dramatique de manière à bien les inculquer. L'archiviste se fait pédagogue mais son enseignement ne vise pas à communiquer l'information seule. Morisset veut modifier le comportement de ses concitoyens, leur apprendre à apprécier, à protéger et à mettre en valeur leur patrimoine artistique et historique.

NOTES

1. L'on consultera les notes d'ordre historiographique rédigées sur l'architecture, la peinture, l'orfèvrerie et les arts décoratifs par Alan Gowans, *Church Architecture in New France*, Toronto, 1955, pp. 6-10; R. H. Hubbard, *An Anthology of Canadian Art*, Toronto, 1960, pp. 167-169; John E. Langdon, *Canadian Silversmiths, 1700-1900*, Toronto, 1966; Michel Lessard et Huguette Marquis, *L'art traditionnel au Québec*, Montréal, 1975, pp. 25-37.

2. Roger Duhamel, *Le Devoir*, 7 août 1943, dans son compte rendu de *Les églises et le trésor de Varennes* (1943). L'idéologie de conservation se trouve particulièrement bien traduite dans cette remarque de Robert de Roquebrune au sujet de *Coup d'oeil sur les arts en Nouvelle-France* (1941): « Et quand on est attaché au passé du Canada, et particulièrement du Canada français, on ne peut lire sans plaisir, sans émotion et sans regrets . . . » *Le Canada*, 27 avril 1942, p. 2.

3. La série compte quatorze articles parus entre septembre 1933 (vol. 21, nº 1) et octobre 1936 (vol. 24, nº 2).

4. G. M. Fairchild, *From my Quebec Scrap-Book*, Québec, 1907 et *Gleanings from Quebec*, Québec, 1908

5. Jean Chauvin, *Ateliers*, Montréal, 1928.

6. Albert Laberge, *Peintres et écrivains d'hier et d'aujourd'hui*, Montréal, 1938.

7. Hormidas Magnan, *Charles Huot, artiste-peintre*, Québec, 1932.

8. Je pense ici aux nombreux textes d'Olivier Maurault, p.s.s., portant sur Charles Gill, Charles de Belle, Ozias Leduc, etc.

9. Jules S. Lesage, *Notes et esquisses québécoises*, Québec, 1925. Le texte de Georges Bellerive, *Artistes-peintres canadiens français, les anciens*, Québec, 1925, est ambivalent en ce qu'il est essentiellement un texte de célébration, mais il utilise certains outils de la méthode historique (sources primaires et secondaires, entrevues) comme le feront par la suite les monographies d'Émile Falardeau et de Romain Gour. Obnubilé par l'engagement politique des artistes dont il traite, Bellerive en oublie de discuter leur production autrement que par une énumération des oeuvres.

10. Abbé Faillon, *L'héroïne chrétienne du Canada ou vie de Mlle Le Ber*, Montréal, 1860.

11. *Lettres de la R.M. Marie de l'Incarnation*, Paris, 1876.

12. Reuben G. Thwaites, *The Jesuit Relations and allied documents*, Cleveland, 1896-1901, 73 vol.

13. *Archéologie religieuse du diocèse de Montréal*, Montréal, 1850.

14. Pour une bibliographie des monographies de paroisses l'on consultera: Ramsay Traquair, *The Old Architecture of Québec*, Toronto, 1947, pp. 309-311,

mais surtout André Beaulieu et William F. E. Morley, *La Province de Québec*, Toronto, 1971 complété par l'ouvrage plus récent de Louis-Guy Gauthier, *La généalogie: recherche bibliographique*, 1979.

15. Pour un état de la question voir: François-Marc Gagnon, « L'École des arts et métiers de Saint-Joachim: un anachronisme? », *Premiers peintres de la Nouvelle-France*, Québec, 1976, tome II, pp. 133-146.

16. « Le premier peintre canadien élève des grands maîtres », *Les petites choses de notre histoire*, 5e série, Lévis, 1923, pp. 214-217 synthétisait deux textes publiés par Roy et Massicotte dans le *Bulletin des recherches historiques*, vol. 22, 1916, p. 333 et vol. 27, 1921, pp. 187-188.

17. Le *Panthéon canadien* (1858 et 1891) offre un exemple trop caractéristique de la littérature de l'époque pour qu'il soit passé sous silence. À Beaucours, le lecteur trouve un renvoi à Créqui. Sous la mention de Créqui, après une courte note sur le peintre abbé, il est écrit: « Le premier Canadien qui ait étudié en Europe et qui y ait remporté un prix, est Beaucours, dont le commandeur Viger conserve le portrait dans sa collection, et dont l'auteur de ce livre a vu la veuve dans son enfance. »

18. James Purves Carter, *A Shrine of art*, Québec, 1907 et *Musée de peintures, Université Laval, Québec*, Québec, 1909.

19. La Société publie ses *Transactions* depuis 1829 ainsi que des catalogues de ses collections.

20. *Descriptive Catalogue of a Loan Exhibition of Canadian Historical Portraits and Other objects relating to Canadian Archeology*, Montréal, 1887 et *A Record of Canadian Historical Portraits and Antiquities exhibited by the Numismatic and Antiquarian Society of Montreal*, Montréal, 1892.

21. James F. Kenney, *Catalogue des gravures comprenant les tableaux, dessins et estampes conservés aux Archives publiques du Canada*, Ottawa, 1925. Le catalogue *Landmarks of Canada A Guide to the J. Ross Robertson Historical Collection in the Public Reference Library*, Toronto, 1917, donnait la liste de 3,715 pièces sans ordre. Deux index permettaient la consultation de cette publication. De nos jours, les différents centres d'archives continuent de publier des catalogues de leurs collections et des catalogues d'exposition. Les oeuvres d'art y sont présentées pour leur intérêt historique et documentaire.

22. Percy F. Godenrath, *The Manoir Richelieu Collection of Canadiana*, 1930, insiste surtout sur l'histoire politique (hommes et événements) du Régime anglais, et fait une part importante à l'activité des topographes. La collection J. C. Webster (Nouveau Brunswick), David Ross McCord (Montréal) et Sigmund Samuel (Toronto) sont en train de se constituer au même moment.

23. Pierre-Georges Roy, *Les monuments commémoratifs de la province de Québec*, 2 vol., Québec, 1923; *Les vieilles églises de la province de Québec 1647-1800*, Québec, 1925; *Vieux manoirs, vieilles maisons*, Québec, 1927.

24. Robert Harris, « Art in Quebec and the Maritime Provinces », *Canada An Encyclopedia of the Country*, Toronto, 1898, vol. 4, pp. 353-359.

25. Edmund Morris, *Art in Canada The Early Painters*, Toronto, 1911.

26. E.F.B. Johnston, « Painting and Sculpture in Canada », *Canada and its Provinces*, Toronto, 1914, vol. XII, pp. 593-642 écrit « Canada is too young a country to give evidence as yet of a distinctively national note in painting » (p. 593).

27. Newton McTavish, *The Fine Arts in Canada*, Toronto, 1925, tout en affirmant l'existence de l'art canadien consacre un paragraphe de son ouvrage de 181 pages au Régime français et conclut de cette période: « the results have had little influence on the art of the country . . . Therefore we must come down to the beginning of the nineteenth century before we can find the beginnings of art in Canada » (p. 8).

28. Préface du livre d'Émile Vaillancourt, *Une maîtrise d'art en Canada 1800-1823*, Montréal, 1920, p. 8.

29. *Ibid.* Il serait intéressant d'étudier le phénomène des origines de l'art canadien en rapport avec les connaissances générales d'histoire de l'art de l'époque. Massicotte remonte au moyen âge, Barbeau à la renaissance tandis que Traquair et Morisset s'arrêtent au XVIIe siècle.

30. *Ibid.*, pp. 8-9.

31. Olivier Maurault, *La Paroisse*, Montréal, 1929.

32. R. P. Hugolin, *Saint Antoine de Padoue et les Canadiens-français*, Québec, 1911; Odoric-Marie Jouve, *Les franciscains et le Canada*, Québec, 1915; R.P. Paul-Victor Charland, *Le patronage de Sainte Anne dans les Beaux-Arts*, Québec, 1923.

33. Antoine Roy, *Les lettres, les sciences et les arts au Canada sous le Régime français*, Paris, 1930, p. 241.

34. Pierre-Georges Roy, *Les vieilles églises de la province de Québec*, Québec, 1925, p. V.

35. André Michel, *Histoire de l'art*, Paris, 1922, tome VIII, pp. 1189-1204.

36. Arthur W. Wallace devait entreprendre les mêmes travaux à l'été de 1924 en Nouvelle-Écosse et Éric Arthur procédait de même en Ontario.

37. Ramsay Traquair, *The Cottages of Quebec*, Montréal, 1926, p. 14.

38. Ramsay Traquair, *The Old Architecture of Quebec*, Toronto, 1947.

39. Il faut comparer les textes de Traquair à ceux de Percy E. Nobbs publiés en 1914 (« Canadian Architecture », *Canada and its Provinces*, Toronto, 1914, col. XII, pp. 665-675) et l'ouvrage sommaire *Architecture in Canada*, Londres, 1924.

40. Jean Bruchési, « À la recherche de nos oeuvres d'art », *Mémoires de la Société royale du Canada*, 1943, pp. 25-32.

41. Cet engagement envers la sauvegarde du patrimoine se traduit à un autre niveau par l'utilisation des oeuvres anciennes pour la création de l'art contemporain. Ainsi l'activité de Jean-Marie Gauvreau à l'École du Meuble qui utilise des pièces de la collection de mobilier de l'École pour servir d'inspiration à ses étudiants. Maurice Hébert (« L'habitation canadienne-française: une véritable expression de la civilisation distincte et personnelle », *Mémoires de la Société royale du Canada*, 1944, pp. 129-141) incite les architectes à sauvegarder la tradition architecturale en utilisant les caractéristiques des bâtiments anciens pour concevoir leurs constructions. C'est ce qu'avait déjà réalisé Wilford Gagnon par exemple. Replacées dans ce contexte, certaines oeuvres de Jean Paul Lemieux et de Jori Smith prennent une nouvelle signification.

42. *Les églises et le trésor de Lotbinière*, Québec, 1953, p. 7.

43. Une place à part devrait être faite aux expositions solos à titre d'hommage posthume, préparées par l'École des Beaux-Arts et la Galerie nationale du Canada pendant les années 1930 et 1940.

44. *Exposition d'art canadien*, Paris, 1927.

45. *A Century of Canadian Art An Exhibition*, Londres, 1938.

46. L'exposition présentée à Toronto en 1945 circula à Ottawa, Montréal et Québec.

47. *Painting in Canada A Selective Historical Survey*, Albany Institute of History and Art, 1946.

48. *The Arts of French Canada*, Detroit Institute of Art, 1946 fut suivi de *The French in America 1520-1880*, qui faisait une place importante à l'orfèvrerie de traite grâce à la collaboration de Louis Carrier.

49. *Exposition rétrospective de l'art au Canada français*, Québec, 1952.

50. *Les arts au Canada français*, Vancouver Art Gallery, 1959.

51. Des agrandissements photographiques préparés à l'Inventaire des Oeuvres d'Art représentaient l'architecture et faisaient ressortir des détails de certaines pièces. On organisa des expositions itinérantes de ces photographies qui circulèrent dans les maisons d'enseignement du Québec.

52. Marius Barbeau, *Cornelius Krieghoff: pionnier painter of North America*, Toronto, 1934.

53. Marius Barbeau, *Henri Julien*, Toronto, 1941.

54. Marius Barbeau, « Le dernier de nos grands artisans », *Mémoires de la Société royale du Canada*, 1933, pp. 33-48. Texte souvent repris et augmenté par la suite.

55. *Ibid.*, p. 19.

56. Gérard Morisset, « Cornelius Krieghoff », *Peintres et tableaux*, Québec, 1936, vol. I, p. 212, paru antérieurement dans *Le Canada*, 19 janvier 1935, p. 2; 21 janvier 1935, p. 2.

57. Marius Barbeau, *Painters of Quebec*, Toronto, 1946, p. 24.

58. Voir la note 3.

59. Les monographies d'artistes offrent en général un texte plus serré. De la même façon, les grandes séries d'articles parus dans *La Patrie* entre 1950 et 1953, même si elles s'adressent au public d'un quotidien populaire, conservent un niveau élevé et présentent une excellente documentation.

60. *Les églises et le trésor de Lotbinière, op. cit.*, p. 8.

61. Gérard Morisset, *Philippe Liébert*, Québec, 1943, p. 30.

62. Alan Gowans, « Thomas Baillairgé and the Québecois Tradition of Church Architecture », *Art Bulletin*, vol. 34, n⁰ 2 (juin 1952), pp. 117-137.

63. *Ibid.*, p. 135.

64. La porte est pourtant laissée ouverte. Morisset prenait toujours la précaution d'ajouter une phrase du genre: « Je laisse à des chercheurs plus heureux la tâche d'y pourvoir et la satisfaction d'y réussir » (*La vie et l'oeuvre du frère Luc*, Québec, 1944, p. 10) Gowans écrivait: « The disclosure of further evidence, which may modify some conclusions reached here, is to be expected » (*op. cit.*, p. 117).

65. Un des rares livres qui ne fût pas publié à compte d'auteur. L'ouvrage devait avoir une meilleure diffusion et ainsi atteindre un public sensibilisé par trente ans d'efforts.

66. Ainsi les ouvrages de Dennis Reid et Charles C. Hill qui, lorsqu'ils traitent du Québec, s'intéressent surtout aux artistes anglophones. La contrepartie pourrait être reconnue dans les textes de Jean-René Ostiguy ou de John R. Porter par exemple.

66. On se référera aux ouvrages de John Russell Harper, Jean Palardy, H. Burnham, Elizabeth Collard, John Langdon, Huguette Marquis et Michel Lessard.

67. Je pense aux textes de François-Marc Gagnon, Jean Trudel, Luc Noppen, Peter Moogk, Robert Derome, John R. Porter, Franklin Toker et Yves Laframboise.

69. Ainsi les expositions portant sur François Ranvoyzé, Antoine Plamondon et Théophile Hamel, Thomas Davies, Ozias Leduc, François Baillairgé.

D'UNE THÉORIE DE LA MODERNITÉ AUX PÉRILS DE LA CRITIQUE D'ART

par Fernande Saint-Martin
professeur
département d'histoire de l'art
université du Québec à Montréal

Dans son discours de réception à la Société Royale du Canada, en 1943, Gérard Morisset insiste pour confirmer ce qui semble aller de soi. Cette élection, dit-il, a voulu honorer ceux-là même « qui sont l'objet de mes travaux: nos artisans d'autrefois. »[1] Mais justement que l'objet particulier de ses travaux soit l'art ancien du Québec n'a pas toujours été une évidence pour Gérard Morisset lui-même. De fait, il s'était plutôt révélé, au cours des années 20, comme l'un des premiers théoriciens et des plus vigoureux défenseurs de la « modernité ». Au milieu des années 30, il avait même entrepris une activité de critique de l'art contemporain qui prolongeait ce premier combat. Et on peut se demander pourquoi, après avoir dans sa jeunesse si énergiquement combattu les « valeurs archéologiques », Gérard Morisset a dérogé à cet esprit de modernité pour s'engager aussi unilatéralement dans l'exploration du passé.

Il cherche, ce même jour, à s'en expliquer, mais dans des termes qui nous paraissent peu convaincants: « Nos artisans contemporains, s'ils ne manquent pas de critiques, ne manquent pas non plus d'amis et d'admirateurs plus ou moins passionnés, qui s'intéressent à leurs ouvrages et en écrivent avec ferveur — en sorte que leur survie serait assurée, si les générations futures voulaient bien entériner nos préférences, sinon nos jugements. » Alors que le sort des artisans d'autrefois, poursuit-il, risquerait davantage la « flétrissure de l'oubli », leurs oeuvres étant « méconnues » ou « ayant péri misérablement ». Pourtant il note bien que la plupart de ses nouveaux collègues à la Société Royale sont depuis longtemps « des amis, de zélés chroniqueurs » de ces artisans d'autrefois. Le moins qu'on puisse dire, c'est que les « nombreux amis des artisans d'aujourd'hui » ne siègent pas encore, semble-t-il, dans les sociétés savantes et prestigieuses.

Nous voudrions dans cette brève étude éclairer le cheminement du jeune notaire québécois, qui l'a mené à une réorientation manifeste dans ses recherches et occasionné pour l'art contemporain la perte de l'un des esprits qui s'était montré le plus soucieux de le défendre, face au conservatisme et à l'académisme qui régnaient à l'époque dans la société québécoise.

Ces premières prises de position « modernistes » se sont exprimées en effet, entre 1926 et 1929, dans une série de chroniques, intitulées « Propos d'architecture religieuse » et publiées dans l'*Almanach de l'Action sociale catholique*. Gérard Morisset y affirme de façon très ferme et sans s'embarrasser de précautions oratoires, la nécessité pour les arts de réaliser immédiatement cette « légitime modernité », déjà acquise dans les autres sphères de la civilisation, notamment dans les sciences et les techniques. Il pose, en outre, la nécessité de lutter contre toutes les formes d'académisme et de conformisme en architecture nommément, qui s'expriment dans une « suprématie de l'archéologie sur la composition architecturale vraie et logique ». L'évolution dans les arts est retardée, dit-il, par « l'emploi abusif et irraisonné des formes anciennes, par ce qu'on appelle les règles de l'art — entendez ici une théorie de recettes, un panier à catinage consacré dans lequel chacun puise inlassablement » [2].

La méthode du critique est déjà au point. L'emploi d'abord d'un ton polémique, vivant et péremptoire: « Cet état de chose dure depuis soixante-quinze ans. Quand s'arrêtera-t-il? » [3]. Un ton même qui paraît violent, dans la satire des « commanditaires » de l'époque, fourmillant d'exemples concrets et de termes familiers, accusant sans répit les « pastiches », les « mensonges », les « camouflages », les « oripeaux copiés et archi usés ». Après le diagnostic, il propose le remède. L'auteur détermine que cette situation déplorable tient à l'ignorance générale en cette matière et il entreprendra de la dissiper sur le champ: « À mon avis, on ne peut remédier à ces préjugés qu'en prenant les moyens de nous former en matière d'architecture, d'acquérir les connaissances nécessaires pour pouvoir juger les monuments autrement que sur des apparences trompeuses » [4]. On ne peut juger sans connaître, mais connaître veut dire essentiellement ici « comprendre ». Comme l'explique l'auteur: « Pour comprendre quelque chose dans une oeuvre architecturale, il faut être pénétré des véritables principes de l'architecture, il faut posséder les notions élémentaires de la construction et des divers arts décoratifs » [5]. L'accent mis sur la nécessité d'une « information » et d'une « compréhension », en contraste avec une approche plus intuitive et synthétique, demeurera une caractéristique permanente de l'esthétique de Gérard Morisset et conditionnera son évolution vis-à-vis tout l'art moderne. Le champ d'études est si vaste, note-t-il, qu'« il exige l'emploi d'une méthode rationnelle, si on ne veut pas succomber sous la tâche. Il exige aussi un effort intellectuel considérable et auquel nous ne sommes guère habitués » [6].

Aussi, le titre même de son article de 1927, un quasi-manifeste: « Le rationalisme en architecture », recouvre déjà un foisonnement sémantique très riche. Sans doute, l'auteur entend informer le public québécois du développement de la « doctrine rationaliste » en architecture, sous l'impulsion principale de Viollet-le-Duc, puis des frères Perret, de Tony Garnier et sa dissémination dans divers pays d'Europe et aux États-Unis. Mais « en appliquant à l'architecture la méthode philosophique des causes et des effets », l'auteur ne manque pas de souligner fortement que la pierre de base du développement de ce vaste mouvement de créativité repose sur l'acquisition nécessaire d'« _habitudes de libre examen_ » [7], c'est-à-dire d'une liberté qu'il qualifie de « rationnelle », très cartésienne en ce qu'elle exige la possibilité fondamentale de douter de l'acquis et d'arriver par soi-même à ses conclusions. Bientôt cette liberté sera réclamée pour elle-même, sans autre qualificatif.

L'année suivante, en effet, dans un article intitulé « Le classicisme et ses faux dogmes » [8], il reprend les mêmes thèmes, en élargissant son information sur l'architecture européenne et américaine. « Notre art — si tant est que nous en possédons un — se meurt de tôleries, de plâtras et d'imitations » [9]. La régénération de l'architecture, religieuse ou domestique, exige avant tout « la discussion libre » [10]. Il y revient: « L'architecture a besoin de liberté: liberté de pensée et liberté d'action » pour parvenir à sa raison d'être: « la découverte des formes les plus aptes à traduire les pensers et les besoins modernes » [11]. La triade: rationalisme-liberté-modernité est définitivement constituée, comme éléments de base de cette esthétique.

À partir cependant des concepts de causes et d'effets, il prônera un « rationalisme » des buts et des moyens, afin de parvenir à un classicisme « basé sur la sincérité, la logique et le bon sens ». Il réclame l'avènement d'une architecture nouvelle, fondée sur la franchise des matériaux, la pureté fonctionnelle des lignes, le rejet des ornementations superflues. À des objections théoriques qu'il pressent, craignant la production par là d'un art de formules scientifiques, sèches ou trop rigoureuses » [12], il rétorque brièvement que le « rationalisme » des moyens ne peut que servir les besoins esthétiques de l'homme, car rien ne peut vraiment les étouffer ou les détruire. On ne doit pas méconnaître, écrit-il, « cet impérieux besoin que l'homme ressent d'embellir les choses qui lui servent à atteindre sa fin. Ce besoin ne se prouve pas, on n'a qu'à le constater » [13]. Assimilant le besoin esthétique en art à celui qui se manifesterait dans toutes les autres activités humaines, Morisset ne définit vraiment la beauté que comme un épiphénomène, d'ailleurs constant, du « bien faire ». Il néglige d'ouvrir à un questionnement et à la « discussion libre », le lien entre l'art et ce « besoin d'embellir », non plus que les raisons des formes si variées, pour ne pas dire contradictoires qu'il engendre. Fort de cette acceptation inconditionnelle et intuitive d'un sentiment universel du Beau, l'historien et le critique ne pourra que rejeter sur « l'ignorance », le « mensonge » ou le « mauvais goût », la prolifération des objets qu'il ne trouve pas « beaux », ou sur des « conflits de génération » les oublis ou les injustices de l'histoire de l'art. Cette lacune dans sa méthodologie critique deviendra plus apparente et décisive, quand le critique sera confronté quelques années plus tard aux oeuvres postérieures à l'Impressionnisme.

Le troisième article, intitulé « Architecture Religieuse

Moderne » élabore davantage le concept de « modernité », à partir encore une fois des « enseignements de l'histoire » [14], pour en faire sa dimension fondamentale. Il faut considérer en effet, explique-t-il, que toutes les oeuvres anciennes ont été à leur époque des oeuvres « modernes » et les étudier à cause de cela dans une optique particulière. Il faut comprendre comment toutes les grandes oeuvres offraient des réponses nouvelles aux défis que pose une époque sans cesse transformée. Il concède que « tout art naissant est forcément irraisonné dans quelques-unes de ses manifestations » [15], mais cet irrationalisme s'évanouit bientôt dans le « fruit de l'expérience et du raisonnement ». Il insiste: « Il ne peut exister d'autre choix pour un art vivant que d'être de son temps ». Jean de Chelles se serait réclamé « de son temps », en 1257, en produisant ce contraste frappant entre le nouveau portail méridional et la façade occidentale « bâtie un tiers de siècle plus tôt ». Et il se serait justifié ainsi: « *Être de son temps*, c'est-à-dire *répondre à des besoins nouveaux tout en profitant de l'expérience du passé et en tenant compte des progrès de la science et de l'industrie* » [16]. Mais pour l'époque actuelle, Morisset veut ajouter à cette définition ce qu'il identifie, sans plus, comme « les véritables principes de l'art de bâtir: Construction franche et logique, concordance entre l'apparence et la structure, décoration originale déduite des membres architectoniques, respects des matériaux, etc. » [17]. Cette esthétique moderniste et fonctionnaliste qui demande que « l'apparence soit conforme à la construction » [18] répond aux propensions innées du jeune notaire à penser que le « rationalisme » puisse vraiment être apte à définir, sans pertes, une esthétique de l'art, architectural ou autre.

L'année même où il publiait ce dernier article, Gérard Morisset obtenait une bourse du Gouvernement français et se rendait à Lyon poursuivre sa formation en architecture et en histoire de l'art, auprès de Tony Garnier et de ses disciples. Mais dès 1930, il se rend à l'École du Louvre où il obtient le diplôme en 1934. Peu après son retour au pays, à la fois attaché honoraire des Musées nationaux de France et Directeur de l'enseignement du dessin dans la province de Québec, il n'exprimait plus, dans une entrevue accordée à *La Revue Populaire*, que des préoccupations vis-à-vis l'architecture d'autrefois. « Je dis bien d'autrefois, insiste-t-il, car depuis un siècle. . . » [19].

Que s'est-il passé? Avant de quitter le terrain de l'architecture, signalons que dans un volume réalisé en collaboration sur l'*Art religieux contemporain au Canada*, il publiera de nouvelles « Réflexions sur notre architecture religieuse » en 1952. Cet article accentue les tendances positivistes du « rationalisme » des années 20, jusqu'à évacuer toute problématique esthétique. L'art ne serait, en définitive, qu'« une affaire de technique », c'est-à-dire que la matière « est souveraine, et que les formes, l'enveloppe extérieure, ne constituent qu'un habillage changeant, qu'une manière provisoire et toute fantaisiste de présenter des solutions à de purs problèmes matériels et manuels » [21]. Renonçant au point de vue du spectateur, de l'historien et du critique, l'auteur prétend s'identifier « aux yeux de l'homme de métier » — mais lequel, sûrement pas Auguste Perret ou Tony Garnier — en posant que « les accidents formels seraient donc des *variations sur un thème donné* ». Il entreprend alors dans un retour historique de justifier ce point de vue, sans y réussir cependant. En effet, il est bientôt obligé d'invoquer d'innombrables accidents de parcours: esprit d'imitation archéologique, convenances sociales, sentimentalité et la « funeste improvisation moderne », etc., pour expliquer que la courbe de l'histoire de l'architecture ne suit pas celle de l'évolution des techniques. Même le XIXe siècle, s'étonne-t-il, a renoncé à une confrontation vivante avec la technique nouvelle: « Si étrange que cela puisse paraître, au siècle du triomphe de la Science, la technique a alors cédé le pas aux formes, ou plutôt à l'imitation étroite des formes exploitables du passé » [22]. Il devra même se contredire pour conclure que la seule solution pour nos églises, c'est qu'elles soient « pensées » par une double instance, comme au moyen âge, « alors qu'évêques et maîtres d'oeuvres échangeaient leurs points de vue, discutaient froidement et bâtissaient un plan étudié dans ses moindres détails ». Vraisemblablement, les aspirations de l'évêque ne devaient pas porter prioritairement sur la solution de « problèmes techniques » ou s'identifier à certains problèmes de « l'homme de métier ».

Cependant, Morisset qui avait fait un procès si vigoureux aux esprits imbus de « la souveraineté universelle de l'archéologie » [23], procède à une revalorisation de nos « églises d'autrefois », à partir d'une similitude de « franchise et d'honnêteté » qu'elles auraient avec l'architecture produite par Perret dans les années 20, basée sur la « technique » du « béton armé ». En dépit des techniques comme des sociétés différentes, il établira une affinité entre le produit de l'esthétique fonctionnaliste moderne et ce « fonctionnalisme forcé » que les « intempéries » du climat ont imposé aux architectes anciens: « Nos ancêtres, hommes réfléchis et hommes de goût, ont rejeté de leur architecture tout décor extérieur, tout ornement appliqué; en quoi ils ont eu raison, car les intempéries eussent ruiné tout ornement postiche » [24]. À quelques siècles de distance, on emploie donc des techniques différentes et même esthétiques des vides et des pleins. Dans ces églises, « il n'y a d'ornements que les vides, portes, oculus, fenêtres vénitiennes, parfois des niches et leurs statues. Et c'est tout » [25]. Et cette étonnante coïncidence esthétique peut se renouveler aujourd'hui. Ainsi la « nef de Matane », monument moderne, qui « ne doit rien du tout au passé. . . rappelle d'une façon hallucinante les plus belles réussites des âges révolus » [26]. Par le biais d'une théorie des « techniques » assez mouvante par ailleurs, Morisset pense pouvoir réconcilier son penchant historique avec une esthétique issue de la « rationalité » et de la « modernité ».

Pour ce qui est de son esthétique picturale, il faut revenir un moment au stage fait à l'École du Louvre pour constater que dès 1931, Gérard Morisset avait déjà « rationalisé » son approche de la peinture et avait tenté de la « comprendre » par l'hypothèse positiviste de la « technique ». Il envoie en effet au journal *Le*

Devoir, en juillet 1931, une « Lettre sur l'art » portant en sous-titre « L'impressionnisme dans les musées parisiens » [27]. Faut-il souligner que le voyageur s'appesantit, comme le feront d'innombrables québécois après lui, sur le manque d'efficacité technique, si l'on peut dire, de la vieille Europe: « la malpropreté non-équivoque », « le délabrement des grands monuments, mal entretenus, enfumés. . . ». Cela serait anodin, si ce fonctionnalisme « hygiénique » de la propreté et de l'entretien ne semblait un moment vouloir s'incorporer aux valeurs esthétiques du futur historien: « Instinctivement, le visiteur procède par comparaison, le plus authentique *navet* de son pays lui paraît être un chef-d'oeuvre, à cause même de cette propreté ». Plus sérieusement cependant, le malaise physique du voyageur est aggravé lors de la visite des musées parisiens par la confrontation avec « une énorme quantité de portraits et de tableaux » qui laisse « une impression intense d'encombrement inutile et d'entassement désordonné » [28]. Curieux spectacle dans le pays de Descartes, mais qui tiendrait aussi au manque de préparation d'un visiteur moyen « à comprendre en bloc tant de si belles choses, souvent incapable de saisir par lui-même le fil qui relie entre elles les oeuvres peintes ou sculptées ». Il s'agit donc de « comprendre » le rapport entre ces oeuvres, plus que de « sentir » l'une ou l'autre. Et l'art pictural peut être « compris » à partir de trois moments nécessaires: a) la confrontation répétée avec les oeuvres, b) l'acquisition de notions d'histoire de l'art et c) savoir « voir ». En effet, poursuit-il, « la composition d'une oeuvre relève en grande partie de l'intelligence et peut être comprise par tout visiteur à condition qu'il sache voir ».

À ses lecteurs québécois, dont on ne sait s'ils savent voir, mais qui n'ont pas de Louvre à la portée de la main, l'historien entreprendra de donner les premiers rudiments de la compréhension de l'art moderne, à partir des « grands ancêtres », dit-il, Claude Lorrain, Turner, Delacroix, Constable jusqu'aux débuts et au terme de l'Impressionnisme: « Les trouvailles des peintres *impressionnistes* ont été le point de départ, non seulement de discussions acerbes et de haines féroces, mais d'une rénovation picturale profonde d'où est sortie la peinture moderne ». Il faut s'arrêter aux connotations sémantiques du terme de « trouvailles », car il s'avèrera que pour l'auteur, l'Impressionnisme n'existe que pour avoir « trouvé » une technique particulière de peindre, celle des « touches distinctes » [29], qui n'était pas liée à une théorie picturale spécifique. C'était en quelque sorte une « rénovation » et non un nouveau mouvement: « L'impressionnisme ne fut pas une école artistique nouvelle, mais un procédé nouveau, un moyen de peindre jusqu'alors inemployé ». Ces « nouveautés de métier », cette technique impressionniste « n'avait rien de révolutionnaire », ni d'une portée théorique différente; elle semble même à l'auteur assez « timide », si on la compare aux « dérèglements de la technique des Fauves contemporains ». Victime de l'éternelle illusion historique, l'auteur n'est pas conscient qu'il jouit d'une avance d'un demi-siècle d'« assimilation culturelle » sur les premiers spectateurs des Salons des Indépendants. Outre cet apport « technique », l'Impressionnisme aurait aussi fourni à l'art une dimension nécessaire de « liberté ». Manet « ne médite pas de remplacer une tyrannie par une autre ». Avec les mêmes mots utilisés lorsqu'il parlait de l'architecture, Morisset redéfinit cette exigence: « la liberté dans l'art est la faculté pour l'artiste de choisir les moyens les plus propres, fussent-ils nouveaux, à traduire sa vision ». Mais les meilleurs « moyens » peuvent être utilisés à mauvais escient, car dès 1886, note-t-il, cette technique libératrice était déjà « victime des théoriciens toujours avides de réduire en formules les idées et les procédés » [30]. Morisset rejettera le Pointillisme de Seurat et Signac, qui ne serait qu'un « dessèchement des procédés », qui « frôle par la rigueur de ses formules les poncifs académiques ». De même, Cézanne, ex-impressionniste, « en est arrivé à se fabriquer une technique compliquée » qui trahit ses origines.

Bref, seule la « technique », même « timide » des Impressionnistes, semble avoir donné des résultats esthétiques valables et elle a fait de chacun des membres du groupe, « uniquement préoccupés à perfectionner leur technique individuelle » de « grands peintres ». De même pour ceux qui s'en inspirèrent, avec « indépendance réelle et bonne foi », les affichistes, les décorateurs, y compris Maurice Denis [31].

C'est donc à partir de sa réflexion sur l'Impressionnisme que Morisset dégagera les éléments de sa propre esthétique picturale, qu'il utilisera ensuite dans sa critique de la peinture contemporaine. Exigences de liberté dans l'interprétation de la tradition et l'invention des thèmes reliés à la vie moderne, spontanéité, fraîcheur, luminosité, lyrisme même de l'inspiration, mais paradoxalement par rapport à sa pensée antérieure, méfiance de toute théorisation rationnelle dans le domaine pictural. La conséquence en sera, semble-t-il, pour l'art actuel, de ne pas « devoir » transcender la « technique » et la « vision » impressionniste.

Ce sont ces valeurs qui l'inspireront dans son travail de direction de l'enseignement du dessin dans le cadre scolaire du Québec, sauf pour quelques aspects « techniques », liés sûrement au fait que les écoliers n'ont pas encore atteint la maturité des artistes impressionnistes. Gérard Morisset les exprime dans deux articles parus dans la revue de *L'Enseignement primaire*, en relation avec un concours provincial de dessins d'enfants qui le mènera à porter un jugement préliminaire sur plus de 50,000 dessins. [32] Sollicitant la collaboration des professeurs pour l'envoi de ces dessins, il insistera longuement pour que ces oeuvres soient réalisées à partir des procédés mis au point et valorisés par l'Impressionnisme, soit des croquis, exécutés rapidement, à main levée, avec des crayons de couleur ou à l'aquarelle, les dessins au crayon noir étant « impitoyablement rejetés ». Et le tout doit être fait « sans souci d'exécuter de belles images ». [33]

S'insurgeant contre tous procédés de copie d'images préalables ou d'illustrations de catalogue, Morisset y définira cependant les buts de l'enseignement du dessin à l'école primaire dans une orientation nettement intellectualiste: « Concourir avec les matières du programme scolaire au développement raisonné des facultés intellectuelles de la jeunesse. En d'autres termes: apprendre à l'élève à voir, à former son esprit d'observation, développer sa mémoire visuelle » [34]. Certes, cette définition reflète le « fonctionnalisme éclairé » des nouvelles pédagogies, notamment de celle de Montessori qui est à l'époque discutée par les pédagogues; elle laisse dans l'ombre l'utilité du dessin ou de l'art dans le développement émotif des enfants. Elle ne mentionne pas non plus que cet « apprendre à voir » sera éventuellement essentiel pour pouvoir communiquer avec les êtres humains qui s'expriment par un médium visuel, comme il l'avait déjà marqué lors de la visite au Louvre. Comment, par ailleurs, cela s'apprend-il? « Le seul moyen d'*apprendre à voir*, c'est observer longuement des objets et de les dessiner tels qu'ils sont ». Morisset ne fait donc nullement écho à la problématique cubiste sur ce que « sont » les objets, ce qu'on « sait » d'eux et sur les optiques variées pour les « voir ». [35] Il découvrira cependant, à travers la critique d'art, que la vision spontanée, dite « naturaliste », n'est pas du même ordre que la vision esthétique, comme l'expliquera après tant d'autres, plus récemment, Pierre Bourdieu [36]. Pour le moment, il est quand même conscient que la question du « voir » est problématique chez les enfants, même s'il propose des solutions pour le moins pré-piagétiennes [37], c'est-à-dire l'imposition aux enfants de « modèles » soigneusement contrôlés: « On a vu que chez les moins-de-dix-ans, les modèles ne doivent être faits, le plus possible, que de lignes droites. À partir de la quatrième année, les élèves peuvent absorber le dessin d'objets à lignes courbes, en commençant par les plus simples ». [38]

La même année, Gérard Morisset publie dans l'Événement, un court texte, intitulé « Propos d'art » [39] qui pourrait expliquer pourquoi il songe à s'engager bientôt dans la critique de l'art contemporain alors qu'il s'occupe surtout d'art ancien. Ce texte débute par une proposition qui voudrait rendre la conclusion plus percutante. Morisset y lance en effet l'hypothèse, à partir d'allusions à la cote des artistes québécois les plus connus du XIXe siècle, que les artistes du Québec, dans le passé et dans le présent, ont toujours pu vivre de leur art. « Au Canada français, nul artiste riche, il est vrai; mais aussi, nul rapin réduit au pain noir ». Pour ce qui est de l'époque actuelle, à partir d'une sorte d'identification de l'art avec la technique, Morisset a-t-il pensé que vivaient de leur « art » les artistes qui pratiquaient le second métier de l'enseignement? De toute façon, il sera témoin l'année suivante du refus de l'École des Beaux-Arts d'un poste d'enseignant à Alfred Pellan venu en quémander un. Ou faut-il voir obséquiosité de fonctionnaire dans l'estimation exagérée des quelques initiatives prises par « M. David » et dont il fait longuement état, qui « depuis quinze ans » avait « transformé les conditions matérielles des choses de l'art, fondé le marché des oeuvres, etc. ».

Morisset corrigera d'ailleurs l'invraisemblance de ces propos, l'année suivante, lorsque dans un article sur l'oeuvre gravé de Rodolphe Duguay, il signale qu'une enquête récente auprès de la bourgeoisie de la région de Trois-Rivières, révèle que seulement trois pour cent des gravures qu'elle possède sont d'origine canadiennes [40]. Et plus grave encore, écrira-t-il dans un texte sur l'exposition G. Pfeiffer [41], qui était toute consacrée à des « paysages de neige », alors qu'il existe d'autres genres: nature morte, portrait, nu, décoration religieuse, peinture d'histoire: « Nos peintres pourraient cultiver ces genres s'ils pouvaient trouver acheteurs. Hélas! on ne peut pas dire que les Canadiens français se ruinent en achat d'oeuvres d'art ». La moitié de cette production prend la route de l'Ontario et des États-Unis, où selon Morisset, on ne recherche que ces « peintures de paysages »: « Donc par nécessité plus que par goût, nos peintres cultivent le paysage ». Cette absence de marché local contribue alors à paralyser l'évolution de l'art au Québec.

Quoi qu'il en soit, Morisset poursuit ses « Propos sur l'art », en déclarant que le soutien des artistes par « l'élite » n'a pas vraiment à se traduire « par un signe de piastre ». Il s'agirait, si l'on peut dire, d'utiliser une toute autre sorte de « technique »: « Car il s'agit beaucoup plus de compréhension critique et bienvaillante que d'encouragement matériel ». Comme « l'armature » matérielle et financière de la vie artistique est supposément forgée au Canada français, ce qui importe maintenant, c'est de lui donner « une âme », c'est-à-dire: « l'atmosphère favorable à l'éclosion des oeuvres fortes, sinon des chefs-d'oeuvre. Cela ne se crée pas par décret... » [42]. Ainsi l'élite, dont on ne sollicite heureusement aucun argent, doit cependant s'astreindre à « comprendre les hommes et leurs oeuvres », s'intéresser « aux recherches d'aujourd'hui aussi bien qu'à l'exhumation du passé », soutenir les artistes vivants par une « compréhension critique et bienveillante. Qu'on visite les artistes, qu'on revoie les oeuvres de valeur, qu'on discute d'art, qu'on se chamaille même, mais qu'on bouge », de sorte que les artisans aient « enfin l'impression nette de ne pas oeuvrer dans le vide ». C'est peut-être afin de contribuer à la création de cette « atmosphère » d'échanges et de discussion, dont on a dit la fécondité en France, que Morisset décide de s'engager dans la critique de l'art contemporain. Mais si importante et complexe que soit cette dimension sociologique du travail de la critique d'art, sa véritable problématique se joue d'ailleurs, soit dans la capacité de celui qui s'y prête de se confronter avec l'expérience concrète et vivante de formes d'art inédites, c'est-à-dire qui ne sont pas encore justifiables d'un discours rationnel ou théorique antérieur, qui puisse les faire « comprendre », en contraste avec le travail de l'historien d'art.

Si nous avons pu percevoir l'ancrage de l'esthétique de Gérard Morisset dans l'Impressionnisme de la fin du XIXe siècle, il serait opportun de rappeler l'attitude qu'il a prise vis-à-vis les arts au Québec, à cette époque ainsi qu'au début du XXe siècle. Sur tous les plans, architecture, sculpture, peinture et artisanat, ces arts lui ont paru exécrables, sauf pour quelques exceptions: Morrice, Suzor-Coté ou Tom Thomson « profondément touché par l'impressionnisme ». Il exprime ces jugements, dans son article sur « L'influence française sur le goût au Canada » [43], où il reprend avec une force accrue son plaidoyer pour la modernité. Il énumère quelques causes du « conformisme académique » du XIXe siècle, au Québec, depuis la diffusion de la collection Desjardins jusqu'à la déplorable erreur d'aiguillage des Napoléon Bourassa, Théophile Hamel et Charles Huot qui, en voyage d'études à Paris, n'ont pas su reconnaître l'art vivant de l'époque et pire encore, se sont « liés à des artistes médiocres ». À cause de cela, « nos artistes retardent de beaucoup, non seulement sur les mouvements d'avant-garde, mais sur la moyenne de la production française de leur temps » [44]. Ce n'est que vers 1925, dit-il, qu'un nouveau courant commence à se faire sentir, grâce à une « vingtaine de jeunes qui vont étudier en France » et qui vraisemblablement auront de meilleures fréquentations que leurs aînés.

Il avait déjà expliqué aussi dans « Peintres et tableaux » [45], ouvrage dont le premier tome est couronné par le Prix David en 1936, que dans tout « tableau composé » éclate péremptoirement l'inaptitude des Canadiens français à concevoir un tout dont les parties soient rigoureusement logiques, puis à rendre cet ensemble avec une précision adéquate, une fraîcheur d'expression soutenue ». Il le redira dans l'article sur les gravures de Duguay, blâmant celui-ci pour le manque de souplesse dans le traitement des thèmes historiques et enchaînant: « Du reste, c'est une tare commune à nos artistes, peintres et sculpteurs, qui se sont livrés à l'art soi-disant historique » [46]. La peinture religieuse encourt une condamnation aussi sévère et c'est à la longue pratique de celle-ci qu'Ozias Leduc doit un jugement sévère qui ne s'atténue pas vraiment par la considération de ses oeuvres plus personnelles. Même l'urbanité coutumière d'une note nécrologique fera peu de concessions: « La mort d'Ozias Leduc, écrit Morisset, . . . attire l'attention sur le groupe de rapins qui a pris la relève vers les années 1890-1900 ». De cette génération, Leduc « était le mieux doué ». Après quelques mots banals sur ces oeuvres: portraits, paysages, natures mortes « qui sont charmants de dessin et de coloris », l'auteur en vient aux peintures murales: « Cette partie de son oeuvre est loin de valoir la première, et pour cause: la médiocrité générale de la peinture religieuse depuis plus d'un siècle, Ozias Leduc n'y a pas échappé, en dépit de ses dons, de son labeur qui était énorme. Médiocrité de la peinture religieuse! Un fait de cette gravité mérite qu'on en entreprenne l'examen » [47].

C'est donc pour soutenir un art moderne à peine naissant au Québec et pour aider à constituer peut-être une « atmosphère » qui soutiendrait la ferveur des créateurs que Gérard Morisset publiera ces premières critiques sur l'art de son temps. Cette oeuvre critique est si peu abondante cependant, entre 1936 et 1939, qu'elle suscite déjà à ce titre de nombreuses questions. Si des circonstances externes peuvent expliquer la brièveté de cette carrière de critique et le petit nombre de ces textes, nous croyons que l'examen des textes eux-mêmes peut aussi fournir des éléments d'explication révélateurs.

Morisset ne publie en 1936 qu'un article sur la gravure sur bois de Rodolphe Duguay, que nous avons déjà mentionné, et qui lui sert à remettre en place les instruments de sa réflexion esthétique. [48] Alors que dans ses premières gravures, l'artiste n'adaptait pas sa manière à l'huile ou à l'aquarelle « au gré de la technique » propre à la gravure, des progrès se font sentir en ce sens. De même, quand au lieu de se laisser imposer un sujet académique, il est vraiment « empoigné par son sujet », Duguay offre alors les accents d'une « sincérité charmante, d'un réalisme aigu, d'une poésie toute simple, évocatrice ». L'année suivante, parmi des articles plus nombreux, Morisset écrira un autre texte sur un artiste plus « académique », Alonzo Cinq-Mars, qui tout oncle qu'il soit, subira malgré tout de nombreuses réticences. [49]

Mais le texte le plus significatif sera celui consacré en février 1937, à Jori Smith et Jean Palardy, ses amis et voisins de Charlevoix [50]. Me permettra-t-on de souligner l'humour involontaire de la dernière phrase du texte, qui témoigne bien de moeurs locales encore bien peu friandes d'art vivant: « L'exposition de M. et Mme Jean Palardy, ouverte à deux heures aujourd'hui, se terminera à dix heures ce soir ». Par ailleurs, ces deux artistes, écrit le critique, « sans s'insurger irrévocablement contre ce qu'on appelle la tradition, s'expriment dans une langue picturale hardie, simplifiée, non dépourvue d'une certaine éloquence âpre et croirait-on à première vue, revêche ». La première réaction est donc mitigée: « ces jeunes artistes. . . se sont ri de l'élégance généralement admise au bénéfice d'un réalisme, qui pour ne pas flagorner le regard, n'en a pas moins la faculté de conduire à la méditation », à la condition cependant que l'on revienne « généreusement sur ses premières impressions » et « surtout si l'on réfléchit que la beauté n'est pas attachée à telle ou telle forme ». Le critique est troublé: c'est que cet art nouveau, un peu « revêche », ne semble pas, de toute évidence vouloir puiser aux séductions de l'Impressionnisme. Donc un art de liberté, certes, simplifié et hardi, mais qui ne correspond pas à l'idée que l'on se fait de la beauté: « Toutefois, il y a de belles pièces décoratives qui reposent de la banalité coutumière de certaines expositions conformistes ». L'on sent que le critique doit faire appel aux principes les plus généreux, inhérents à sa valorisation de la modernité et de la liberté en art, pour justifier ces oeuvres.

Il y réussit mal, car il ne peut de plus « comprendre » le fil qui relie ces oeuvres. S'abritant sous l'anonymat de « quelques visiteurs » qui lui en auraient fait la confidence, il écrit qu'on ne « peut pas saisir le lien, pas très visible il est vrai, qu'il y a entre les pièces exposées ». On ne peut ainsi « comprendre » ce « genre pictural qui assurément laisse loin derrière les licences que certains de nos peintres ont déjà prises avec la nature ». Certes à plus juste titre que ne l'avait fait Morisset, on pourrait trouver « timides » les licences prises par Jori Smith dans ses portraits et Jean Palardy, en 1938, eu égard à l'évolution de l'art depuis le début du siècle. Mais ayant déjà refusé le Fauvisme et ce qui s'est fait après 1905, ainsi que toute réflexion approfondie sur « l'esthétique du beau » et le sens de la production picturale, le critique se trouve déjà démuni dans sa communication avec les oeuvres. Il en convient presque, avec un peu de mélancolie: « Il est parfois si difficile de comprendre une formule nouvelle, à plus forte raison de la goûter. Il faut tant d'abnégation pour se dire qu'on n'est pas le seul à posséder la vérité quelle qu'elle soit. . . ». Et il concluera en proclamant malgré tout la nécessité de laisser à l'artiste la liberté, même la liberté de « piaffer un peu fort ». Les deux autres critiques qu'il publiera la même année sur l'illustrateur Paul Richard et le peintre G. Pfeiffer, beaucoup moins exigeantes, sont des exercices d'équilibre entre la louange et le blâme. [51]

En 1938, Morisset « néglige » de faire une critique des oeuvres de Pellan exposées à l'École des Beaux-Arts, qui seront commentées par Jean Paul Lemieux [52], même si Pellan sera toujours cité dans ses textes comme un « espoir » réel dans le renouvellement de la peinture québécoise [53]. Il écrira un texte de présentation de la première exposition, à Québec, des oeuvres de « M. et Mme Jean Paul Lemieux » [54]. Chez Madeleine Desrosiers, il note « une certaine hardiesse du dessin — ce que les gens appellent incorrection, sans doute en vertu de l'habitude qu'ils ont de confondre la peinture et la photographie », mais il n'explique pas la distinction qu'il fait lui-même entre les deux. Il loue sa manière que l'on qualifierait d'impressionniste: « les couleurs. . . semblent tenir entre elles de gais propos et se sourire gentiment dans de lumineux effets de soleil ».

Mais « tout autre est le talent de Jean Paul Lemieux », qui posera au critique des problèmes analogues à ceux provoqués par les oeuvres des Palardy. L'artiste est « épris de formes dépouillées, d'harmonie sans apprêts ». Morisset précisera: « . . . il commence par libérer sa palette de tous les tons qu'un bon élève y place à l'exemple de son maître — surtout quand ce maître prend le spectacle solaire comme l'aboutissement normal de tout tableau ». Encore une fois, Morisset ne dispose pas d'une esthétique qui lui permette de rendre compte d'un art qui se démarque des valeurs impressionnistes les plus notoires. Il trouve le moyen cependant de louer « une sorte de réalisme humoristique qui est l'indice d'une santé morale féconde ». Et ce qui fut peut-être plus réconfortant pour le peintre, il souligne des « rapprochements de gris et de vieux rose, etc. . . . un dessin qui crée des formes, comme certains verbes créent à eux seuls toute une phrase » et note dans certains tableaux « une désespérance dans la tonalité ».

En 1939, Morisset publie deux textes de critique. Le premier porte sur le jeune artiste André Morency [55] lequel, pour une fois, comble le critique: « il se place au premier rang de nos jeunes peintres ». Pourquoi? Parce qu'il lui semble correspondre à l'idée qu'il se fait de l'essence de la peinture. Cet artiste exprimerait la « joie de peindre », « qui s'alimente non seulement de l'observation intelligente, même passionnée, des hommes et des choses, mais encore de l'amour de l'expression plastique, du plaisir physique — j'allais écrire enfantin — qu'éprouve tout artiste véritable à manier des brosses et des pinceaux, des crayons et des bouts de pastel et à jouer nerveusement dans les pâtés de couleurs rutilantes », définition où l'instrumentation prend largement le pas sur le but de ce processus, d'autant plus que le tout reste accompagné « du même désir lancinant de résoudre les problèmes de métier. » Le critique se sent sur un terrain plus sûr, à partir des « tendances naturelles » de l'artiste qui sont: « d'une part résoudre avec bonheur des problèmes plus ou moins ardus de technique; — d'autre part traduire avec fraîcheur et spontanéité son interprétation personnelle du monde extérieur ». Mais son discours critique a perdu son assurance ancienne et sa foi globale dans le technique comme base théorique de la création artistique. Il se sent contraint en effet de protester: « Je ne veux pas dire que ce sont des oeuvres uniquement de métier loin de là; je veux marquer sincèrement leur origine plastique ».

Il trouvera aussi dans Cosgrove une oeuvre prometteuse [56]. Mais l'éclectisme d'un artiste l'embarrasse qui ne dédaigne « ni l'art strictement bourgeois ou naïvement scolaire », qui veut affirmer « sa propre vision du monde extérieur », mais sans trop bousculer son public: « Non pas que l'artiste se hasarde à nous imposer désobligeamment une vision radicalement nouvelle des choses: car il suggère au lieu d'affirmer. . . », qui se veut à la fois « spontané » et « prémédité ». Il n'arrive pas ici non plus à trouver le lien entre toutes ses diverses « conceptions artistiques ». Mais l'embarras serait grand s'il fallait fixer leur importance chronologique ou plutôt leur nécessité plastique ». Bref, avec ce dernier article, Morisset cessera de faire de la critique ponctuelle, plusieurs années donc avant que l'Automatisme québécois ne vienne « imposer désobligeamment une vision radicale des choses ». Les brèves notes qu'il consacrera plus tard aux artistes vivants seront superficielles, fruit de la « saine distance » de l'histoire de l'art plutôt que de la proximité du critique. Sauf quelques allusions aux « improvisateurs » de notre époque, il ne marquera publiquement sa réprobation vis-à-vis l'art qui s'était développé au Québec depuis les années 40, qu'en 1956, alors qu'il était déjà devenu directeur du Musée de la Province. Quelques mots suffisent et c'est son éternelle métaphore technique: « mais devant les tableaux de Borduas, je regrette que l'art du pinceau rejoigne ici l'art de la truelle ». [57]

Mais si on lit attentivement les deux textes qu'il publie, en 1946 et 1950: « Réflexions sur la peinture moderne » et « Réflexions sur l'art moderne — essai », on le sentira gêné et coupable vis-à-vis cet échec manifeste à aborder la production artistique de son temps. Dans le premier texte [58], il tente de substituer à son ancienne hypothèse de l'évolution des techniques, une théorie plus éclairante sur l'évolution de l'art. S'appuyant sur un article de René Huygue, dont il ne questionne pas non plus la « scientificité », Morisset parlera de la « courbe organique » de la peinture qui fait que les « nomades » du XXe siècle retrouveraient « l'irréalisme » des sociétés primitives, car le fait est acquis: « des civilisations entières ont vécu sur l'art non-figuratif. Cet « accès d'art imaginatif qui se fait jour dans notre peinture » serait réaction certes contre le « fade » réalisme de l'art ancien, mais encore plus, conséquence du développement des connaissances à « l'âge atomique »: « de là des habitudes de penser, de sentir, de créer, dont on ne trouve point d'équivalent dans l'histoire des derniers siècles de l'humanité ». Malgré cela, l'auteur croit pouvoir établir un bilan et départager le bon grain et l'ivraie: « Mais il est aussi infiniment probable qu'elle [notre époque] laissera un bien plus grand nombre d'échecs — car les peintres de notre temps, encore envoûtés par la recherche à tout prix de la spontanéité, sont trop souvent des improvisateurs (en science, ces improvisations rateraient les trois quarts et demi des découvertes) . . . ».

Le dernier article, en 1950, [59] est un peu moins dogmatique. L'historien d'art évoque longuement le phénomène notoire du rejet et des injustices perpétuelles des générations, les unes après les autres, vis-à-vis des grandes oeuvres d'art de leur époque. D'autre part, s'il avait souligné dans les années 20 et 30, que l'appréciation de l'architecture moderne ou de l'Impressionnisme exigeait une information préalable considérable, sans laquelle on ne pouvait rien y « comprendre », il ajoute maintenant que cette situation n'a fait qu'empirer. La modernité du début du siècle, souligne-t-il, issue de la confrontation au XIXe siècle des deux « tendances contradictoires: la scientifique et la sentimentale » était « chaotique et bigarrée », mais pouvait être assumée, comme il disait à l'époque « avec un peu d'effort intellectuel ». Mais la nouvelle modernité se fonde sur des assises plus vastes: « Tout se passe comme si la modernité agissait dans tous les sens ». [60] C'est-à-dire que « l'esprit de curiosité et d'investigation qui est de règle dans les connaissances positives, s'est étendu comme par contagion à tous les arts ». La modernité exige maintenant de l'homme moyen d'intégrer dans sa pensée aussi bien la musique « dodécaphonique, la coupe d'un moteur d'avion à douze cylindres en éventail, un poème surréaliste ou un gribouillage du genre lettriste; l'une quelconque des formules de transmutation atomique; certain plan de Le Corbusier; l'une des formules transcendantales de la *Relativité*, etc. ».

Par la suite, l'art d'aujourd'hui, fruit de la « modernité », laquelle est elle-même « fille de la science et de la technique » [61] réclame un type de critique radicalement nouvelle, poursuit Morisset: « Vu sous cet angle, l'art d'aujourd'hui échappe aux critères éprouvés de la critique traditionnelle; il se pose dans l'esprit humain au même niveau et avec la même acuité que les autres énigmes qui nous inquiètent et nous harcèlent; il réclame pour le juger des principes tout à fait différents de ceux qu'on a appliqués dans la critique d'art à évolution lente d'autrefois. Le rejeter serait un acte insensé; un acte de l'ordre du suicide. Mais comment l'accepter de gaieté de coeur ou simplement de confiance, alors que toute tradition est rompue et qu'il ne paraît exister aucun terme de comparaison qui puisse nous éclairer et nous secourir ». [62]

Comment ne pas s'incliner devant cette lucidité et cette franchise qui ne cherche pas à réduire à ses capacités psychiques ou à son information personnelles, la question de l'évolution de la culture et de la créativité des hommes? Même s'il demeurait trop marqué par le positivisme et l'esthétique de la fin du siècle dernier, qui lui interdisaient l'accès à la révolution artistique du XXe siècle, Gérard Morisset n'en a pas moins su par sa sensibilité à certaines valeurs de la « modernité », fournir au milieu québécois un premier instrument qui saura être fécond pour les générations qui l'ont suivi.

NOTES

1. « Réponse de M. Gérard Morisset », *Présentation* (Société Royale du Canada, Section française) vol. 1 (1943-1944), pp. 21-28.

2. Gérard Morisset, « Propos d'architecture — Le rationalisme en architecture », *Almanach de l'Action sociale catholique*, vol. 11 (1927), p. 39.

3. *Ibid.*, p. 44.

4. *Ibid.*, p. 44.

5. *Ibid.*, p. 44.

6. *Ibid.*, p. 44.

7. *Ibid.*, p. 40.

8. Gérard Morisset, « Propos d'architecture. Le classicisme et ses faux dogmes », *Almanach de l'Action sociale catholique*, vol. 12 (1928), pp. 57-62.

9. *Ibid.*, p. 60.

10. *Ibid.*, p. 62.

11. *Ibid.*, p. 57.

12. *Ibid.*, p. 60.

13. Gérard Morisset, « Propos d'architecture. Architecture religieuse moderne », *Almanach de l'Action sociale catholique*, vol. 13 (1929), pp. 53-57.

14. *Ibid.*, p. 53.

15. *Ibid.*, p. 53.

16. *Ibid.*, p. 53.

17. *Ibid.*, p. 53.

18. *Ibid.*, p. 57.

19. Roland Prévost, « M. Gérard Morisset », *La Revue Populaire*, T. XXVIII, n⁰ 4 (avril 1935), p. 5.

20. Gérard Morisset, « Réflexions sur notre architecture religieuse », *L'art religieux contemporain au Canada*, Québec (1952), pp. 38-45.

21. *Ibid.*, p. 38.

22. *Ibid.*, p. 42.

23. *Ibid.*, p. 54.

24. *Ibid.*, p. 43.

25. *Ibid.*, pp. 43 et 44.

26. *Ibid.*, p. 44.

27. Gérard Morisset, « Lettre sur l'art. L'Impressionnisme dans les musées parisiens », *Le Canada*, 11 juillet 1931, pp. 1 et 7; 13 juillet 1931, pp. 1 et 2.

28. *Ibid.*, 11 juillet, p. 1.

29. *Ibid.*, p. 7.

30. *Ibid.*, p. 7.

31. *Ibid.*, 13 juillet, p. 2.

32. Gérard Morisset, « Le dessin à l'école primaire », *L'Enseignement primaire*, vol. 57, n" 3 (novembre 1935), pp. 161-163; vol. 57, n" 5 (janvier 1936), p. 287.

33. *Ibid.* (janvier 1936), p. 287.

34. *Ibid.* (novembre 1935), p. 162.

35. Cf. Edward Fry, *Le Cubisme*, Paris, René Julliard, 1965, 380 p.

36. Pierre Bourdieu, « Sociologie de la perception esthétique », *Les Sciences humaines et l'oeuvre d'art*, Bruxelles, La Connaissance, 1969, pp. 166-177.

37. Fernance Saint-Martin, *Les Fondements topologiques de la peinture*, Montréal, HMH, 1980, 184 p.

38. Morisset, « Le dessin à l'école primaire », *L'Enseignement primaire*, vol. 57, n" 5 (janvier 1936), p. 28.

39. Gérard Morisset, « Propos d'art », *L'Événement*, 21 janvier 1935, p. 4.

40. Gérard Morisset, « Rodolphe Duguay », *Le Canada*, 24 janvier 1936, p. 2.

41. Gérard Morisset, « Un peintre québécois. Les toiles de M. G. Pfeiffer », *L'Événement*, 18 décembre 1937, pp. 3 et 14.

42. « Propos d'art », *loc. cit.*

43. Gérard Morisset, « L'influence française sur le goût au Canada », *Le Monde français*, vol. 5, n" 17 (février 1947), pp. 233-241.

44. *Ibid.*, p. 239.

45. Gérard Morisset, *Peintres et tableaux*, Québec, Les éditions du Chevalet, 1936-1937, 2 vol.

46. « Rodolphe Duguay », *loc. cit.*

47. Gérard Morisset, « Expositions (Ozias Leduc) », *Vie des Arts*, n" 1 (janvier-février 1956), p. 32.

48. « Rodolphe Duguay », *loc. cit.*

49. Gérard Morisset, « Alonzo Cinq-Mars », *Almanach de l'Action sociale catholique*, vol. 21 (1937), p. 80.

50. Gérard Morisset, « L'exposition de Jean Palardy », *L'Événement*, 27 février 1937, pp. 15 et 23.

51. Gérard Morisset, « Paul Richard, illustrateur », *L'Événement*, 15 avril 1937, p. 4; « Un peintre québécois, M. G. Pfeiffer », *loc. cit.*

52. Jean Paul Lemieux, « Notes sur quelques toiles de Pellan », *Le Jour*, 18 juin 1938, p. 2.

53. Ainsi: « Le plus puissant de nos coloristes, Pellan », dans « Exposition André Morency », *loc. cit.* Et « Marc-Aurèle Fortin et Alfred Pellan ont échappé tout à fait à l'emprise de l'art conformiste », dans « L'exposition Cosgrove », *L'Événement*, 18 novembre 1939, p. 4.

54. Gérard Morisset, « En visitant l'exposition de M. et de Mme Jean-Paul Lemieux », *L'Événement*, 14 novembre 1938, p. 3.

55. Gérard Morisset, « Exposition André Morency », *L'Événement*, 18 novembre 1939, p. 4.

56. Gérard Morisset, « L'exposition Cosgrove », *loc. cit.*

57. Gérard Morisset, « Expositions (Ozias Leduc) », *Vie des Arts, loc. cit.* p. 27.

58. Gérard Morisset, « Réflexions sur la peinture moderne », *La Revue Populaire*, vol. 39, n° 10 (octobre 1946), pp. 10 et 62-63.

59. Gérard Morisset, « Réflexions sur l'art moderne — essai », *Technique*, vol. 25, n" 2 (février 1950), pp. 109-116.

60. *Ibid.*, p. 111.

61. *Ibid.*, p. 110.

62. *Ibid.*, p. 114.

Jori Smith, *Mademoiselle Rose*, 1936. Gérard Morisset fait la critique de l'exposition conjointe de Jori Smith et de Jean Palardy tenue à Québec en janvier 1937. *(Musée du Québec).*

Jean Palardy, *La récolte des pommes de terre*, 1936. Il écrit de la peinture de ces deux artistes: « sans s'insurger irrévocablement contre ce qu'on appelle la tradition, (ils) s'expriment dans une langue picturale hardie, simplifiée, non dépourvue d'une certaine éloquence âpre et, croirait-on à première vue, revêche ». *(Musée du Québec).*

Jean Paul Lemieux, *Paysage des Cantons de l'est*, **1936. Morisset dit de sa peinture qu'elle est dépouillée, austère et réaliste: « . . . il commence par libérer sa palette de tous les tons qu'un bon élève y place à l'exemple de son maître, surtout quand ce maître prend le spectacle solaire comme l'aboutissement normal de tout tableau ».** *(Musée du Québec).*

GÉRARD MORISSET ET LES MÉDIAS DU CANADA FRANÇAIS

par Elzéar Lavoie

professeur
département d'histoire
université Laval

Dans une des plus belles pièces du dramaturge franco-roumain contemporain, Eugène Ionesco: *les Chaises*, le personnage principal et presque unique, un gardien de phare, ne cesse de répéter qu'il a un message très important à livrer au monde. Cette oeuvre n'est qu'une immense allégorie ou parabole, contemporaine d'*En attendant Godot* de Becket, et la scène devient vite le miroir de la salle, par l'accumulation des *dites* chaises pour une ultime conférence de presse où sera livré *le message*. L'attente anxieuse et exaltée est prétexte à de multiples scènes d'auteur éblouissantes. Ce que le personnage attend, et nous avec lui, c'est l'arrivée toujours retardée sous des prétextes dilatoires du *médiateur*.

L'option monographique qui fut celle de Gérard Morisset ressemble à l'accumulation de chaises pour une ultime conférence de presse, qui nécessite l'utilisation d'un intermédiaire, un médiateur, un *medium*. Gérard Morisset était porteur affairé d'un message au Canada français et utilisait autant de *media* qu'il fallait pour le diffuser. Non spécialiste du contenu du message mais des media de sa diffusion, je voudrais analyser les relations de Gérard Morisset avec les moyens de communication, son environnement médiatique en quelque sorte, son cheminement à travers les techniques de diffusion culturelle (élitique ou populaire) du Canada français de son temps. Un producteur de savoir sur l'art est efficace en autant qu'il sait utiliser les moyens adéquats pour le transmettre.

Posons d'entrée de jeu, avant toute démarche chronologique et analytique, que Gérard Morisset a écrit:

— près d'une centaine d'articles dans cinq ou six quotidiens différents (mais rarement dans les grands) en quelques années en début de carrière surtout;

— plus de soixante-quinze articles dans une dizaine de revues savantes ou d'intérêt général, mais rarement populaires, pour une bonne moitié; et dans des revues professionnelles comme *Technique, La Propriété et le bâtiment*, etc. pour une autre moitié.

— sans compter ceux parus dans la revue *Le Canada français*, en son début de carrière.

Mais à un médium plus oublié qu'il ne faudrait, la radio, Gérard Morisset a prononcé:

— près d'une centaine de conférences sur ondes moyennes;
— mais près de trois fois plus sur ondes courtes.

Des enregistrements ou disques de ces conférences, avec leur environnement sonore et leur mise en ondes, il ne reste pratiquement aucune trace, mais de leurs textes dactylographiés conservés, ceux qui ont huit pages furent donnés sur ondes moyennes, et ceux qui ont quatre pages sur ondes courtes.

Enfin, il faut faire un cas spécial du travail de collaborateur prestigieux que Gérard Morisset accomplit auprès du grand hebdomadaire à diffusion provinciale (et plus), la *Patrie du Dimanche*, au début des années 1950. Comme les *media* fonctionnent en système et sous-systèmes * dont la différenciation est le mécanisme spécifique mais semi-aléatoire, il nous faudra souvent parler des *media* d'une façon sectorielle, et autant que ceux auxquels Morisset n'a pas collaboré que de ceux où il eut accès.

J'essaierai de montrer chronologiquement le cheminement de Morisset dans son environnement — autre spécialité de l'historien qu'on dénommait autrefois contexte — pour la transmission de son message. Il existe des modèles de communication culturelle et nous verrons quel modèle peut rendre compte du parcours de Gérard Morisset, et s'il fut efficace pour lui et pour la discipline qu'il pratiquait.

Écrivain d'almanach

Les premiers contacts du jeune notaire Gérard Morisset avec les *media* sont les fruits de l'amitié qui le liait avec l'abbé Jean-Thomas Nadeau. Celui-ci le fit collaborer à l'annuel *Almanach de l'Action Sociale Catholique* à partir de 1924, et ce jusqu'en 1937, sauf en 1930 et 1932, années de résidence parisienne durant ses études en France [1]. L'*Almanach* avait conservé dans son titre le nom de la corporation éditrice de l'*Action Catholique* que le journal avait abandonné en 1915, et se voulait un concurrent sérieux d'un genre toujours populaire. [2]

Dès son premier article sur les *Édifices religieux*, Gérard Morisset évoque ce qui sera la passion de sa vie qu'il se révèle ainsi à lui-même, et qui contrarie rapidement son projet concurrent d'analyses notariales « *sur l'évaluation des propriétés immobilières* » pour la *Revue du Notariat* en 1927. C'est ainsi qu'une vocation se dessine à la fin des années 1920 pour Gérard Morisset, écrivain d'almanach.

Ce n'est qu'épisodiquement que Morisset écrira dans le quotidien l'*Action Catholique*: d'abord un article sur *Le Cap Santé*

---

* La démonstration, maintenant classique, en a été faite par Maurice Mouillaud, « Le système des journaux » *in Langages*, n° 11 (septembre 1968): 61-83.

en 1922 et quelques *Notes parisiennes* au temps de son séjour à l'École du Louvre. Même si l'université Laval ne lui offre pas le poste espéré, la revue de l'université Laval, *Le Canada français* [3], lui est largement ouverte dès avant son retour au Canada en 1934 et il y fournit, de septembre 1933 à octobre 1936, mais plus particulièrement groupés dans le volume 22, d'octobre 1934 à mai 1935, quatorze articles sur la *Collection Desjardins*, qui, rassemblés, donneraient un récit continu d'environ cent trente-cinq pages du style de ceux qu'il écrira par la suite. C'est un inventaire descriptif de type monographique, du genre de la thèse, qui signale sa toute nouvelle maîtrise reconnue en histoire de l'art.

Le deuxième article au *Canada français* interrompait cependant son entreprise de monographie par une étude subsidiaire de dix-sept pages en novembre 1933 sur la *peinture en Nouvelle-France. Sainte-Anne de Beaupré*, qui lui servira par la suite. Le *Canada français* était une revue universitaire de prestige, qui payait ses collaborateurs, la seule à le faire à l'époque [4].

La pige bienfaisante

À la recherche d'un emploi, le diplômé du notariat recyclé en historien de l'art (ce qui était sa vraie vocation), offre des articles au *Canada* de Montréal, organe libéral, dirigé par le franco-américain Edmond Turcotte qu'Olivar Asselin avait installé à sa succession [5]. Gérard Morisset y traite des « *débuts de la peinture en Nouvelle-France* » puis du peintre Joseph Légaré, au rythme d'un ou deux articles par mois du 13 juin 1934 jusqu'en octobre 1936, soit une trentaine, et révèle son attachement au « *Frère Luc* ». Il avait d'abord collaboré de Paris au *Devoir* en juillet 1931 par une « *Lettre sur l'art: l'impressionnisme dans les musées parisiens* », et il collaborera à l'*Ordre* d'Olivar Asselin en mars 1935 au moment de la fameuse condamnation par le cardinal Villeneuve, et à la *Renaissance* subséquente, cette fois sur le peintre Antoine Plamondon.

En même temps, Gérard Morisset tâte du journalisme à l'*Événement* de Québec en août, octobre et décembre 1934 et janvier, mars et août 1935. Il est aussi pigiste pour le quotidien *Le Droit*, de Hull-Ottawa, propriété des pères Oblats (OMI) de janvier 1935 à août 1936, moment où il place aussi de ses articles au *Journal* conservateur de Québec de septembre 1936 à décembre 1937, au temps d'avant la fusion de l'*Événement* et du *Journal*.

Cette activité de journaliste pigiste à l'époque de son retour d'études, en pleine crise économique, explique son attachement à la revue de l'université Laval pour y faire reconnaître son savoir original, en même temps que son attrait pour une large diffusion. Il commence même à l'automne 1934 un article pour la *Revue de l'Université d'Ottawa* qui n'aura pas de suite, en même temps qu'il publie dans le mensuel *Le Terroir* (probablement dans la mouvance de l'*Action Catholique*) * deux articles dont « *Le Noël de nos artistes* », s'essayant à des études du genre thématique.

---

* Le seul renseignement que nous possédons sur ce périodique est sa date de naissance: 1918. C'était un mensuel.

Devenu directeur de l'enseignement du dessin au Secrétariat de la Province (responsable du département de l'Instruction
publique), il organise aussitôt un « *concours de dessin* », dont il
fait la promotion pendant une année entière dans la revue l'*Enseignement Primaire* en 1935-1936. Ce poste de fonctionnaire lui
permettra d'entreprendre l'Inventaire des Oeuvres d'Art du
Québec dont il rêve et d'écrire les deux tomes de *Peintres et Tableaux*
en 1936 et 1937.

Accès à l'antenne

C'est en août 1938, au poste C.K.C.V. de Québec, que
Gérard Morisset fait l'expérience d'un nouveau médium de com-
munication: la radio [6]. En octobre et novembre 1938, il est déjà
invité au « *Réveil rural* », la toute nouvelle émission de Radio-
Canada qui aura une longue, très longue vie, pour y parler des
« *Arts domestiques d'hier et d'aujourd'hui* ». Pour le Comité d'Art
et d'Éducation de l'Exposition provinciale de Québec, il prononce
des causeries au poste C.K.C.V. en 1939 et C.H.R.C. en 1940 à
Québec. Puis, c'est le poste C.B.V., station de Radio-Canada à
Québec, qui lui donne l'antenne en 1940 aussi sur « *Notre héritage
français dans les arts* ».

Conférencier disert auprès de groupements spécialisés,
Gérard Morisset avait une voix très radiogénique à cette époque
où on adorait les voix au timbre grave (Albert Duquesne, Jacques
Auger) avec des harmoniques allant de la basse au baryton léger.
Même les quelques légers défauts de diction (hésitation, etc.) dus
à sa timidité lui étaient un atout pour retenir l'attention des audi-
teurs. Ses conférences tournaient presque toujours à la causerie;
c'est-à-dire l'intimité chaleureuse qu'il savait créer, même auprès
de vastes auditoires.

Primeur à la radio éducative

Ses talents et son savoir original désignaient Gérard Morisset pour inaugurer au réseau français de Radio-Canada la série
bientôt prestigieuse de Radio-Collège, toute nouvelle, et dont la
vie sera longue. [7] Il inaugura la première saison, celle de 1941-42,
le 8 octobre par dix-sept conférences sur la « *Sculpture* » et huit
sur « l'*Orfevrerie au Canada français* ». Le cours se donnait de 4
heures et trente à 4 heures et quarante-cinq du soir et était suivi
d'un semblable sur la « *maison canadienne* » par Jules Bazin. Le
frère Marie-Victorin, membre du comité pédagogique de l'émission avec les abbés Perras (Montréal) et Beaudry (Québec) et le
père Alcantara Dion (O.P.) assurait, pour sa part, la responsabilité de la série « *Cité des plantes* » avec son équipe du Jardin des
Plantes de la ville de Montréal.

La réussite de lancement de cette émission fut telle que
Radio-Canada créa les *Éditions de Radio-Collège* et offrit en vente
pour vingt-cinq sous:

Sculpture et orfèvrerie en Nouvelle-France (25 illustrations)
La maison canadienne et ses origines (25 illustrations)
La cité des plantes (1ère année) vingt sous.

Le directeur général adjoint de Radio-Canada reconnaissait que cette initiative était une « *tentative dans le domaine de la
radio éducative* » [8] pour ne pas dire intrusion dans un domaine de
juridiction provinciale, mais l'ensemble ne fut pas perçu comme
tel, puisqu'il servait à combler les lacunes manifestes de l'enseignement classique traditionnel, qui ne connaissait alors que le
grec-latin, la rhétorique et la philosophie étroitement scolastique.

Intrusion fédérale: désuétude d'un système

Le nouveau médium de diffusion de masse vient s'insinuer
dans les interstices du système en voie d'éclatement, par étroi-
tesse et traditionalisme, et supplée aux faiblesses de l'enseignement des sciences, des arts, de la musique et du théâtre, de l'histoire
et de la géographie. Gérard Morisset était de la nouvelle génération (dite de la Relève) [9] des Léon Lortie, abbé Tessier, Jean-
Charles Bonenfant, Raymond Tanghe, Claude Champagne et de
l'équipe Marie-Victorin (Jacques Rousseau, Pierre Dansereau,
Fernand Séguin et autres).

Tout compte fait cependant, la suppléance radiophonique
fédérale, dirigée par Aurèle Séguin, devait assurer la survie pour
une autre génération d'un système d'enseignement désuet, moyen-
nant quelques aménagements, notamment pour faire une portion
congrue aux sciences, mais non au domaine des arts toujours
inexistant. [9b] En quelques années, le tirage du programme-horaire
de Radio-Collège passa de cinq mille exemplaires au lancement
à quinze mille exemplaires [10] et devait tripler à nouveau au début
des années 1950.

La Voix du Canada français

Après le lancement et la réussite, quant à lui, de cette
première saison, Gérard Morisset devait attendre la naissance
de Radio-Canada International (ondes courtes) en 1944 avant
d'avoir de nouveau accès à l'antenne. Après une collaboration
épisodique en septembre et novembre 1944, Gérard Morisset fut
collaborateur hebdomadaire attitré de l'émission « *La Voix du
Canada* » de la fin janvier à la fin juin 1945 pendant vingt-deux
semaines. Comme cette émission était particulièrement destinée
aux pays francophones, il entreprit en février un historique en
cinq épisodes de « *l'influence française sur le goût au Canada* » et
cinq en avril sur « *Nos oeuvres d'art* », puis deux autres sur « *L'argenterie et la traite des fourrures* ». Il consacra le reste de ses interventions à l'actualité artistique québécoise. Il n'avait alors que
sept minutes d'antenne, la moitié moins qu'à Radio-Collège.

L'année suivante, 1945-46, Gérard Morisset prononçait
quarante-cinq causeries à la *Voix du Canada* sous le titre « *Chro-*

niques canadiennes d'antan », traitant de tous ses sujets favoris: Cap-Santé, la traite, la sculpture, la peinture portraitiste, les écoles artistiques canadiennes, la collection Desjardins, les vases d'or de l'Islet, les églises. Il fit à cette tribune, les premiers comptes rendus de « l'Inventaire des oeuvres d'art » en cinq épisodes. En 1947, c'est une série consacrée aux artistes (peintres, sculpteurs, orfèvres et architectes), de janvier à la fin de novembre. Durant la saison 1948-49, il prononce quarante-cinq conférences pour la Voix du Canada, regroupées par « dynastie d'artisans », par « ateliers d'orfèvres », « famille de peintres » ou « Nos Trésors ». C'est ensuite la série des Musées et des Forts du Canada en 1950, mais à partir de 1951 jusqu'en 1953, c'est plutôt l'actualité artistique contemporaine au Canada qui domine avec trente-quatre titres de juin 1951 à décembre 1952 après vingt conférences sur les institutions d'enseignement et de promotion des arts au Québec durant le premier semestre de 1951.

Créature de la radio

Pendant dix ans, soit de l'automne 1944 au printemps 1953, Gérard Morisset a été collaborateur attitré hebdomadaire à l'année longue pour l'émission de prestige de Radio-Canada International, et il fut véritablement la voix du Canada français d'après-guerre à la grande époque de la radio avant la télévision. De personnalité régionale, Radio-Collège l'a fait passer au rang de personnalité nationale et Radio-Canada International en fit une personnalité internationale dans le monde radiophonique francophone.

La radio a vraiment porté Gérard Morisset au sommet de sa renommée, de sorte qu'il n'est pas surprenant de le voir collaborer, en février 1953 et août 1954, à la Revue Française de l'Élite européenne, après avoir été appelé à collaborer à Painting in Canada / A Selective Historical Survey, de l'Institute of History and Art d'Albany (N.Y.) en 1946. La radio éducative a littéralement fait Gérard Morisset ce qu'il fut.

Si Morisset a prononcé près de trois cents causeries aux ondes courtes, il disposait cependant de la moitié moins de temps que lorsqu'il donnait la presque centaine de conférences sur ondes moyennes au plan national. Ces contraintes temporelles font partie du métier de journaliste et en ce sens, Morisset, ayant fait son dur apprentissage de journaliste pigiste pendant son séjour d'études et à son retour, se trouvait bien entraîné et prêt à s'adapter avec facilité aux exigences de la radio. Homme nouveau, recyclé, il était adéquat au niveau médium. Patronné par Jean Bruchési à la Société Royale du Canada, par Raymond Tanghe (semble-t-il) à Radio-Collège, il jouissait de l'amitié de René Garneau, conseiller culturel à Paris, pour le plan international.

Écrivain pour « La Patrie »

C'est à La Patrie, journal du dimanche, que les gens appelaient familièrement La Patrie du dimanche [11], que Gérard

Morisset écrivit le plus grand nombre d'articles dans un seul organe périodique durant toute sa carrière. C'est à propos d'un événement d'actualité: le « *200ᵉ anniversaire de naissance de Louis Quévillon, fondateur de l'École des Écorres/1749-1823* » que Morisset entreprend une collaboration spéciale à ce grand hebdomadaire de diffusion provinciale, le dimanche 2 octobre 1949. D'abord-bi-mensuelle en octobre et novembre, sa contribution est hebdomadaire à partir du 11 décembre 1949 jusqu'au 17 décembre 1950, reprend en février 1951 mais s'interrompt jusqu'en septembre et devient épisodique en 1952 à un rythme presque mensuel à l'automne 1952 et à l'hiver 1953 pour s'achever en août 1953.

Quand Morisset commence sa collaboration à *La Patrie du dimanche* « *le plus fort tirage des journaux français dominicaux d'Amérique* », comme le grand hebdomadaire se définit lui-même, ce journal est à la veille d'atteindre le sommet de son tirage en 1953 avec 279 000 exemplaires par semaine, « *a record never before attained in the French field* ». [12] Il termine sa quinzième année d'existence, ayant été lancé le dimanche 6 janvier 1935, et il la finit en beauté et plein d'euphorie.

Puisque cet hebdomadaire porte un nom plus que centenaire et qu'il vient de disparaître des kiosques de journaux (tirage inconnu depuis 1975), il vaut la peine de prendre la mesure du phénomène qu'il représentait au début des années 1950. Déjà en 1940, la profession disait les « *progrès étonnants de La Patrie du dimanche* ». [13]

L'escadrille des grands hebdomadaires

Tout le monde savait, le 6 janvier 1935, que *La Patrie du dimanche*, lancée à 40 000 exemplaires, serait le concurrent direct que *La Presse*, propriétaire depuis 1933 de *La Patrie* quotidienne, sa rivale durant cinquante ans, opposerait au phénomène du *Petit Journal*, fondé en 1926 par le colonel Roger Maillet, qui atteignait en 1935 un tirage étonnant de 74 000 exemplaires. [14] D'emblée *La Patrie du dimanche* dépassait le *Petit Journal* en 1936, atteignait 103 000 exemplaires en 1937 et 140 000 en 1940. *Le Petit Journal* ripostait en ajoutant à son écurie un *Photo-Journal* en 1937, qui n'allait réussir à s'imposer qu'à partir de 1942. [15]

En 1946, après une décennie de reprise économique et d'économie de guerre, la somme du tirage des trois grands hebdomadaires à diffusion provinciale se montait à près de 525 000 exemplaires au Québec, alors que le recensement dénombrait en 1941 une somme de près de 618 000 ménages (dont au moins 15% d'anglophones) au Québec. Il y avait donc un exemplaire d'un grand hebdomadaire francophone au moins par foyer francophone au Québec. Cela ne s'était pas vu depuis la grande percée des quotidiens en 1911: autant d'exemplaires que de foyers.

De 1947 à 1950, *La Patrie du dimanche* a vacillé sous le coup de feux croisés de la concurrence du *Petit Journal* et de *Photo-Journal*, mais se rétablit en 1950 et reprend son avance. [16] Le succès de ces grands hebdomadaires était attribuable à l'attrait qu'exerçaient l'illustration abondante et la bande dessinée (à cette époque de la vogue du cinéma, premier art démocratique) [17], ainsi qu'à un style de composition, une mise en page parfaitement calibrée et un graphisme savant.

Oeuvre de vieux routiers

La réussite de *La Patrie du dimanche* était attribuable pour une bonne part au savoir-faire du vieux routier qu'était son éditeur, Oswald Mayrand. [18] Né en 1876, secrétaire de la rédaction à *La Presse* en 1900 à la suite de la rentrée de Charles-Arthur Dansereau (dit « Boss ») en 1899 comme rédacteur en chef, il avait été à bonne école. Directeur de l'information à *La Patrie* rivale en 1908, Mayrand était revenu à *La Presse* comme rédacteur en chef de 1912 à 1933. En charge de *La Patrie* quotidienne, il conçut, à l'âge de 58 ans, de réaliser un projet qu'il voulut grandiose: un journal comme l'était *La Presse* au début du siècle [19] mais profitant en plus des développements techniques survenus depuis 40 ans et que les dissidents de *La Presse*, Eugène Berthiaume et Fernand Dansereau, s'essayaient vainement à réaliser à l'*Illustration* depuis 1931 (*Illustration Nouvelle* en 1935 et *Montréal-Matin* en 1939). [20]

Tel qu'il se décrit lui-même aux annonceurs à la fin de 1949, « Sunday *La Patrie* contains four sections: Rotogravure, Magazine, Comic, Late News. . . Magazine & Comic section Issued as separate sections ». . . .« Largest Readership—Nearly 1 1/2 million — Lowest Milline rate $1.18. / French Canada's Favourite Week-End Newspaper——Broadest Circulation—In French Canada— 3 out of 4 Homes in Montreal—3 out of 5 Homes in Quebec Province », déclare le placard publicitaire.

La Patrie du dimanche, qui se décrivait si élogieusement, n'exagérait pas puisque ces chiffres de pénétration (diffusion provinciale) furent complétés par une statistique intéressante qui montre qu'elle contribue:

> 6 700 exemplaires en Ontario;
> 2 895 exemplaires au Nouveau-Brunswick;
> 2 618 (other circulation), c'est-à-dire en Nouvelle-Angleterre. [21]

Il n'est pas alors surprenant que son tarif publicitaire de base (*transient*) fusse porté de trente cents la ligne agate à trente-cinq cents à partir du 1er janvier 1951, par l'*Audit Bureau of Circulation* (A.B.C.).

Il n'est pas exagéré de dire que *La Patrie du dimanche* était accessible à toute la francophonie nord-américaine, des marches du Québec jusqu'au nord-est des États-Unis. Ce grand hebdomadaire de l'après-guerre avait une diffusion plus que provinciale et profitait de l'ancien réseau de distribution de *La Presse*, qui avait une édition quotidienne américaine jusqu'en 1957.

Coloré et sportif

La caractéristique principale de *La Patrie du dimanche* qui la fait devancer son concurrent est le cahier de « *Rotogravure* » de papier glacé et son impression du « *Magazine* » en quadrichrome. [22] C'est le plus luxueux et le plus coloré des journaux du Canada. En 1950, le cartouche de l'édition nationale est en rouge et celui du magazine en noir et l'identification du cahier est, au contraire, de couleur inversée. Le cahier d'information générale a une manchette d'une demi-page et est d'une grande discipline pour les rubriques de Léon Trépanier (O.B.E. = Order of British Empire), de Damase Potvin (de la Société Royale du Canada), du Dr Adrien Plouffe (« *Le capital-santé* ») « *collaboration spéciale à La Patrie* », de l'« *Acheteuse avisée* », d'André La Rivière, (« *psychologue et psychanalyste de la Faculté de Médecine de Paris. . . etc. etc. Membre de la British Psychological Association de Londres* »), de la « *Chronique des Jeunes Naturalistes* », et de « *La Vie en Image* » (caricature) entouré d'annonces.

La Patrie du dimanche, dans son cahier d'information générale, est célèbre pour sa section sportive où écrivent les plus grands noms: le vétéran Zotique Lespérance, le futur conseiller législatif Jean Barrette, Phil Séguin, le jeune Roger Meloche, chacun identifié nettement par son titre de chronique. À travers tout ce cahier, ordinairement volumineux (une cinquantaine de pages), la publicité abondante est répartie logiquement: les produits domestiques à la suite de la chronique de consommation, les cigarettes, les liqueurs et les autos dès avant la section sportive.

Honneur au prestige et au talent

La section « *Magazine* », où Gérard Morisset apparaît comme élément de prestige, est d'une mise en page aussi soignée et diversifiée que la section générale, mais le graphisme se fait plus savant, raffiné et les couleurs atteignent parfois des tonalités différentes. En 1950, la deuxième section s'ouvre par une reproduction quadrichrome, avec phrase italique en exergue et un bloc isolé: « *Une nouvelle inédite écrite spécialement pour « LA PATRIE » par Jacques Hébert/L'Illustration est de Normand Hudon* » en lettres blanches sur fond bleu.

Dans ce cahier, tout est « *collaboration spéciale à « LA PATRIE »*, « *traduit spécialement pour « LA PATRIE »*, illustration crayonnée en couleur, jeux de photographies de visages ou de profils. Au centre du cahier, deux nouvelles littéraires illustrées, tandis que « *Mode* » et « *Recettes* » illustrées en couleur avoisinent la publicité logique de produits alimentaires ou de beauté. Dans ce cahier se réfugient les « *mots croisés* » et le « *courrier du dimanche* » (courrier du coeur). Le souci de création littéraire et artistique est visible et ce cahier est destiné à la femme. [23]

Avec l'apparition du syndicalisme dans la presse, reconnu à *La Patrie* le 13 septembre 1944, et l'imposition graduelle de la semaine ouvrable de cinq jours, *La Patrie du dimanche* était imprimée le jeudi et distribuée le vendredi, créant ainsi un vide pour l'actualité de fin de semaine qu'un quotidien du septième jour, *Dimanche-matin*, allait bientôt combler. De 1944 avec ses vingt-sept journalistes réguliers, *La Patrie* en avait plus de quarante en octobre 1949 et elle avait reçu l'apport de quelques grands noms du journalisme montréalais: Roger Duhamel en 1944, Paul de Martigny et Maurice Huot (du *Devoir*) en 1945, Marcel Ouimet (crorespondant de guerre à Radio-Canada) en 1948 et les écrivains Paul Toupin et Fernand Ouellette. Apparaissent aussi deux jeunes qui se poseront bientôt en concurrence de la *Patrie du dimanche*: Maurice Wleminckx et Claude Lavergne, mais pour l'heure ils y font leur apprentissage. [24]

Subvention indirecte: les clichés

Le cahier « *Magazine* » est le lieu de pigistes prestigieux: le *Globe Trotter*, désormais célèbre Jacques Hébert, et le caricaturiste et illustrateur Normand Hudon, les respectés et prolifiques retraités Damase Potvin et Léon Trépanier, vieux compagnons de route d'Oswald Mayrand. C'est parmi eux que s'insère Gérard Morisset et sa fidèle chronique d'Histoire de l'art. *La Patrie du dimanche* ne pouvait rêver de sujet plus facile à illustrer puisque l'*Inventaire des Oeuvres d'Art du Québec* fournissait tous les clichés accompagnant l'article.

Au début de la collaboration de Morisset à *La Patrie du dimanche*, la rédaction souligne en quinze lignes la photo classique de l'écrivain en termes flatteurs de ses titres et mérites. Morisset y varie ses articles en alternant ses études de sculpture, d'orfèvrerie, d'architecture religieuse et domestique, de l'apprentissage, de la peinture, passant de la biographie à la thématique, profitant de l'actualité liturgique de la Pâques pour traiter de « *La passion du Christ dans l'art canadien* » (26 mars 1950), des « *Madones canadiennes* » en mai, et de « *Saint Jean-Baptiste dans l'art canadien* » et des « *ex-voto de Sainte-Anne-de-Beaupré* », en juin et juillet respectivement, de « *l'École des Arts et Métiers de Saint-Joachim* » à la reprise scolaire, etc.

Morisset et l'ironie québécoise

En relisant ces articles si soignés de Gérard Morisset, on se rend compte de l'ironie fine qu'il utilise parfois: « *Louis Quévillon s'insinue dans les bonnes grâces de marguilliers* » (2 octobre 1949); « *le saint personnage qui s'était fait une spécialité du baptême* » (25 juin 1950), « *c'est le Conseil de Marine qui. . . essaie de comprendre. . . sans toujours y parvenir* », les plans de Chaussegros de Léry (10 décembre 1950). Morisset aime à citer les extraits euphoriques du *Journal* du curé Panet de l'Islet sur ses vases d'or, sa petite folie douce.

C'est dans *La Patrie du dimanche* que paraissent sa défense et illustration de quelques *ex-voto* de Sainte-Anne-de-Beaupré au nom de l'art naïf contre James LeMoine qui les traite de caricatures (23 juillet 1950), ainsi que le récit coloré du *Trésor* de l'Islet.

C'est dans « *Maîtres, compagnons et apprentis* » que Morisset pose la question essentielle:

> « Pourquoi tant d'ingéniosité, de savoir-faire et de spontanéité chez des artisans issus du peuple. . . Pourquoi tant de perfection et de caractère si peu communicatif? ».

Et ses réponses dépassent de loin, en fine compréhension du système, ses sources, d'arides et stéréotypés formulaires notariaux qu'il connaît si bien (29 janvier 1950).

Son texte « *Chapelles de procession* » insiste longuement, par ses comparaisons, sur le « *caractère nettement canadien — je devrais dire québécois (sic)* », de cette construction religieuse qui « *est édifiée par le peuple et pour le peuple* », car les archives renseignent peu « *sur ces petits édifices, qui paraissent d'ailleurs avoir été élevés au moyen de souscriptions populaires* » et qui ont précédé comme mode celle des croix du chemin et n'ont pas « *dépassé l'époque 1845* ».

C'est à la fin de son article sur « *L'Église Saint-Jean-Port-Joli* » que Morisset ironise amèrement sur « *notre admirable devise Je me souviens et cet engourdissement de la mémoire qu'elle favorise* » de sorte qu'« *un peuple qui se souvient peut détruire insoucieusement son patrimoine artistique ou l'abandonner à de rapaces antiquaires* » (28 mai 1950).

Excelle à **La Patrie** . . . *excelle partout*

Ces articles sont si finement rédigés, que plusieurs sont repris peu après leur parution dans *La Patrie du dimanche* pour les revues, les unes savantes: *Technique*, ou les *Mémoires de la Société Royale*, les autres professionnelles: *La propriété et le bâtiment* ou *Architecture, Bâtiment, Construction*. [25]

Gérard Morisset est alors si connu de tous pour son savoir spécifique et ses qualités de vulgarisateur de ce savoir auprès du grand public, qu'il rédige pour l'*Encyclopédie Grolier*, ce précurseur canadien de l'*Universalis*, les articles « *Canada-Arts en Nouvelle-France* » et « *Orfèvrerie* » pour l'édition de 1952. Il était tout désigné pour l'*Encyclopédie du Canada Français* à ses débuts où il donne en 1960 sa « *Peinture traditionnelle au Canada français* », qui porte le numéro 2 de cette collection. L'écrivain d'almanach des années 1920 aboutissait à l'Encyclopédie dans les années 1950 après s'être fait connaître par la radio et la presse à grande diffusion.

Spécialiste consulté par la Commission royale *Massey-Lévesque* (Arts, lettres et sciences au Canada), intervenant au troisième congrès de la Langue française au Canada, au Congrès de refrancisation durant les années 1950, il allait contribuer largement au *Dictionnaire biographique du Canada* (D.B.C.) au volume 1 paru en 1966, et s'intéresser à la Commission d'enquête Rioux sur l'enseignement des Arts au Québec en 1968. Il avait consacré entre-temps tous ses soins à la création de *Vie des Arts* en 1956, qu'il alimenta de sa prose durant la première année, puis plus épisodiquement, au début des années 1960. Incontestablement un expert en histoire de l'Art, il savait aussi intéresser un public de masse, tout autant qu'un public d'élite, cultivé.

C'est en reprenant, après vingt ans, un article de *La Patrie du dimanche* sur les « *Madones canadiennes d'autrefois* », qu'il apporte son ultime collaboration à la *Revue française de l'élite européenne* en 1971, peu avant sa mort. C'est dire l'estime en laquelle il tenait jusqu'à la fin de sa vie sa collaboration au grand hebdomadaire à diffusion de masse des années 1950.

Illustration à la radio?

Le *programme-horaire* 1941-1942 de *Radio-Collège* portait, en sous-titre du titre du cours la rubrique « *Illustration* » avec le nom de l'objet d'art chargé d'illustrer le cours. Il était assez absurde de parler d'un objet sans pouvoir le montrer et *Radio-Canada* dut donc créer ses propres *Éditions*, ce qui illustre par contre bien les limites du médium d'ondes aériennes purement sonores.

Par contre, un grand hebdomadaire illustré était ce qu'il y avait de plus adéquat, et chaque semaine la chronique de Gérard Morisset était illustrée, non pas d'un seul, mais de plusieurs clichés. La technique de photographie était suffisamment à point pour qu'enfin, on puisse porter au regard d'un vaste public de masse les objets d'art jusque là réservés à un public restreint.

Les ondes aériennes audio-visuelles que sont la télévision, ce rassemblement de chaises en un espace restreint, eussent été le médium le plus adéquat de tous les média pour porter le message de Gérard Morisset. La télévision de Radio-Canada du temps du monopole, qui était si éducative dans ses visées et qui utilisa tant de documentaires [26], genre qui joint le regard à la parole, ne donna pas accès à l'antenne au grand spécialiste et vulgarisateur de l'Inventaire des Oeuvres d'Art du Québec. C'est un curieux paradoxe puisque les maîtres d'oeuvre de la télévision d'État étaient presque tous anciens de *Radio-Collège*.

*   *   *

Si nous résumons le cheminement de Gérard Morisset à travers les média du Canada français de son temps, nous le voyons passer de la revue universitaire, austère, aux quotidiens de faible tirage des années 1930 en un effort multiplié pour gagner sa vie en ces temps de crise économique. Puis, en position d'autorité, la radio lui donne accès aux antennes régionales d'abord, ensuite nationales, et il lance, le premier, le message de la radio éducative. Dès la naissance du Service international de la radio d'État, il y oeuvre et sa collaboration durera dix ans. Sa renommée l'impose comme élément de prestige au plus grand hebdomadaire illustré de l'après-guerre, *La Patrie du dimanche*, qui est le médium le plus adéquat que lui offre la société de son temps, au début des années 1950. À cinquante-cinq ans, son savoir accède à la vulgarisation encyclopédique, à la publication de luxe et bientôt, au dictionnaire, ce conservatoire de toute la mémoire du monde.

Le modèle socio-dynamique d'Abraham Moles [27] rend compte de ce cheminement. Les mass-media, entre autres, l'almanach, arrosent la société globale de messages culturels diversifiés; les esprits innovateurs, créateurs, qui absorbent cette culture par osmose dans leur sensibilité, conçoivent des rapports, des arrangements nouveaux, qu'ils diffusent d'abord dans les *micro-milieux* dont le rôle de support, — et de censure aussi, — est essentiel à la dynamique de la culture; les événements et les occasions interviennent pour imposer, grâce aux pressions opportunes ou importunes des *micro-milieux*, le message nouveaux aux mass-media, qui en arrosent la société globale et ainsi de suite. Le modèle est un résumé de fonctionnement, qui conserve même simplifiés tous les éléments caractéristiques. Dans le cas de Gérard Morisset, il rend compte à la fois de l'individu et de la société globale (ou son environnement).

Gérard Morisset a atteint d'abord un public informé, qu'on dit cultivé, surtout jeune, pour déboucher en dernier ressort sur un public populaire, car un million et demi de Canadiens français, même hors du Québec et du Canada, ont pu avoir accès à son message. On peut créditer l'historien de l'art, devenu vulgarisateur — cas rare et « *encore jamais vu au Canada français* » avant Gérard Morisset et *La Patrie du dimanche* — d'avoir sensibilisé le public populaire francophone de l'Amérique du Nord à son patrimoine artistique et culturel. On dirait aujourd'hui qu'il a conscientisé son époque.

Cependant, la nouvelle époque qui commence avec la télévision le bouda et les nouveaux mandarins de la nouvelle « *fonction publique* », envieuse et brouillonne en sa « *révolution tranquille* », — véritable antiphrase, — n'ont pas su respecter et utiliser son savoir en confondant le contenu (l'art traditionnel) et le contenant (les media: photographie, illustration). Cette méprise de demi-cultivés, qui adorent la revue de luxe mais méprisent les grands hebdomadaires de masse, est efficace par son inertie et ses préjugés à tenir la jeunesse québécoise éloignée de l'enseignement des arts. On se contente au Québec de commissions d'enquête, c'est-à-dire d'études en vase clos dont les résultats, s'il ne s'agit pas de structure, vont nourrir la poussière des « conservateurs » de bibliothèques ministérielles. Par contraste, Gérard Morisset, tout participant de l'ancienne fonction publique qu'il ait été, ne fut pas un velléitaire; il était trop artiste pour mépriser le public.

Déjà, au début des années 1950, son amère ironie avait de quoi s'exercer, car les soeurs de l'Hôtel-Dieu de Québec commençaient à saccager la si belle et imposante architecture conventuelle tri-centenaire, et les prêtres du petit Séminaire, déplaçant l'université Laval, concevaient un campus à l'américaine en choisissant de suivre l'avis d'architectes-urbanistes dépassés, cependant bien en cour et bien en selle. Ce ne sont que deux parmi les principaux adorateurs du nouveau dieu: le béton entouré de gazon artificiel. Quand ces conservateurs, nés du traditionalisme, renient leur vocation, c'est tragique, car la « *trahison des clercs* » est la pire expression du mépris pour le peuple.

Le modèle socio-dynamique de la culture veut ignorer

qu'entre les deux publics (l'informé et le populaire) s'insinue le relais politique, celui des décideurs qui n'ont ni savoir, ni sensibilité, ou qui affectent de mépriser l'un et l'autre. L'affaire du *Trésor de l'Ange-Gardien* qui a fait les manchettes de la presse populaire à Québec [28] récemment, montre bien l'inconscience et la bêtise des décideurs. Ce n'est pas, contrairement à ce qu'écrivait Gérard Morisset dans *La Patrie du dimanche*, « *un peuple qui détruit insoucieusement son patrimoine artistique* », mais des décideurs qui le détruisent eux-mêmes ou l'abandonnent « *lâchement à de rapaces antiquaires* ». Le « *peuple* » par ses media manifeste, au contraire, son émotion.

Les décideurs ancien style ou nouveau sont complices d'une élite sociale (*establishment*) sans savoir ni sensibilité, et d'une bourgeoisie thésaurisante, pour elle seule, de biens culturels collectifs d'origine populaire que servent de « *rapaces antiquaires* ». Le savoir informé et la sensibilité populaire ne peuvent rien contre la politique, que ce soit celle du Ministère ou de Vatican II.

Tous les efforts d'éducation auprès de la jeunesse et du grand public, auxquels Gérard Morisset a consacré sa vie, n'ont pas empêché la situation de se dégrader, car les media, si sonores ou si illustrés soient-ils, sont comme le *Messager* tant attendu des *Chaises* d'Ionesco qui, dans le dernier tableau, a des gestes de statue et, est aussi muet qu'une statue. Il y a bien un messager, même plusieurs, mais pas de message à cette conférence de presse ultime. Le message est projection de nos désirs.

L'option de Gérard Morisset pour l'éducation populaire et la communication médiatique, qui se révéla inefficace, pose le problème socio-politique de l'oeuvre d'art. L'art est toujours si près de l'or, et donc du pouvoir, que le mécénat d'Église ou d'État n'est pas une question innocente. Les media sont toujours muets sur ce sujet, « mais le savoir historique ne peut se taire ».

NOTES

1. *cf.* biographie de Gérard Morisset, *supra*.

2. Pour la fiche signalétique des journaux, *cf.* Beaulieu, André et Jean Hamelin. *Les Journaux du Québec de 1764 à 1964*, n° 6 des « Cahiers de l'Institut d'Histoire », P.U.L. 1965 (seule édition complète à ce jour); ci-après: Beaulieu, *Journaux*. La seconde édition, en cours de publication (*La Presse québécoise. . .*) en plusieurs volumes n'a pas encore atteint suffisamment le XXe siècle pour être utile dans l'étude des périodiques contemporains. L'*Action* est morte en 1973. Quant à l'*Almanach* de l'*Action*, nous ne la connaissons que superficiellement, et il en est de même pour l'*Almanach du Peuple* de Beauchemin, cependant plus que centenaire.

3. Nous ne possédons pas d'inventaire, comparable à Beaulieu, *Journaux*, pour les revues et autres périodiques. La *Revue du Notariat* a été fondée en 1898 et le *Canada français/Publication de l'université Laval* était la seconde mouture depuis 1913 de la *Revue de l'université Laval* et l'organe de la « Société du Bon parler français ». Nous attendons beaucoup des recherches de Philippe Sylvain sur l'histoire de l'université Laval. . . et ses publications.

4. Témoignage de monsieur Philippe Sylvain. Durant les années 1930, le *Canada français* avait pour directeur-gérant l'abbé Aimé Labrie et il semble que l'abbé Émile Bégin en fut le secrétaire de rédaction; il en devint directeur après 1942.

5. Olivar Asselin démissionna de la direction du *Canada* plusieurs mois avant l'expiration de son contrat au début de 1934 (*cf. Pensée française* — 1937) et moussa la candidature d'Edmond Turcotte à sa succession (*cf. Journées de la Presse française à Québec* en août 1934 — édition Le Soleil, 1934, à l'occasion des Fêtes du 4e centenaire de la découverte du Canada — où Asselin parle avec éloge des jeunes Georges Langlois et Edmond Turcotte).

6. Nous ne possédons que peu de renseignements sur les émetteurs de radio de la ville de Québec. Il y a quelques bribes (paragraphes ou allusions) dans les divers volumes (à partir du tome XXV) de l'*Histoire de la Province de Québec* de Robert Rumilly, Fides, 1943. . . Pour le contexte général, *cf.* mon article « Évolution de la radio au Canada français avant 1940 » in *Recherches sociographiques*, vol. XII, n° 1, janv.-avril 1971: 17-49. En 1926, année de deux gouvernements fédéraux minoritaires — King et Meighen — naissent C.K.C.V. et C.H.R.C. qui ont survécu aux gouvernements majoritaires subséquents King et Bennett. Le poste C.K.C.V., propriété du *Soleil*, quant à lui, ne survécut pas au régime Bennett.

7. La Bibliothèque de la Législature à Québec possède une collection reliée des *Programme-Horaire* de Radio-Collège, commençant en 1942-1943, mais j'ai retrouvé le *Programme-Horaire* de la première saison (1941-1942) non relié parmi des brochures diverses de Radio-Canada. Nous ne possédons pas de monographies des genres radiophoniques, et nous attendons beaucoup des « Archives de

la radio » de l'université du Québec à Montréal, que dirige madame Renée Legris, dont le *Robert Choquette, auteur dramatique* est une oeuvre pionnière.

Radio-Canada possède certainement un bon dossier sur Radio-Collège car plus une émission était de culture « cultivée », plus la documentation la concernant est volumineuse. Les dossiers-programme sont à Radio-Canada (Montréal) tandis que les dossiers administratifs sont à *C.B.C. Head-Office* (Ottawa). Radio-Collège dura jusqu'en 1956.

Il serait important d'étudier ces genres radiophoniques puisque Radio-Canada (Montréal) fut pionnier de la radiophonie rurale et éducative au Canada. *Young Canadian Listens* est né de Radio-Collège.

8. *cf.* p. 4 du *Programme-Horaire de la saison 1942-1943* (deuxième saison). Le comité pédagogique est à la page 5 et les *Éditions* sont annoncées en page 32.

9. *cf.* un article de Jean-Charles Falardeau sous ce titre in RS, VI, n° 2 (mai-août 1965); 123-133 et Jacques Pelletier « *La Relève:* une idéologie des années 1930 », thèse manuscrite — Université Laval, septembre 1969.

9b. Un indice probant de la désuétude de ce système autocratique et monopolistique apparaît nettement par l'incroyable histoire du collège classique de Cornwall (Ontario) où des pédagogues contemporains (Bernard Jasmin, Réginald Boisvert et autres), tout autant que des politiciens fédéraux sont impliqués. *Cf.* Claude Galarneau, *Les collèges classiques au Canada français 1620-1970*. Fides, 1978.

10. *Cf. Programme-Horaire* de 1944-1945, p. 26 sous la rubrique « Le Courrier de Radio-Collège ».

11. *Cf.* Beaulieu, *Journaux*, p. 136 (1er paragraphe) au numéro 1151. La Bibliothèque de la Législature à Québec a relié en deux volumes annuels la section « édition nationale » et en un volume la section « magazine », mais a jeté à la poubelle la section « rotogravure » et la section « bandes dessinées », autrement dit le photo-journalisme et le photo-dessin qui faisaient la popularité de ce grand hebdomadaire. La « civilisation de l'image » n'avait pas encore atteint les « conservateurs » de bibliothèque.

Il y a d'ailleurs des numéros manquants, notamment pour 1949, à la Législature. De plus, le microfilm noir et blanc ne rend pas justice à l'hebdomadaire quadrichrome, ni au glacé du papier de rotogravure. Les analystes et conservateurs ne respectent pas la matérialité de ce produit culturel, et méprisent le corps physique au nom du salut de l'âme. Au milieu du XXᵉ siècle, on s'en tenait encore à l'hygiène corporelle du roi-soleil!

12. *Canadian Advertising Rates and Data*, ci-après CARD (selon son sigle), publication d'abord trimestrielle, de 1926 à 1954 (six fois l'an jusqu'en 1966, aujourd'hui mensuelle) de l'agence MacLean (aujourd'hui MacLean-Hunter). La citation ici est: CARD, 1952, 4th quarter, p. 67.

13. *Annuaire de la Publicité et de l'Imprimerie* (A.P.I.) 1940-41 (Ottawa, Éditions du *Droit*) p. 88. C'est le titre d'un article anonyme. Cette publication annuelle francophone, qui eut pu être le C.A.R.D. du Canada français, s'interrompit à sa seconde publication.

14. Quand *La Presse* s'assagit sur injonction archi-épiscopale à partir de 1922 (cf. MacKenzie Porter « The Pulse of French Canada » *in MacLean*, vol. 67, n° 6, March 15, 1954), il y eut un vide que les frères Maillet pensèrent à combler. Le titre *Le Petit Journal* est un nom magique qui attira le vrai fondateur de *La Presse* (*cf.* Beaulieu, *Journaux*, p. 138, n° 1165). Ceux des Canadiens qui firent la guerre des tranchées durant la première guerre mondiale, savaient la popularité de ce quotidien millionnaire au tirage, en compagnie du *Petit Parisien*. Il y a près de cinquante ans que Jean Morienval (pseudo d'Huguenin), *les créateurs de la grande presse en France* (Paris, 1934) a décrit le phénomène. Aussi Jacques Kayser, *Le Quotidien français*, 1964, p. 48.

On ne sait rien du *Petit Journal* des frères Maillet; Fernand Denis en fut un des piliers, Alain Stanké y fut reporter bientôt célèbre et Janette Bertrand assura un *courrier du coeur* agressif durant les années 1950.

15. Le nom même de cet hebdomadaire à diffusion provinciale indique bien le genre de journalisme que voulait représenter cet organe nouveau.

16. *Cf.* Graphique sur l'Évolution des tirages de 1935 à 1971.

17. *Photo-Journal* a une section cinématographique « De Hollywood. . . New York. . . Paris. . . Londres. . . Rome. . . » et était dirigé par Geneviève de

la Tour Fondue. Pour l'histoire du cinéma, *cf*. Garth S. Jowett. *Film/The Democratic Art*, Boston, 1976.

18. *Cf. Les biographies françaises d'Amérique*, Montréal, 1950.

19. *Cf.* MacKenzie Porter *in MacLean*, 1954, cité *supra*; aussi Ruthenford « The People's Press » *in Canadian Review of History*, 1975.

20. Cela apparaît nettement dans le nom même du journal et dans l'oeuvre de Joseph Bourdon, *Montréal-Matin/son histoire/ses histoires*, Éditions de *La Presse*, 1979.

21. *Cf.* C.A.R.D., 2nd quarter 1950 et 3rd quarter 1950, p. 68.

22. À cause du défaut de conservation et des faiblesses du support microfilmique, nous ne pouvons décrire la morphologie de la section rotogravure ni du cahier de bandes dessinées, *cf. supra*, n° 11. Nous décrivons ci-dessous un numéro au hasard, en février 1950 (dimanche le 5) au moment où Gérard Morisset commençait d'y collaborer et de l'enquête dont nous venons de faire état.

23. Du moins selon des stéréotypes sexistes traditionnels pour la partie de ce cahier qu'on vient d'identifier. On sait par une enquête de *Canadian Facts* de 1965 que les hommes lisent assidûment les pages féminines, et on affirme maintenant que les femmes sont les plus fidèles téléspectatrices du sport.

24. Archives de la Commission des Relations industrielles (A.C.R.I.), *passim*. Une copie de toute convention collective doit être déposée au ministère du Travail pour entrer en vigueur. Pendant près de dix ans, l'annexe *nominative* des salaires des membres de l'unité d'accréditation était déposée avec le texte. C'est un précieux outil pour l'historien. Claude Lavergne sera un pilier de *Dimanche-Matin* (où il est encore) et Maurice Wleminckx participera à *Allo Police* des débuts.

25. *Technique* (10 fois/an) a été fondée en 1926, et est sous-titrée « revue mensuelle de formation professionnelle publiée par le service d'information du ministère de l'Éducation » depuis 1964.
Architecture / Bâtiment / Construction est mesuel, né en 1945 et est une publication Southam McLean.
La Propriété et le Bâtiment, mensuel, né en février 1946 a eu Roger Champoux comme rédacteur au milieu des années 1960.
On ne possède pas d'inventaire des revues professionnelles.

26. *Cf.* Gérard Laurence. *Histoire des Programmes de télévision/Essai méthodologique appliqué aux cinq premières années de C.B.F.T. — Montréal*, thèse de doctorat, — manuscrite — Université Laval, XXV, 1 749 pp.

27. Abraham Moles. *Socio-dynamique de la culture*, Mouton, Paris-La Haye, 1970 (le modèle dont il est question ici est expliqué et illustré, pp. 30-31).

28. On peut suivre l'affaire dans le *Journal de Québec*, et subséquemment dans le *Soleil* au printemps de 1978.

Gérard Morisset signe dans l'édition dominicale de *La Patrie* des articles à partir de 1949, et celà jusqu'en 1953. Journal à très fort tirage, *La Patrie* permettait à l'historien d'art de diffuser ses textes de vulgarisation auprès d'un vaste public. (Photo: *Jacques Robert*).

Des revues comme *Technique* lui offrait la possibilité d'atteindre un auditoire plus spécialisé et plus scolarisé. Le ton et la facture des articles sont alors différents de ceux qui caractérisent les textes à la radio ou à *La Patrie*. (Photo: *Jacques Robert*).

GÉRARD MORISSET ET L'ÉCRITURE

par Maurice Lemire
directeur
Dictionnaire des oeuvres littéraires du Québec
université Laval

Les lecteurs des ouvrages d'histoire de l'art de Gérard Morisset auront tôt fait de remarquer le souci de correction et même d'élégance qui s'y manifestent. Cependant, il faut bien avouer que l'auteur ne travaille pas d'abord sur le langage lui-même. Pour lui, la langue est au service des beaux-arts, comme nous le révèle des ouvrages tels que *Peintres et Tableaux* et *Coup d'oeil sur les Arts en Nouvelle-France*. Son rôle n'est pas de discerner l'ivraie du bon grain. Certes, il lui arrive de porter des jugements, d'exprimer des préférences, mais sans invoquer tout un système de références qui lui servirait à justifier son appréciation. Surtout, il se refuse autant que possible au subjectivisme. C'est pourquoi il n'entre pas souvent en dialogue avec l'oeuvre. L'art n'est pas avant tout pour lui l'amorce d'une féconde rêverie. Il suffirait de comparer ses propos sur le sujet avec ceux d'Alain ou de Valéry pour conclure en ce sens. Il se présente comme historien de l'art et tient à passer pour tel. Il invoque parfois sa formation univer-sitaire [1]. Jamais il ne se départit de l'objectivité propre à l'historien. Le grand maître d'oeuvre de l'inventaire «systématique et raison-né » du patrimoine d'art du Québec se doit d'accueillir sans parti pris toute manifestation artistique du génie national. Aussi recon-naît-on chez lui le souci de rendre compte le plus objectivement possible d'un certain contenu, à l'aide d'un vocabulaire simple, clair et pas trop technique. Il regroupe sa matière, soit par genre, soit par époque, soit par auteur. Là paraît s'arrêter son travail et sa compétence. Mais, sentant le danger de passer pour un simple compilateur, Morisset a voulu faire voir l'autre dimension de son métier ou de son art:

> Même l'historien de l'art est un artiste à sa manière: je ne parle pas de sa prose, qui est soumise aux règlements ordinaires de toute prose; mais des qualités de compréhension, de sensibilité, de justesse, de flair qu'il déploie dans la critique des oeuvres. [2]

Ces lignes montrent bien que Morisset était conscient de la précarité de sa position. D'un côté, il ne se fait pas d'illusion sur les possibilités que lui offre la prose descriptive d'un historien de l'art; de l'autre, il croit tout de même pouvoir exprimer sa relation personnelle avec les oeuvres. Y parvient-il? Voilà la question à laquelle nous allons tenter de répondre, en nous attachant à sa méthode descriptive des oeuvres d'art.

En avant-propos de *Coup d'oeil sur les arts en Nouvelle-France*, Morisset adopte une position très nette d'historien: « C'est un simple coup d'oeil sur l'évolution du goût dans la province de Québec; une sorte d'essai où les considérations sociologiques précèdent l'étude des oeuvres et, jusqu'à un certain point, aident à les comprendre » [3]. En somme, l'objet de l'étude n'est pas l'oeuvre d'art en soi, mais l'évolution du goût. La production artistique est en quelque sorte réduite au rôle de jalon qui indique les étapes. L'historien signale aussi son intention de chercher un point d'appui à l'extérieur des oeuvres, non pas pour confirmer, mais pour expliquer l'évolution. Ainsi l'étude comporterait un double objectif — l'évolution et l'explication politique de l'évolution. Une fois ces paramètres fixés, Morisset élabore son discours. Les résultats de son inventaire l'amène à déterminer la durée des périodes. Il constate par exemple que le style Louis XIV « simplifié comme il convenait à une colonie naissante » [4] s'est perpétué près de deux siècles et il en fournit l'explication: cette persistance est attribuable à « la faveur de nos fortes traditions professionnelles ». Un peu plus loin, il vante les proportions de la maison québécoise, malgré l'empirisme des bâtisseurs et il en attribue la réussite à la pratique réfléchie du métier et à la vivacité des traditions. L'explication relève plus souvent de l'idéologie en place que de l'analyse politique.

Toutefois, ce métalangage plein de jugements de valeur est plutôt rare chez l'historien. Plus souvent qu'autrement, il se limite à une description des oeuvres d'art qui n'a d'autre qualité que sa précision. Analysons un premier exemple:

> La Vierge est debout, tournée vers la gauche, les mains jointes sur la poitrine, un voile sur la tête; elle est vêtue d'une tunique rouge. Devant elle, un livre ouvert. Au fond à droite, la courtine d'un lit d'enfant. [5]

Cette description méthodique ne comporte aucune épithète appréciative. Elle procède à partir du premier plan où se situe le sujet: orientation du personnage, posture et vêtement. Le détail du livre ouvert est très important parce qu'il fixe l'interprétation de la scène. En dernier, l'arrière-scène. Une seule mention de couleur, la tunique rouge. Cette sobriété de description surprend un peu. Sans doute Morisset est-il peu intéressé par ce tableau attribué à Carlo Maratta et retrouvé dans l'inventaire de la succession de l'abbé de Calonne. Ce serait pourquoi il a jugé opportun de se limiter à une description technique.

Pour une « Assomption de la Vierge », cette fois attribuée au frère Luc, on trouve une description à peu près semblable:

> On y voit une femme entourée d'angelets, étendant les bras et levant les yeux vers une colombe. Voilà le thème. Les détails vestimentaires ne sortent pas beaucoup de la tradition. Parfois la Vierge porte une tunique rouge et un manteau bleu; d'autres fois, elle est vêtue d'une robe blanche et d'un manteau flottant de couleur azur; sa tête est couverte d'un voile bleu pâle. [6]

Bien que dépourvue, elle aussi de tout épithète appréciative, cette description est beaucoup plus colorée. Les grands
volumes sont indiqués avec leurs dégradés en azur et bleu pâle.
Il s'agit ici du frère Luc, d'un pionnier de la peinture au Québec.
Aussi a-t-il droit à une certaine appréciation de son métier. La
description se complète donc dans un autre paragraphe:

> En revanche le métier prédomine. L'artiste, peu ou point absorbé
> par la composition rachète la banalité de l'ensemble par d'esti-
> mables qualités d'exécution. Les tissus sont modelés avec soin, à
> la manière de Guido Reni; les pieds et les mains, dessinés d'après
> nature, sont des modèles d'élégance classique, les accessoires
> sont rendus avec le réalisme mitigé du XVIIe siècle français. [7]

Avec une élégance d'expression remarquable, Morisset
évite de s'appesantir sur la banalité de la composition pour s'en
tenir à l'exécution. Il note la qualité des modelés, de l'anatomie
et des accessoires en prenant comme référent, pour les premiers,
un peintre italien, pour les deuxièmes, la ressemblance naturelle
et pour les derniers une grande époque picturale. Sauf pour le cas
de Reni, il n'y a pas de références précises, mais des affirmations
générales que tout homme cultivé pourrait faire. Dans le cas présent, Morisset se tire d'affaire à bon compte en utilisant des formules passe-partout.

Il s'agit cependant là d'une catégorie supérieure à la précédente car elle a droit à une analyse générale, mais non circonstanciée. Le frère Luc a peint au Québec, il s'inscrit dans la tradition picturale québécoise, mais il appartient à la France. Il n'en
va pas de même pour certains peintres vraiment québécois.

Morisset, en étudiant la carrière d'Antoine Plamondon,
distingue les bons tableaux des médiocres. À ces derniers, il n'ac-
corde que peu d'attention. Par exemple, du portrait de la duchesse
d'Aiguillon, il écrit: « C'est une peinture lourde, au coloris vaseux.
La duchesse est assise dans un fauteuil, les jambes beaucoup trop
courtes, vêtue, dirait-on, de vêtements mouillés. À gauche en haut
des draperies. Au fond à droite, on voit le Saint-Laurent sur lequel
vogue une barque » [8].

Même technique de description que dans le premier exemple: premier plan et les quatre coins de la toile. Toutefois, ici, les
épithètes appréciatifs ne manquent pas. D'abord, un jugement
d'ensemble. Bien que très péjoratives, les épithètes ne sont cependant pas expliquées. On passe directement au personnage que
caractérise un défaut anatomique. Morisset ne se contente pas
d'affirmer que les jambes sont trop courtes, il ajoute « beaucoup »
pour souligner un défaut majeur. Quant au drapé, il est complètement manqué puisqu'il produit un effet contraire à celui que
l'on attendrait. Le fond de scène est évoqué sans commentaire.
Le « n'insistons pas » qui suit laisse croire que, à l'avis du critique,
il s'agit de détails de mauvais goût. Sur les tableaux de cette catégorie, Morisset aurait pu s'étendre bien davantage, mais il opte
pour la discrétion. Son attitude est tout autre quand il analyse
de bons tableaux.

Avec l'arrivée à Québec du peintre Victor Ernette en 1839,
Plamondon a dû subir une concurrence à laquelle il ne s'attendait

pas. Pour garder sa clientèle, il soigne davantage ses tableaux d'où les excellentes toiles signées en 1841 et qui portraiturent les mères Saint-Joseph et Sainte-Anne.

À la description réglementaire, Morisset ajoute l'interprétation psychologique:

> Elle [mère Saint-Joseph] est songeuse. On dirait même qu'elle souffre, qu'elle est consumée par une fièvre intense, tant son expression est douloureuse. Les yeux fixes, brillants comme des billes de marbre brun, sont veloutés et caressants; le nez fort, charnu, bien dessiné par un filet de lumière, projette sur la joue et la lèvre une ombre que le peintre a rendu avec un réalisme parfait. [9]

Une première affirmation, certes trop catégorique, est nuancée par deux autres pour en arriver à une sorte de diagnostic. Puis, viennent les signes qui ont guidé le critique, la brillance des yeux. Cette qualité est relevée par une comparaison qui détache les prunelles pour leur rendre toute leur sphéricité. La couleur brune objectivée est atténuée par les attributs « veloutés » et « caressants ». En cours de paragraphe, Morisset oublie cependant son objectif psychologique pour revenir au métier qui seul l'intéresse. Il louange le rendu du nez par un jeu de lumière et d'ombre. Ici, l'appréciation se fonde presque uniquement sur la sémantique. Le nez dessiné par un filet de lumière projette une ombre. . .

Morisset continue son analyse en se concentrant dans le paragraphe suivant uniquement sur le métier:

> Au reste tout est réalisme dans ce portrait extrêmement vivant: le voile et le manteau noirs disposés tous deux avec grâce et naturel; la toile blanche de la guimpe mise en relief par les ombres crues et de larges plis créant des reflets et des dégradés savoureux; la robe et les manches d'un beige chaud, d'une texture à la fois lourde et souple; la petite croix d'argent poli qui pend sur la poitrine et brille avec discrétion; la main nerveuse tenant un livre et ce livre faisant une tache éloquente de vermillon dans cet ensemble de tons neutres. Enfin le fond de la toile, assez sombre pour faire valoir les masses blanches et beiges, assez éclairé pour rendre aux noirs tout leur effet, teinté vers la droite de ce mauve que l'artiste aimait et qu'il a distribué généreusement dans un grand nombre d'oeuvres. [10]

Ce texte caractéristique de la méthode descriptive de Morisset se construit autour de deux pôles, les formes et les couleurs, mais surtout au profit de ces dernières. En effet, des formes que constituent le voile, le manteau, la croix, la main et le livre, il ne résulte aucune composition particulière. Tout est jugé en fonction de la vie. La grâce et le naturel répondent aux exigences de l'esthétique classique. La main est nerveuse, donc vivante. . . Les couleurs sont traitées avec plus de sensualité grâce à un choix d'épithète. Le blanc est mis en relief par des « ombres crues ». Le beige est qualifié de « chaud »; la texture du drap, de lourde et souple. L'adjectif « poli » employé pour caractériser l'argent de la croix évoque immédiatement les reflets discrets au milieu d'un ensemble plutôt austère. Il en va de même pour le livre qui constitue une « tache éloquente de vermillon ». Quand il en arrive à traiter du fond de la toile, Morisset ne voit plus que des masses de couleur qui se font valoir les unes les autres.

Par la nature même de ses recherches, Gérard Morisset était appelé à un genre d'écriture bien particulier. En tant que pionnier de l'histoire de l'art au Québec, il avait pour tâche d'établir l'authenticité des oeuvres, de découvrir les altérations et surtout de décrire les objets. Sa formation à l'École du Louvre l'a doté d'un savoir-faire qui s'appuie sur un vocabulaire du métier et d'un ordre de description. C'est à partir de cette formation universitaire que Morisset s'est créé un style qu'il cherche à enrichir et à perfectionner au cours des années. Quand il s'est senti suffisamment maître de sa plume, il a abordé un genre plus libre d'écriture dans un petit roman qu'il publiait en 1948 sous le titre de *Novembre 1775*. On peut croire que le critique, prenant congé de toutes les exigences professionnelles, se livre enfin à l'écriture avec toute la gratuité dont il a toujours rêvé. Mais on ne se déleste pas du métier avec autant de facilité. Gérard Morisset romancier est encore Gérard Morisset descripteur d'oeuvres d'art. En effet, dans sa nouvelle, la description prédomine.

La nouvelle historique qui paraît en 1948 est passée presque inaperçue aux yeux de la critique. Pourtant, elle présentait une facture incomparablement plus moderne que les romans balzaciens de Gabrielle Roy et de Germaine Guèvremont. L'intrigue, très savamment construite, se déroule à un double niveau: l'histoire de Julien Fournier et de ses amours avec Louise Loubier trouve son dénouement dans l'invasion américaine de Québec en 1775. Bien que ce soit un roman à la troisième personne, le narrateur n'est pas omniscient et il ajuste son récit aux connaissances que pouvaient avoir les contemporains de l'événement. C'est ainsi que dans un pays sans système valable d'information, la nouvelle est laissée en pâture au colportage avec toutes les déformations que cela comporte. Le romancier exploite avec bonheur les effets d'incertitude créés par les rumeurs.

C'est dans l'économie de la narration que Morisset se dévoile artiste de la plume. Cette histoire très simple, si elle se déroulait dans toute sa linéarité, serait dépourvue d'intérêt. Un jeune homme dont le père vient de mourir apprend par la grand-mère de son amie qu'il est désormais l'héritier du patrimoine jadis dérobé aux Loubier. Les attaques répétées de la vieille femme pousse le jeune homme à s'enrôler dans l'armée de Carleton pour défendre Québec contre les Américains. Il trouve la mort durant la campagne et lègue toute sa fortune à sa fiancée.

Le roman s'ouvre sur un cauchemar de Julien qui plonge le lecteur dans une atmosphère de surréalisme total. Tous les thèmes du roman y sont entremêlés dans un climat d'horreur qui dépouille les événements de leur simplicité quotidienne. C'est pour Morisset l'occasion d'un morceau de bravoure. Au chapitre suivant viennent les explications. Le père de Julien est mort et les armées américaines se préparent à investir la ville. Les six épisodes suivants qui constituent autant de chapitres, sont choisis avec soin. Ils sont condensés dans le temps et ne portent que sur une seule péripétie. Le récit se trouve ainsi coupé dans sa linéarité et le lecteur doit suppléer par l'imagination pour reconstituer ce qui s'est passé dans l'intervalle. Le destinateur fournissant le minimum d'indices oblige le destinataire à un acte créateur de lecture. Lors de sa seconde querelle avec Mme Loubier, Julien quitte précipitamment la pièce sans qu'on sache où il va. On le soupçonne bien d'aller s'enrôler et le chapitre suivant devrait décrire la bataille au cours de laquelle il périt. Morisset l'omet complètement et ce n'est que par un retour en arrière que l'on apprend comment le héros a succombé.

Ce roman n'a peut-être pas reçu l'accueil qu'il méritait à cause d'une certaine préciosité, tant dans la facture que dans l'écriture. Le souci constant des effets artistiques lui confère une sorte de raideur qui sent l'application. Les descriptions en particulier sont un peu recherchées pour elles-mêmes. Quand Julien, par exemple, entre pour la première fois chez Mme Loubier, le lecteur a droit à une description non seulement de la pièce, mais aussi de tous les objets d'art qu'elle contient: tableaux, dressoirs, médaillons, la table et le couvert. Après l'algarade avec Mme Loubier, Julien attend Louise dans l'antichambre pendant que la jeune fille passe une autre robe. L'attente se prolonge peut-être à dessein pour donner au protagoniste le temps d'admirer les portraits de l'antichambre. À l'étage où il décide enfin de monter et où il trouve son amie endormie nue — autre sujet de peinture — il peut également admirer « dans chaque panneau vertical, qui correspond à un tableau du plafond, [. . .] un portrait de la jeune fille dessinée à l'aquarelle » [11].

Au cours de ces descriptions, l'homme de métier transparaît à travers l'artiste. Le tableau de la grand-mère dans la salle à manger rappelle certaines descriptions de l'inventaire:

> En face c'est le portrait de sa troisième femme à vingt-deux ans, Grand'mère en personne, fraîche et presque jolie; il y a un soupçon de tendresse dans la courbe du nez; le reste est d'une dureté de métal: les yeux d'un bleu acide, le front bas, le menton qui s'étale sous deux lèvres minces, le port de tête, tout dans ce portrait est insupportable. [12]

Ici encore une description à laquelle un choix d'épithètes confère une dimension psychologique.

Morisset ne décrit pas que des oeuvres d'art dans son roman, mais il conserve la technique de l'homme de métier. À preuve, ce portrait de Louise:

> [. . .] la ligne noblement sinueuse de la jambe, la plénitude de dessin du bras, la souple distinction de la démarche. . . Beauté particulière: elle réside dans l'expression olympienne du visage, surtout dans le regard; regard parfois dur, quand la jeune fille ne se surveille pas, regard extrêmement caressant, dès qu'elle veut plaire; regard mobile, qui donne le change sur la qualité de l'émotion. . . [13]

Beauté plastique de tout le corps, bien sûr, mais encore une fois dominée par le regard. Les « billes de marbre brun » semblent parler au critique plus que tout autre signe. Les yeux, changeants comme la mer, ont toutes sortes de significations sur lesquelles l'artiste ne cesse de s'interroger.

En conclusion, nous croyons pouvoir répondre à la question que nous posions en introduction, « Gérard Morisset parvient-il, malgré les exigences de la description technique à exprimer sa relation personnelle avec l'oeuvre d'art »? Un certain nombre d'exemples nous ont permis de découvrir que les descriptions de peintures en particulier pouvaient se classer en trois catégories. Une première, purement technique, dépourvue de tout genre d'appréciation, s'applique généralement à des peintures étrangères qui ne s'inscrivent pas dans la tradition picturale du Québec. Une deuxième catégorie ajoute à la description technique quelques épithètes, mais sans tentative d'interprétation. En général, cette catégorie est réservée aux mauvaises toiles candiennes. Morisset en fait état, marque sa désapprobation, mais n'insiste pas. Au cours de son inventaire, le critique a trouvé plusieurs oeuvres médiocres ou même franchement mauvaises, mais il évite l'éreintement systématique tout probablement pour les mêmes motifs qu'un Camille Roy ou un Louis Dantin qui préféraient ne pas éteindre la mèche qui fume encore. Enfin, pour les oeuvres qu'il estime vraiment, Morisset élabore un discours plein de résonnances affectives, discours qui reste toutefois empreint des termes du métier. Même dans un écrit aussi gratuit qu'un roman, il ne parvient pas à s'en libérer. Aussi, ses descriptions sur l'art se confinent le plus souvent au niveau technique sans déboucher sur une philosophie élaborée, comme on en trouve chez Alain ou même chez Charles Du Bos, ses contemporains.

NOTES

1. Gérard Morisset, *Coup d'oeil sur les arts en Nouvelle-France*, p. 145.
2. *Ibid.*, p. 144.
3. *Ibid.*, avant-propos p. [ix].
4. *Ibid.*, p. 2.
5. Gérard Morisset, *Peintres et Tableaux* I, p. 109.
6. *Ibid.*, p. 31.
7. *Ibid.*, p. 32.
8. *Ibid.*, p. 143.
9. *Ibid.*, p. 150.
10. *Ibid.*, p. 151.
11. Gérard Morisset, *Novembre 1775*, p. 143.
12. *Ibid.*, p. 33.
13. *Ibid.*, p. 59.

Claude François (le frère Luc), *L'Assomption de la Vierge*, église Saint-Philippe de Trois-Rivières, vers 1675. Gérard Morisset décrit dans le premier volume de *Peintres et tableaux* cette peinture d'un artiste qu'il a beaucoup étudié. (Photo: *Inventaire des biens culturels*).

Antoine Plamondon, *Portrait de la Mère Saint-Joseph, professe à l'Hôpital-Général de Québec,* 1841, Hôpital-Général de Québec. La description qu'il fait de ce portrait de religieuse est typique de sa technique descriptive. (Photo: *John R. Porter*).

Novembre 1775 que Gérard Morisset publia à compte d'auteur et à trois cents exemplaires en 1948, est une nouvelle historique. De facture moderne, le récit raconte l'histoire de Julien Fournier et de ses amours avec Louise Loubier à laquelle se superpose le contexte de l'invasion américaine de 1775. (Photo: *Jacques Robert*).

Le livre est illustré de dessins coloriés à la main par l'auteur, présentant des scènes de la nouvelle; celle-ci s'ouvre sur l'évocation d'un cauchemar de Julien. (Photo: *Jacques Robert*).

GÉRARD MORISSET ET L'ORFÈVRERIE

par Robert Derome
Professeur
département histoire de l'art
université du Québec à Montréal

L'intérêt porté par Gérard Morisset à notre art religieux, où l'orfèvrerie occupe une large place, est considérable. Parti du constat que pratiquement rien n'était connu sur nos artistes et leurs oeuvres, Morisset ne tarda pas à étudier l'orfèvrerie en même temps que la peinture, la sculpture et l'architecture, lorsqu'il visitait les nombreuses églises, les collections et les communautés religieuses du Québec afin de compulser les dossiers de l'Inventaire des Oeuvres d'Art du Québec. Le fruit de cette cueillette prit d'abord la forme de volumineux et importants dossiers à l'Inventaire, aujourd'hui conservés au ministère des Affaires culturelles du Québec. Morisset fit mettre toute cette documentation sur fiches, méthode souple, simple et efficace. Nous lui devons d'avoir introduit cette méthode au Québec. Complété par des dossiers photographiques, ce fonds demeure l'un des plus riches et des plus complets en ce qui concerne l'orfèvrerie ancienne. Personne d'autre que lui n'a développé une documentation aussi riche et importante. Avec une précision toute notariale, Morisset a constitué un inventaire selon des normes rigoureuses qui demeurent encore insurpassées. Il est à souhaiter que l'accès à cette documentation demeure ouvert à tous les chercheurs qui oeuvrent dans nos universités et nos musées. L'historiographie a fait des pas de géant depuis l'époque où Morisset publiait ses premiers articles et volumes. Alors qu'aucune institution d'enseignement ne dispensait des cours d'histoire de l'art, Morisset a tenté et réussi à intéresser un vaste public à notre art ancien. À travers cette abondante moisson, nous étudierons ce qui concerne l'orfèvrerie. Après avoir tracé un profil chronologique des écrits de Morisset, nous ferons quelques réflexions globales sur sa pensée et les points saillants de ses interprétations. Par la suite, nous nous attarderons sur quelques aspects spécifiques à l'orfèvrerie.

Chronologie des écrits de Morisset sur l'orfèvrerie

Le premier écrit substantiel de Morisset sur l'orfèvrerie a été publié en 1941 dans *Coup d'oeil sur les arts en Nouvelle-France* [1].

Dans ce volume de synthèse, il consacre le même espace à l'architecture et à la sculpture (23 et 22 pages), un peu moins à l'orfèvrerie, aux facteurs d'orgue et aux autres artisans, ou à l'art au XXe siècle (chaque section a 17 pages). Seule la peinture occupe un espace plus important avec ses 42 pages. L'ordre de classement des chapitres est significatif et Morisset ne dérogera que très peu de ce modèle dans ses écrits postérieurs. Ordonné et logique, Morisset va du contenant au contenu, du général au particulier: architecture, sculpture, peinture, arts décoratifs. Peut-on également y lire une hiérarchie dans les arts? On peut en douter, puisque Morisset semble placer la peinture en tout premier par l'espace qu'il lui attribue, et par les nombreuses publications consacrées à cette discipline dès avant 1941. Par contre, dans le choix des illustrations, Morisset favorise nettement la sculpture (11 photographies), alors que l'orfèvrerie et la peinture sont sur un pied d'égalité avec 8 illustrations chacune et que l'architecture a 5 illustrations. Contrairement aux autres chapitres, celui consacré à l'orfèvrerie débute par un jugement de valeur qui explique l'intérêt de Morisset pour cet art:

> « Tout autant, et peut-être plus, que dans la sculpture ornementale, les Canadiens français ont donné leur mesure dans l'orfèrerie. Ce double résultat a une cause commune: la longueur et le sérieux de l'apprentissage, conséquence logique du caractère artisanal de ces arts appliqués ».

Dans ce volume, Morisset donne plusieurs interprétations qui seront constamment reprises dans ses écrits ultérieurs. Nous y reviendrons plus loin.

En 1942, Morisset consacre sa première monographie à un orfèvre: François Ranvoyzé. L'auteur y dévoile sans faux-fuyant sa passion pour l'artiste, déclarant que « la *ranvoyzélâtrie* ne peut être un sentiment répréhensible. . . » [2]. Mêlant la religion à l'art, Morisset établit la structure hiérarchique des orfèvres à qui on doit vouer un « culte », leur érigeant des sculptures placées dans des niches de différentes grandeurs selon leur importance respective. Cette façon de procéder n'est pas sans rappeler les longues discussions et les désaccords qui opposèrent les auteurs de la décoration de la façade du Palais législatif de Québec, où l'on devait attribuer une place et un rang aux héros de notre histoire. Morisset a donc hérité de cette idéologie qui consistait à classer les héros du passé et à élever des monuments commémoratifs à leur juste mesure. Ranvoyzé figure parmi les plus grands [3] aux côtés de Paul Lambert, Laurent Amiot et François Sasseville, tous des orfèvres de la ville de Québec, ceux de Montréal occupant le second rang.

Outre ce volume, Morisset publie également en 1942 plusieurs articles où il traite de l'orfèvrerie [4]. Dans l'un d'eux, il met en vedette les superbes objets de l'Hôtel-Dieu de Montréal, qui sont malheureusement encore trop peu connus [5]. Morisset y découvre les splendeurs façonnées par des orfèvres montréalais, tels que Ignace-François Delezenne, Michael Arnoldi, Robert Cruickshank, Jean-Marie Grothé et Robert Hendery. C'est l'un des rares écrits où Morisset reconnaît à sa juste valeur l'art de ces orfèvres. Il conclut son article par un hommage vibrant à l'orfèvrerie:

> « En somme, les belles oeuvres d'art de l'Hôtel-Dieu sont des pièces d'argenterie — des ouvrages de cet art subtil et souvent méconnu, qui ne s'impose vraiment au goût bourgeois qu'aux époques de brillante civilisation! » [6]

Cette appréciation n'a pas empêché la communauté des religieuses Hospitalières de Saint-Joseph de mutiler quelques années plus tard le magnifique calice de Delezenne, qualifié par Morisset « d'oeuvre la plus parfaite de l'époque ». Dans plusieurs autres articles, Morisset confirme sa préférence pour les orfèvres de la ville de Québec. Il s'intéresse davantage à l'orfèvrerie religieuse, dédaignant l'orfèvrerie de traite qu'il qualifie de pendeloques destinées aux « grands enfants des bois » [7].

Toujours en 1942, Morisset rend hommage à « un chef-d'oeuvre de François Sasseville », la calice de Cap-Santé [8]. Dans un autre article, le mot chef-d'oeuvre est utilisé pour la lampe de sanctuaire de Robert Cruickshank à Saint-Martin (Ville de Laval) [9]. Cette oeuvre « si parfaite et si pure », fabriquée par un orfèvre qui possède « un métier impeccable », suscite cependant quelques commentaires désobligeants de la part de Morisset lorsqu'il utilise des formules telles que « vague insolence à force de volonté tendue », « volonté méprisante », ou « dédaigneuse originalité ». Ces réserves équivalent à un rejet de l'esthétique de tradition britannique qui ne correspondent pas aux critères élaborés par Morisset et basés principalement sur la tradition française.

En 1943, la critique a bien accueilli l'*Évolution d'une pièce d'argenterie* [10]. Ce petit ouvrage explique l'évolution historique de l'encensoir, tout en révélant des oeuvres fort intéressantes dont plusieurs sont aujourd'hui introuvables. La même année est publiée une monographie sur l'église de Varennes [11], suivie par celle sur l'église de Cap-Santé en 1944 [12]. Entre-temps, des articles sont publiés sur les églises de Châteauguay [13] et de Berthier-en-haut [14], où Morisset utilise la même structure et la même approche que dans *Coup d'oeil sur les arts en Nouvelle-France*.

L'année 1945 est beaucoup plus faste. Morisset publie l'ouvrage le plus rigoureux et le plus approfondi qu'il ait produit sur un orfèvre: *Paul Lambert dit Saint-Paul* [15]. Tous les documents y sont longuement cités, étudiés et confrontés. C'est de loin l'ouvrage le plus érudit de Morisset en orfèvrerie. La même année, il consacre deux importants articles à cette discipline, l'un sur l'orfèvre François Chambellan [16], l'autre sur ce fascinant et curieux objet, aujourd'hui désuet, appelé l'instrument de paix [17].

En 1946, Morisset fait l'éloge de la collection Carrier dont il fera l'acquisition pour le Musée du Québec en 1959 [18]. Il s'agit là d'une heureuse initiative, qui a permis la conservation au Québec d'une collection d'orfèvrerie importante. Morisset la qualifiait de « collection d'argenterie la plus complète du Canada et peut-être des États-Unis » [19]. Ce commentaire nous paraît aujourd'hui quelque peu exagéré puisque la collection Carrier était principalement constituée d'ustensiles et de menus objets alors que la collection Birks, dont on connaît l'importance, était déjà en voie de formation depuis 1936, à l'époque où Gérard Morisset, Ramzay

Traquair et Marius Barbeau commençaient à s'intéresser activement à l'orfèvrerie. Quant aux collections qui se trouvent aux
États-Unis, elles n'ont rien à envier à celles qui se trouvent de
ce côté-ci de la frontière.

Plusieurs articles paraissent en 1947, dont des monographies sur les orfèvres Michel Levasseur [20] et Pierre Lespérance [21]
ainsi qu'une étude générale sur l'orfèvrerie québécoise. Dans plusieurs articles plus généraux touchant plusieurs disciplines artistiques, Morisset fait aussi mention de l'orfèvrerie, mais toujours
brièvement. En mai, il se livre à un curieux jeu littéraire qui démontre une certaine façon de concevoir l'histoire et la critique
d'art. Il met en scène l'orfèvre Ranvoyzé dans une saynète où
l'artisan s'entretient avec un client qui vient d'entrer dans sa bou-
tique. Bien qu'amusant, ce divertissement joue allègrement avec
la véracité historique [22].

En 1948, Morisset reprend son idée voulant que la qualité
de l'orfèvrerie repose sur l'excellence de l'apprentissage [23]. Il poursuit son interprétation psychologique des ancêtres de la Nouvelle-
France, les décrivant comme « des êtres peu compliqués ». Voilà
pourquoi, selon lui, les objets sont rudimentaires. La lecture des
inventaires après décès à Montréal, de 1740 à 1760 par exemple,
nous donne une toute autre image de l'orfèvrerie domestique
utilisée par les gens. Malheureusement, la plus grande partie de
ces oeuvres n'existe plus. En 1948 et 1949, Morisset poursuit la
rédaction d'articles monographiques sur des paroisses en ajoutant celles de Kamouraska [24] et d'Oka [25], où il réserve toujours un
espace consacré à l'orfèvrerie. Il y utilise une formule qu'il répète
souvent dans ses écrits: « Le véritable trésor de (. . .), c'est son
orfèvrerie. Elle n'a pas la somptuosité de celle de (. . .), ni la diver-
sité de celle de (. . .). Toutefois, elle est remarquable ».

Par sa collaboration régulière au journal *La Patrie* en 1949-
1953, Morisset nous a laissé près d'une vingtaine d'articles où il
est question des orfèvres, Paul Lambert, Michel Cotton, Louis-
Alexandre Picard, François Sasseville, Pierre Huguet, Jacques
Pagé et Roland Paradis. Trois articles sont respectivement consacrés à l'orfèvrerie de traite, aux vases d'or de Ranvoyzé à l'église
de l'Islet et à l'orfèvrerie française au Québec. Quelques articles
sur des paroisses incluent le commentaire habituel de l'auteur sur
leur trésor d'orfèvrerie: Sainte-Famille (Île d'Orléans), Cap-Santé,
Saint-Jean-Port-Joli, Saint-André (Kamouraska), Deschambault.
Trois articles thématiques font également référence aux orfèvres
et à leurs oeuvres; ils ont trait à l'apprentissage, à l'iconographie
de la Passion du Christ et à l'art religieux. Ces articles constituent
une très importante contribution aux connaissances sur l'orfèvrerie. Cette initiative fut suivie en 1952 par la volumineuse *Exposition rétrospective de l'art au Canada français* [26], qui marque l'apogée
des efforts de Morisset pour diffuser les connaissances sur nos
arts. Sur les 438 numéros au catalogue, 78 étaient consacrés à l'art
contemporain et 358 à l'art ancien, répartis comme suit: 122 réservés à l'orfèvrerie, 101 à la sculpture, 90 à la peinture et 43 aux
arts décoratifs. L'orfèvrerie occupait donc une place de choix,
confirmée par le commentaire suivant de Morisset:

« C'est assurément dans l'art de l'orfèvrerie que l'Exposition rétro-spective montre avec le plus de continuité et d'élan l'évolution d'un art canadien dont on peut dire qu'il constitue une École autonome dans l'orfèvrerie française ». [27]

La même année, Morisset publie deux articles dans l'*En-cyclopédie Grolier*. Dans la rubrique « Orfèvrerie », il situe l'ensemble de l'évolution de cet art à travers les âges en insistant sur la France, tout en effleurant dans le dernier paragraphe quelques noms d'or-fèvres du Québec. Dans l'article « Arts en Nouvelle-France », il consacre deux colonnes à l'orfèvrerie.

En 1954 et 1955, il reprend trois articles déjà publiés dans *La Patrie* en 1950. En 1953, il parle des « Trésors d'art de la Pro-vince » [28] et, en 1954, il déclare désormais que les arts du XVIIIe et du XIXe siècles ont constitué au Québec « une civilisation ori-ginale et riche » [29]. Le chemin parcouru est immense depuis les années 30, où il écrivait qu'on ne connaissait pratiquement rien de nos arts. Tout en continuant de privilégier le Régime français et l'influence de la France sur nos arts, Morisset ajoute quelques nouveaux articles, tels que ceux sur Paul Morand en 1954 [30], Nicolas et Louis-Nicolas Gaudin dit Lapoterie en 1956 [31], Jean-Baptiste Villain et Marc-Antoine Olivier dit Le Picard en 1966 [32]. Comme on peut le constater, l'érudit fait bon ménage avec le vulga-risateur: de savants textes sur d'obscurs artisans côtoient les vastes synthèses de prestige publiées dans des périodiques français, là même où une trentaine d'années auparavant, Morisset avait acquis sa formation en histoire de l'art.

La pensée et l'interprétation

Quelques thèmes majeurs, qui sont à la base de la pensée de Morisset sur l'orfèvrerie, semblent tenir à l'idéologie de son temps. La Nouvelle-France est une province française, qui a sur-vécu au traité de Paris jusqu'à l'aube du XXe siècle. Le succès des arts anciens repose sur l'apprentissage, la corporation des gens de métier, et le goût sûr des ancêtres. Tout cela a été gâté par l'industrialisation, qui aurait tué le goût de l'objet unique et bien fait. Tout comme les gens de son époque, Morisset évoque les traditions artisanales, les arts et les métiers manuels.

L'histoire de l'orfèvrerie

Morisset n'a jamais vraiment constitué une synthèse de l'orfèvrerie. Les textes où il embrasse l'ensemble de l'évolution de cet art sont habituellement courts et se limitent à une vision schématique, où les interprétations ont tendance parfois à se piéger dans des formulations stéréotypées. Morisset commence habituel-lement ses textes en tentant de situer les débuts de l'orfèvrerie en Nouvelle-France. Au fur et à mesure de l'évolution de ses re-cherches, il nuance ses interprétations. En 1941, il écrit que l'his-toire « de notre orfèvrerie ne commence véritablement que vers 1730 » [33]. Quatre ans plus tard, il avoue: « que des points obscurs dans l'histoire de nos premier orfèvres, et que d'événements encore à découvrir. Pendant plus d'un demi-siècle, soit du recensement de 1666 aux environs de 1730, (. . .) quelques personnages (. . .) se livrent à l'argenterie [34] ». Dès 1947, il fait coïncider les débuts de l'orfèvrerie avec l'arrivée de Michel Levasseur à Québec en 1699 [35]. Morisset a consacré des articles à deux orfèvres du XVIIᵉ siècle: Jean-Baptiste Villain et Marc-Antoine Olivier dit Le Picard. Les documents connus sont rares et ne lui permettent pas de tirer des conclusions. Pourtant, des artisans comme René Fézeret, Jean et Jean-Baptiste Soullard ou Guillaume Baudry dit Des Buttes ont été actifs avant 1700 [36]. C'est à cette époque que débute l'histoire de notre orfèvrerie, non pas avec des oeuvres achevées et des orfèvres de formation professionnelle comme l'aurait peut-être voulu Morisset, mais par des balbutiements, des menus travaux et des réparations exécutées par des artisans polyvalents. De plus, Morisset ne s'est pas attardé au phénomène des importations. L'histoire de notre orfèvrerie commence également là, et elle peut encore être retrouvée, tant dans nos institutions religieuses qu'à la lumière des inventaires après décès. Enfin, Morisset fonde sa chronologie sur l'étude des oeuvres qu'il connaissait, et plus particulièrement à partir de l'orfèvrerie religieuse, ce qui l'a amené à négliger l'étude des orfèvres importants qui n'ont peu ou pas produit d'objets de ce type. Ses périodes correspondent aux carrières des principaux orfèvres spécialistes de l'orfèvrerie religieuse dans la ville de Québec (Lambert, Ranvoyzé, Amiot, Sasseville), ce qui est fort discutable.

L'histoire de l'orfèvrerie telle que décrite par Morisset se fonde sur les qualités artisanales du métier. Dès l'avènement de l'industrialisation, c'est la décadence selon lui. Ainsi, il parle assez peu des phénomènes de commercialisation et d'industrialisation de « ce métier d'art », comme il disait. À partir de là, l'histoire de notre orfèvrerie doit donc s'arrêter quelque part à la fin du XIXᵉ siècle. En 1941, il écrit « qu'aux environs de 1890 notre École d'orfèvrerie n'existe à peu près plus [37] ». En 1952, cette mort est avancée de quarante ans: « après 1850, sauf quelques rares réussites, notre École d'orfèvrerie est en plein décadence [38] ». La même année, il écrit: « aux environs de 1900, il reste vraiment peu de choses de la brillante École d'argenterie canadienne d'autrefois. C'est la misérable rançon du progrès matériel. . . [39] ». En 1959, Morisset affirme: « vers 1880, l'École de Montréal, tout comme celle de Québec, cesse d'exister [40] ». Dans plusieurs autres articles, Morisset est tout aussi imprécis. Pourtant, en 1950, il avait adopté un point de vue évolutionniste prônant qu'il y avait continuité sans mort réelle:

> « Cependant l'orfèvrerie canadienne ne meurt pas tout à fait. Les villes de Québec et de Montréal ne manquent jamais d'artisans capables d'emboutir une coupe de calice ou de ciseler des plateaux et de menus objets en argent: à Montréal, Leslie et Beauchamp, à Québec, Ambroise Lafrance et Cernichiaro façonnent, quand ils en ont l'occasion, des vases liturgiques qui se ressentent évidemment de la décadence de l'art religieux de la fin du XIXᵉ siècle, mais qui n'en possèdent pas moins des qualités de facture et de proportions. Quand, vers 1935, Gilles Beaugrand

façonne ses premiers vases d'église, il semble que l'École canadienne se réveille d'un long engourdissement et qu'elle retrouve
dans son héritage l'élégance et la simplicité de notre orfèvrerie
d'autrefois » [41].

La réalité semble toutefois plus complexe et, dans l'état
actuel des connaissances, nous devons humblement avouer que
tout reste à découvrir en ce qui concerne l'histoire de l'orfèvrerie
à la fin du XIXe siècle.

Les orfèvres

Morisset a consacré plusieurs articles à des monographies
d'orfèvres, en plus de deux volumes. On y voit nettement poin-
dre ses préférences pour certains artisans. Ranvoyzé fait l'objet
d'un volume en 1942, immédiatement suivi d'une exposition et
d'un article; Morisset lui consacrera de plus une saynète ainsi qu'un
autre article à propos des vases d'or de l'Islet, publié à deux reprises [42]. Ranvoyzé est de loin son orfèvre préféré. En second lieu
vient Paul Lambert, à qui il consacre une monographie imposante
et un article [43]. Il y a ensuite une série d'articles sur les « premiers »
orfèvres en Nouvelle-France: Jean-Baptiste Villain, Marc-Antoine
Olivier dit Le Picard, Michel Levasseur, François Chambellan,
Jacques Pagé dit Quercy, Michel Cotton et deux articles sur Roland
Paradis, suivis de deux autres sur des artisans moins connus du
milieu du XVIIIe siècle, Nicolas et Louis-Nicolas Gaudin dit Lapoterie. En ce qui concerne les orfèvres de traite, Morisset ne s'est
intéressé qu'à Louis-Alexandre Picard [44] et Pierre Huguet dit
Latour [45]. Parmi les orfèvres du XIXe siècle, il parle surtout de
Sasseville [46], de Pierre Lespérance [47] et de Paul Morand [48]. Bien
que Morisset ait grandement louangé l'oeuvre de Laurent Amiot,
il ne lui a consacré ni article, ni monographie. Dans tous ces articles, l'approche de Morisset se fonde sur les documents d'archives originaux et sur les pièces d'orfèvrerie religieuse.

L'orfèvrerie religieuse, domestique et de traite

Morisset a toujours favorisé l'étude de l'orfèvrerie religieuse, se désintéressant de l'orfèvrerie domestique de la fin du
XVIIIe siècle et du XIXe, qui est principalement de tradition coloniale anglaise. Il acceptait difficilement que l'Angleterre ait eu
quelque influence sur nos orfèvres; d'ailleurs il a reproché à Marius
Barbeau d'avoir dit qu'Amiot avait fabriqué de l'orfèvrerie domestique à la mode anglaise [49]. En effet, cette seconde influence coloniale ne concordait pas avec la notion que Morisset avait de la
Nouvelle-France et de l'influence française du pays, si bien qu'il
a complètement négligé l'étude des styles coloniaux de l'Empire
britannique.

Morisset a consacré quatre études à des objets spécifiques
qui mettent en lumière ce que nous venons de dire. Trois d'entre
elles portent sur des objets religieux: l'encensoir [50], l'instrument

de paix [51] et la tasse à quêter [52]. Au sujet de cette dernière, l'interprétation de Morisset est discutable puisqu'il confond tasse à quêter et tastevin. Un autre texte porte sur l'orfèvrerie de traite que Morisset juge de façon un peu rapide [53]. Cela est regrettable, puisque la majorité des orfèvres du Québec vécurent de ce commerce lucratif et original, propre à notre histoire coloniale et à notre économie basée sur la traite des fourrures. En fait, Morisset s'est détaché de ces objets à cause de sa formation et de son inclination à étudier le goût et l'évolution des styles. Les pièces de traite se prêtent peu à cette étude, alors que l'orfèvrerie religieuse permet des interprétations d'ordre esthétique et psychologique sur les artistes orfèvres. Morisset s'est également intéressé à la technique des orfèvres, surtout dans *Paul Lambert dit Saint-Paul* [54].

L'école de Montréal et l'école de Québec

Morisset pensait beaucoup en termes de continuité historique et d'école. Pour lui, les générations se transmettent un acquis, qui est appelé à se développer. Cette conception a amené l'historien et l'auteur à voir des écoles là où il n'y en avait pas, comme par exemple en orfèvrerie lorsqu'il parle de l'École de Montréal et de l'École de Québec. Le cas de ces deux villes est différent. Morisset a cependant abordé la question avec les mêmes critères d'évaluation, mais à partir de sources documentaires inégales. Les dossiers de l'Inventaire sont nettement mieux fouillés et documentés en ce qui concerne les orfèvres de Québec. Cela se comprend puisque Morisset résidait dans cette ville. Comme il a expliqué l'histoire de l'orfèvrerie au Québec par le biais des oeuvres religieuses, Montréal se trouve désavantagé puisque la majorité de ses orfèvres se spécialisèrent en orfèvrerie de traite. L'étude des migrations d'orfèvres pour la période 1760-1790 nous a justement fait voir que Québec perdait son monopole au profit de Montréal principalement à cause de la traite des fourrures [55]. Étant donné les nombreux va-et-vient d'orfèvres entre les deux villes, la notion d'école ne nous paraît plus indiquée, non plus que la chronologie fondée sur la production d'orfèvrerie religieuse des artistes de Québec. En outre, Morisset n'a pas mis en valeur les influences américaines et anglaises qui eurent pourtant autant d'impact sur l'orfèvrerie domestique à Québec qu'à Montréal. Par exemple, James Hanna importait à Québec de l'orfèvrerie d'Angleterre dès le début du Régime anglais, et l'illustre François Ranvoyzé a même copié fidèlement un *porringer* américain. Il ne faudrait pas oublier Laurent Amiot, qui a imité l'orfèvrerie domestique coloniale britannique au point que plusieurs de ses pièces ressemblent à s'y méprendre à celles de l'orfèvrerie coloniale anglaise des Indes.

Les poinçons

En orfèvrerie, l'étude des poinçons occupe une place très importante. Leur identification et l'attribution de ces diverses marques aux orfèvres concernés présentent souvent des défis fort intéressants aux experts et aux collectionneurs. Morisset a fait pour l'Inventaire de nombreux relevés de poinçons, le plus souvent sous forme de dessin mais également par photographie. Louis Carrier a beaucoup collaboré avec Morisset dans l'attribution de plusieurs de ces poinçons. Cependant Morisset n'a jamais publié ces relevés, contrairement aux historiens de l'art anglophones comme Ramsay Traquair [56] et John E. Langdon [57]. Cette constatation nous amène à réfléchir sur la forme et le contenu des publications de ces trois historiens de l'orfèvrerie. Morisset a publié beaucoup d'articles dans les journaux, des périodiques ou des volumes à prix modiques. Il voulait donc atteindre un large public. Traquair, pour sa part, a conçu une synthèse de l'orfèvrerie sous forme d'ouvrage de référence encore largement utilisé. Quant à Langdon, ses dictionnaires des orfèvres, publiés à tirages limités et à prix élevés, lui ont permis de devenir l'expert reconnu de cette discipline au Canada anglais. Morisset a travaillé avec une quantité impressionnante de documents d'archives et de relevés d'oeuvres, beaucoup plus considérables que ceux utilisés par Traquair et Langdon. Ses textes fourmillent d'informations et sont conçus pour plaire à un public friand de petite histoire. Traquair et Langdon s'intéressent davantage à l'objet et à son identification, donc plutôt au collectionneur et au « connaisseur ».

* * *

L'immense travail que Morisset a accompli à l'Inventaire des Oeuvres d'Art et au Musée de Québec en font l'un des historiens les plus importants qui ont contribué à l'avancement des connaissances en orfèvrerie. Ces dossiers, photographies et collections constituent désormais la base indispensable de tout travail sérieux de recherche en orfèvrerie. Par ses écrits, Morisset a de plus grandement contribué à la diffusion de ces connaissances et à la mise en valeur de ce patrimoine.

NOTES

1. *Coup d'oeil sur les arts en Nouvelle-France*, Québec, 1941, 170 p.

2. *François Ranvoyzé*, Québec, 1942, p. 4.

3. L'interprétation de Morisset sur la carrière de Ranvoyzé est également discutée dans: Robert Derome, « Delezenne le maître de Ranvoyzé », *Vie des arts*, vol. XXI, n° 83 (été 1976), pp. 56-58.

4. « Montréal et ses artisans », *L'enseignement primaire*, 3ᵉ série, vol. 1, n° 10 (juin 1941), pp. 891-900; « Le trésor de l'Hôtel-Dieu (Simples notes) », *Journal de l'Hôtel-Dieu*, vol. 11, n° 6 (novembre-décembre 1942, pp. 451-461; « Saint-Martin (île Jésus) après le sinistre 19 Du mai (sic) », *Technique*, vol. 17, n° 9 (novembre 1942), pp. 597-606; « L'oeuvre capricieuse de François Ranvoyzé », *L'Action Catholique*, 18 mars 1942, p. 4; « Un chef-d'oeuvre de François Sasseville », *Technique*, vol. 17, n° 8 (octobre 1942), pp. 526-539.

5. « Le trésor de l'Hôtel-Dieu (Simples notes) », *loc. cit.*

6. *Ibid.*, p. 461.

7. Montréal et ses artisans, *loc. cit.*, p. 899.

8. « Un chef-d'oeuvre de François Sasseville », *Technique*, vol. 17, n° 8 (octobre 1942), pp. 526-536.

9. « Saint-Martin (île Jésus) après le sinistre 19 Du mai (sic) », *Techniques*, vol. 17, n° 9 (novembre 1942), pp. 597-605.

10. *Évolution d'une pièce d'argenterie*, Québec, 1943, 31 p.

11. *Les églises et le trésor de Varennes*, Québec, Médium, 1943, 39 p.

12. *Le Cap-Santé, ses églises et son trésor*, Québec, Médium, 1944, 72 p. Une réédition critique de cet ouvrage a été préparée par le Musée des beaux-arts de Montréal à l'été 1980.

13. « À l'église de Châteauguay », *Technique*, vol. 18, n° 7 (octobre 1943), pp. 670-673.

14. « Les splendeurs de l'église de Berthier-en-haut », *L'Estudiant*, vol. 9, n° 2 (novembre-décembre 1944), pp. 4-5.

15. *Paul Lambert dit Saint-Paul*, Québec, Médium, 1945, 103 p.

16. « L'orfèvre François Chambellan », *Bulletin des recherches historiques*, vol. 51, n°ˢ 1-2 (janvier-février 1945), pp. 31-35.

17. « L'instrument de paix », *Mémoires de la Société Royale du Canada*, section 1, 3ᵉ série, tome 39 (1945), pp. 143-161.

18. « L'influence de l'art français sur le nôtre », *L'Événement*, 20 juillet 1946, p. 2. La collection Carrier fut acquise par le Musée du Québec par déclaration ministérielle le 17 décembre 1959 (Information communiquée au téléphone le 25 juillet 1980 par Gaétan Chouinard du Musée du Québec, que je remercie sincèrement).

19. « L'influence de l'art français sur le nôtre », *loc. cit.*

20. « L'orfèvre Michel Levasseur », *Revue de l'Université d'Ottawa*, vol. 17 (septembre 1947), pp. 339-349.

21. « Nos orfèvres canadiens. Pierre Lespérance (1819-1882) », *Technique*, vol. 22, n° 4 (avril 1947), pp. 201-209.

22. « Un quart d'heure chez Ranvoyzé », *La Petite Revue*, vol. 16, n° 5 (mai 1947), pp. 3-5 et 34.

23. *Les arts au Canada sous le régime français*; tiré-à-part du *Annual Report of the Canadian Historical Association*, 1948, 5 p.

24. « Les églises de Kamouraska », dans *Alexandre Paradis, Kamouraska (1674-1948)*, Québec, 1948, pp. 318-341.

25. « Le trésor de la mission d'Oka », *La Patrie. Supplément du dimanche*, 13 novembre 1949, p. 18.

26. *Exposition rétrospective de l'art au Canada français. The Arts in French Canada*, Québec, Secrétariat de la Province, 1952, 118 p.

27. *Ibid.*, p. 10.

28. « Trésors d'art de la province », *La revue française de l'élite européenne*, n° 43 (février 1953), pp. 35-40.

29. « Une civilisation originale et riche. . . », *La Presse*, 23 juin 1954.

30. « L'orfèvre Paul Morand 1784-1854 », *Mémoires de la Société Royale du Canada*, section 1, 3ᵉ série, tome 49 (juin 1954), pp. 29-36.

31. « Nicolas Gaudin dit Lapoterie », *Bulletin des Recherches Historiques*, vol. 62, n° 1 (janvier-février-mars 1956), pp. 47-53; « Louis-Nicolas Gaudin dit Lapoterie », *Bulletin des Recherches Historiques*, vol. 62, n° 3 (juillet-août-septembre 1956), pp. 157-158.

32. *Dictionnaire biographique du Canada*, Québec, Les Presses de l'Université Laval, 1966, tome I, pp. 535-536; p. 679.

33. Coup d'oeil. . . *op, cit.*, p. 94.

34. « L'orfèvre François Chambellan », *loc. cit.*, p. 31.

35. « L'orfèvrerie canadienne », *Technique*, vol. 22, n° 3 (mars 1947), p. 93.

36. Robert Derome, *Les orfèvres de Nouvelle-France, Inventaire descriptif des sources*, « Documents histoire de l'art canadien », n° 1, Galerie nationale du Canada, Ottawa, 1974; Robert Derome, *Delezenne, les orfèvres, l'orfèvrerie 1740-1790*, Mémoire de maîtrise en histoire de l'art, Université de Montréal, 1974.

37. Coup d'oeil. . . , *op. cit.*, p. 110.

38. *Exposition rétrospective. . . , op. cit.*, p. 12.

39. « Canada. Arts en Nouvelle-France », *Encyclopédie Grolier*, Montréal, Société Grolier Québec Ltée, 1952, vol. 2, p. 546.

40. *Vancouver International Festival. The Arts in French Canada. Les arts au Canada français*, Vancouver, Vancouver Art Gallery, 1959, p. 64.

41. « Notre art religieux », *La Patrie. Supplément du dimanche*, 27 août 1950, p. 50.

42. François Ranvoyzé, *op. cit.*; « Un quart d'heure. . . , *loc. cit.*; « L'oeuvre capricieuse. . . », *loc. cit.*; « Les vases d'or de l'église de L'Islet », *La Patrie. Supplément du dimanche*, 12 mars 1950, pp. 18 et 42, repris dans *Technique*, vol. 30, n° 4 (avril 1955), pp. 227-231.

43. *Paul Lambert. . . , op. cit.*; « L'orfèvre Paul Lambert dit Saint-Paul », *La Patrie. Supplément du dimanche*, premier janvier 1950, pp. 14 et 38.

44. « L'orfèvre Louis-Alexandre Picard », *La Patrie. Supplément du dimanche*, 30 avril 1950, pp. 37-38.

45. « Un perruquier-orfèvre », *La Patrie. Supplément du dimanche*, 2 juillet 1950, pp. 26-30.

46. « Un chef-d'oeuvre de François Sasseville », *loc. cit.*; « L'orfèvre François Sasseville », *La Patrie. Supplément du dimanche*, 4 juin 1950, pp. 26 et 35.

47. « Nos orfèvres canadiens. . . », *loc. cit.*

48. « L'orfèvre Paul Morand. . . », *loc. cit.*

49. *Évolution d'une pièce d'argenterie* », *op. cit.*, p. 16.

50. *Ibid.*

51. « L'instrument de paix », *loc. cit.*

52. « La Tasse à Quêter », *Mémoires de la Société Royale du Canada*, section 1, 3ᵉ série, tome 41 (mai 1947), pp. 63-68.

53. « Bibelots et futilités », *La Patrie. Supplément du dimanche*, 15 janvier 1950, pp. 14-15.

54. *Paul Lambert. . . , op. cit.*; voir l'appendice.

55. Robert Derome, « Les migrations d'orfèvres au Québec 1760-1790 », texte non publié d'une conférence prononcée au *Colloque sur l'art au Québec au lendemain de la Conquête*, Musée des Beaux-Arts de Montréal, 29 octobre 1977.

56. Ramsay Traquair, *The Old Silver of Quebec*, Torent Macmillan, 1940.

57. John E. Langdon, *Canadian Silversmiths 1700-1900*, Toronto, Stinehour Press, 1966, 249 p.

François Ranvoyzé. *Ciboire*, 1810. **Musée du Québec, dépôt de la Fabrique de l'Islet.** (Photo: *Musée du Québec*).

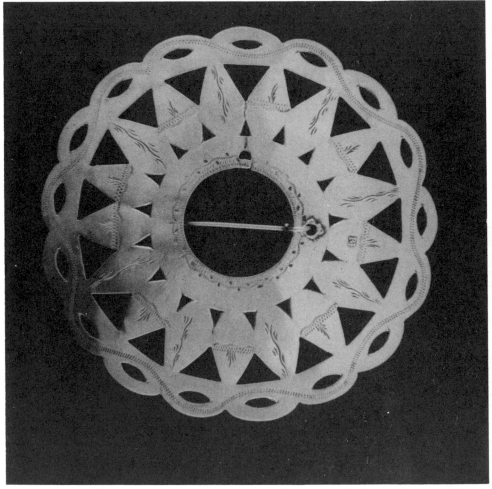

Pierre Huguet dit Latour. *Couette*. **Musée du Québec, coll. Louis Carrier. (Photo:** *Musée du Québec).*

L'ORGUE AU QUÉBEC: DE L'INVENTAIRE À LA CONSERVATION

par Antoine Bouchard
école de musique de l'université Laval

S'il est un domaine où l'art sacré est bien vivant au Québec, c'est celui de l'orgue. À la radio et à la télévision, chez le disquaire, dans les chroniques artistiques ou, tout simplement, à l'église, nos organistes sont présents pour répondre à l'attente d'un public qui veut entendre du Bach et du Franck, bien sûr; mais aussi le spectre complet des auteurs qui, de Frescobaldi à Messiaen, ont donné à l'orgue un répertoire dont la richesse expressive et la somptueuse variété n'a pas son égal. Cette vitalité des nôtres a débordé les frontières et elle s'est exercée en même temps dans le domaine de la facture d'orgue, où le Québec occupe une place prépondérante en Amérique et enviable à juste titre dans le reste du monde.

Le phénomène est nouveau et relativement récent, puisqu'il remonte à vingt ans environ. Bien que ce renouveau ne se soit pas accompli uniquement chez nous, nous avons été les premiers en Amérique à emboîter le pas à une réforme caractérisée par un retour aux traditions authentiques, dont l'orgue ici avait dévié. Toutefois, le mouvement a été remarquable, ici, par la rapidité avec laquelle il s'est opéré et aussi par une vitalité qui ne se dément pas et qui donne à penser qu'il ne s'agit pas là d'un coup du hasard mais bien de l'émergence de forces latentes profondes. Gérard Morisset a été, plus que personne peut-être, un véritable catalyseur de ces forces.

Pourtant, il est venu à l'orgue et il a exercé son activité d'organiste, d'historien d'art et de responsable de la conservation du patrimoine précisément à l'époque où, dans notre pays comme ailleurs, l'esthétique de l'orgue recherchait des voies qui se sont avérées mauvaises. Il aura eu, par une sorte d'instinct charismatique, le flair de détecter, vingt ans avant tout le monde, les valeurs de notre passé sur lesquelles on est reparti pour édifier l'avenir.

En quoi, exactement, a consisté son oeuvre dans le domaine qui nous intéresse? Des notes [1] consacrées aux travaux des facteurs d'orgue; un chapitre dans *Coup d'oeil sur les arts en Nouvelle-France* [2], qui esquisse la première histoire de l'orgue au Québec; quelques articles [3] consacrés, soit à un orgue, soit à l'ensemble d'une église et mentionnant l'orgue; des interventions pour la protection d'instruments anciens.

Les notes

Le fichier qu'a constitué Morisset sur nos artistes et artisans comporte, entre autres, quelques centaines de notes se rapportant à l'orgue. Elles sont souvent constituées d'extraits de journaux comme *La Minerve*, *Le Journal de Québec* ou *Le Courrier du Canada*; ou bien de recueils d'archives, comme les *Dates lévisiennes* de Pierre-Georges Roy; ou encore de monographies historiques portant sur une paroisse ou une institution. Parfois, elles reprennent un extrait des livres de comptes ou de délibérations d'une fabrique. Parfois aussi, Morisset note des observations personnelles *in situ*, des témoignages recueillis ou des extraits de lettres qu'il a reçues. Faciles à classer, car elles font toujours référence à un facteur d'orgue déterminé, et faciles à lire, puisqu'elles sont dactylographiées, ces notes contiennent une mine de renseignements, d'autant plus précieux aujourd'hui qu'une part importante des réalités qu'elles décrivent a disparu ou subi des modifications. Comme, par ailleurs, il s'agit d'un travail impeccable et toujours strictement objectif, même lorsqu'il rend compte de constatations personnelles, ces fiches demeurent la contribution la plus solide et la plus importante pour établir les bases d'une recherche poussée sur l'histoire de notre facture d'orgue, et cela d'autant plus que le contenu apparaît déjà assez riche pour que tous les aspects importants de cette histoire soient touchés.

« *Facteurs d'orgues et luthiers* »

Le chapitre consacré aux facteurs d'orgue dans *Coup d'oeil sur les arts en Nouvelle-France* est le premier essai traitant systématiquement de l'histoire de la facture d'orgue au Québec. Sans prétendre accomplir un travail exhaustif et en adoptant la forme du conte, l'auteur trace d'une plume alerte et souvent enjouée les grandes lignes de son sujet, s'attachant à donner à chaque moment et à chacun de ses personnages la juste place qui lui revient dans l'ensemble.

Une telle synthèse demande une érudition importante, bien au-delà même de celle que recèlent les notes. Morisset avait donc en mémoire beaucoup de connaissances, enrichies par une expérience vécue d'artiste de l'orgue, car il en était un vrai. Il faut dire que le milieu l'avait favorisé à cet égard dès son enfance à Cap-Santé où il accompagnait son père à l'orgue de l'église paroissiale; ensuite, au Collège de Lévis où il reçut les leçons de bons musiciens avant- de connaître l'enseignement du grand maître que fut le regretté Henri Gagnon. Quand il jouait un orgue de Warren, de Mitchel ou de Déry, Morisset vivait donc des moments intenses d'une expérience esthétique qui l'amenait, au-delà de son érudition même, à démêler naturellement le bon grain de l'ivraie.

Ce n'était pas facile en 1930 ou en 1940 d'apprécier justement la composition, l'équilibre ou les timbres d'un orgue. La mode voulait alors qu'on multiplie les jeux de fonds au dépens du *plenum* et l'harmonisation recherchait un fondu pâteux plutôt que le caractère et la limpidité de timbres tranchants. Si Morisset était tombé dans le piège de cette esthétique, il n'aurait eu pour les trompettes de Mitchel à Vaudreuil, ou pour le plein-jeu de Déry à Saint-Isidore, ou encore pour les compositions de Warren que condescendance ou mépris. S'il était tombé dans le piège de la modernisation au nom duquel on électrifiait les organes de transmission de nombreux instruments qui avaient pourtant des mécaniques efficaces, en profitant de l'occasion pour avaliser au goût du jour une tuyauterie autrement plus riche, il n'eut pas gardé ses distances comme il l'a fait vis-à-vis des nouveautés dont on mesure mieux, maintenant, le caractère néfaste.

Ses convictions sur la vraie nature de l'orgue filtrent à tout moment à travers les divers paragraphes de ce travail. Mais on chercherait vainement le moindre passage incitant à la polémique. Sans doute tenait-il d'ailleurs à l'éviter, préférant laisser à bon entendeur les traits délicieusement malicieux qu'il décoche au passage à ceux qui, par intérêt ou balourdise, ont moins bonne oreille ou moins bonne science que lui.

Il faut l'entendre dire, avec un clin d'oeil, que « la fabrication des instruments de musique, aussi utile en somme que le fignolage d'un tableau de sainteté ou la sculpture d'un chapiteau, est une entreprise prospère dans un pays foncièrement religieux [4] ». Très perplexe sur ces instruments « de fort tonnage » qu'on construit vers 1925, il met dans la bouche d'un organiste du siècle précédent les justes reproches qu'il aurait proférés, lui, Gérard Morisset [5]. On comprend ce qu'il veut dire, aussi, quand il nous parle de ces « petits instruments de sonorité agréable et d'usage commode [6] » qu'on construisait dans les années trente. . .

Sans doute faudra-t-il un jour compléter cette histoire de l'orgue. Il était d'ailleurs dans les plans de l'auteur de le faire et on ne peut que regretter qu'il n'ait pas eu le temps d'accomplir son dessein. Puissent ceux qui se livreront à ces travaux retrouver quelque chose au moins de la justesse, de la fraîcheur et de la finesse qui habitent chacune des pages de Gérard Morisset.

Les articles

Les articles sur l'orgue sont rares. Il y a bien un renvoi à *L'Action Catholique* relatant l'inauguration d'un orgue Casavant à Paris en 1931. Par ailleurs, dans divers articles consacrés au patrimoine de certaines églises, il est question de l'orgue. On peut admirer comment l'auteur arrive, en quelques lignes seulement, à nous donner une bonne description de l'aspect, de la composition et de la sonorité de l'instrument. Là encore se devine l'admiration non équivoque qu'il porte à nos vieux facteurs.

Les interventions pour la conservation du patrimoine

Il aurait fallu, pour évaluer le rôle de Gérard Morisset dans la préservation de notre patrimoine organistique, consulter beaucoup d'archives et de correspondance. Ce travail n'a pu, malheureusement, être fait. Je veux, du moins, témoigner, pour avoir été à même de mesurer la rapidité et l'efficacité de son intervention dans un cas précis, de son attachement particulier à cette part de notre patrimoine.

Quelle qu'ait pu être la dimension de son rôle comme agent de l'État, et j'imagine qu'elle a été considérable, Morisset aura eu par ses travaux et ses contacts une influence marquante, peut-être unique. On peut aller jusqu'à affirmer que, sans lui, notre patrimoine organistique eut peut-être été si réduit, que les résurgences étonnantes dont on a fait état plus haut n'auraient pu être ce qu'elles ont été.

Par ailleurs, il subsiste encore ici de nombreux instruments anciens, précieux à tous égards et qui, pour diverses raisons, ne sont pas encore à l'abri du danger. Comme nous avons maintenant au Québec les spécialistes qui pourraient leur redonner leur splendeur d'origine, il serait dommage qu'on ne puisse intervenir à temps. En redonnant leur voix à ces orgues-là, on continuerait l'oeuvre inégalable de Gérard Morisset.

NOTES

1. L'ensemble de ces notes fait partie intégrante du Fonds Gérard Morisset, conservé au ministère des Affaires culturelles du Québec.

2. *Coup d'oeil sur les arts en Nouvelle-France*, Québec, 1941, p. 110-124.

3. « Notes parisiennes », *L'Action Catholique*, 19 mars 1931, p. 3; parmi les monographies, soulignons: « Le centenaire de l'église de Lévis », *La Patrie du Dimanche*, 16 juillet 1950, pp. 18-19 et 46-47; « L'église de Saint-André », *La Patrie du Dimanche*, 19 novembre 1950, pp. 26-27 et 39.

4. *Coup d'oeil sur les arts en Nouvelle-France, op. cit.*, p. 110.

5. *Ibid.*, p. 122.

6. *Ibid.*, p. 123.

L'orgue de l'église de Vaudreuil a été conçu par le facteur Louis Mitchel en 1871. Cet orgue, en plus d'être formellement très réussi, a une très belle sonorité et demeure le mieux conservé des orgues de Mitchel et un des plus précieux de cette époque. (Photo: *Inventaire des biens culturels*).

L'église de Saint-Isidore possède depuis 1889 un orgue de Napoléon Déry qui, à de nombreux égards, est extrêmement précieux. Ses qualités musicales et plastiques très grandes rendent nécessaire sa conservation. (Photo: *Inventaire des biens culturels*).

Napoléon Déry a signé son premier orgue en 1874, et c'est la fabrique de Saint-Roch-des-Aulnaies qui l'acheta. Conservé dans son état d'origine, l'orgue a toutefois besoin d'une restauration de manière à lui redonner sa voix d'antan. (Photo: *Inventaire des biens culturels*).

BIBLIOGRAPHIE ET INDEX
DE GÉRARD MORISSET

Volumes

Volumes en collaboration

Journaux:
   L'Action catholique
   Le Canada
   Le Devoir
   Le Droit
   L'Événement
   Le Journal
   Le Journal de l'Agriculture
   La Nation
   L'Ordre
   La Patrie (Magazine du Dimanche)
   La Presse
   La Renaissance
   Le Soleil

Périodiques:
   L'Action nationale
   L'Action universitaire
   L'Administration paroissiale
   Almanach de l'Action Sociale catholique
   Almanach de Saint-François d'Assise
   Architecture. Bâtiment. Construction
   Art Bulletin
   Arts et pensées
   Bulletin des études françaises
   Bulletin des recherches historiques
   Le Canada Français
   Canadien geographical journal
   Colombia
   Concorde
   Culture
   Le Documentaire
   EDHEC Informations
   L'Enseignement primaire
   L'Estudiant (Séminaire de Joliette)
   Forces
   Habitat
   Médecine de France
   Le monde français
   Montréal. Hôtel-Dieu. Journal

La petite revue
Points de vue
La propriété et la construction
La revue des voyages
La revue du notariat
La revue française de l'élite européenne
La revue moderne
La revue populaire
Société canadienne d'histoire de l'Église
   catholique. Rapport
Société généalogique canadienne-française.
   Mémoires
Société historique du Canada. Rapport annuel
Société royale du Canada. Mémoires
Technique
Le Terroir
Université d'Ottawa. Revue
Université Laval. Revue
Vie des arts

BIBLIOGRAPHIE
par Jacques Robert

VOLUMES

1. *Peintres et tableaux.*
Québec, Les éditions du Chevalet, 1936-1937. 2 v. (vol. 1: 267 p., 15 pl.; vol. 2: 178 p.), 19 cm.
(Les arts au Canada français).

2. *Coup d'oeil sur les arts en Nouvelle-France. Ouvrage orné de 32 gravures.*
Québec, 1941. xi, 170 p., 32 pl., 20 cm.

3. *François Ranvoyzé. Ouvrage orné de 16 gravures.*
Québec, 1942. 19 p., 16 pl., 20 cm.
(Collection Champlain).

4. *Les églises et le trésor de Varennes. Ouvrage orné de 32 gravures.*
Québec, Médium, 1943. 39 p., 32 pl., 20 cm.
(Collection Champlain).

5. *Évolution d'une pièce d'argenterie. Ouvrage orné de 24 gravures.*
Québec, 1943. 31 p., 24 pl., 20 cm.
(Collection Champlain).

6. *Philippe Liébert. Ouvrage orné de 24 gravures.*
Québec, 1943. 30 p., 24 pl., 20 cm.
(Collection Champlain).

7. *Le Cap-Santé, ses églises et son trésor. Ouvrage orné de 32 gravures.*
Québec, Médium, 1944. 72 p., 32 pl., 20 cm.
(Collection Champlain).

8. *La vie et l'oeuvre du frère Luc. Orné de 32 gravures.*
Québec, Médium, 1944. 142 p., 32 pl., 20 cm.
(Collection Champlain).

9. *Paul Lambert dit Saint-Paul. Ouvrage orné de 32 planches de gravure.*
Québec, Médium, 1945. 103 p., 32 pl., 20 cm.
(Collection Champlain).

10. *Novembre 1975. Nouvelle.*
Québec, 1948. 109 p., 8 pl. coloriées à la main, 20 cm.

11. *L'architecture en Nouvelle-France. Ouvrage orné de 160 gravures.*
Québec, 1949. 150 p., 112 pl., 20 cm.
(collection Champlain).

12. *Québec et son évolution. Essai.*
Québec, Société historique de Québec, Université Laval, 1952. 32 p., ill., 22 cm.
(Cahiers d'histoire, 4).
Tiré de 317.

13. *L'Université Laval 1852-1952.*
[Québec], Les Presses universitaires Laval, [1952]. 22 p., 54 pl., (12) p., 30 cm.

14. *Les églises et le trésor de Lotbinière.*
Québec, 1953. 70 p., 32 pl., 22 cm.
(Collection Champlain).

15. *Quebec. The Country House. La maison rurale.*

Québec, Bureau provincial du Tourisme, 1959. 19 p., ill., 25 cm.
Tiré à part du Canadian geographical journal, vol. 57, n° 6 (décembre 1958), pp. 178-195.

16. *La peinture traditionnelle au Canada français.*
[Ottawa], Le Cercle du Livre de France, [1960]. 216 p., 48 pl., 22 cm.
(L'Encyclopédie du Canada Français, 2)

VOLUMES EN COLLABORATION

17. « Les églises de Saint-Jean-Baptiste »,
Saint-Jean-Baptiste de Québec. Album publié à l'occasion du 50ᵉ anniversaire de l'érection canonique de la paroisse et du jubilé d'or de Mgr J.-E. Laberge.
Québec, L'Action Catholique, 1936. pp. 136-137.

18. « Les arts au temps de Garneau (essai) »,
Centenaire de l'histoire du Canada de François-Xavier Garneau.
[Montréal], Société historique de Montréal, 1945. pp. 415-421.

19. « An essay on Canadian Painting »,
Painting in Canada. A selective Historical Survey.
Albany, New-York. Albany Institute of History and Art, 1946. pp. 9-13.

20. *Les arts au Canada sous le régime français.*
tiré à part du:
Annual Report of the Canadian Historical Association.
1948. 5 p.

21. « Les églises de Kamouraska »,
Paradis, Alexandre.
Kamouraska (1674-1948).
Québec, 1948. pp. 318-341, ill. 19 cm.

22. Reporté à 298.

23. « Les arts dans la province de Québec »,
Les Arts, lettres et sciences au Canada. 1949-1951. Recueil d'études spéciales préparées pour la commission royale d'enquête sur l'avancement des arts, lettres et sciences au Canada.
Ottawa, éd. Edmond Cloutier, 1951. pp. 393-405.

24. « Réflexions sur notre architecture religieuse »,
L'art religieux contemporain au Canada.
Québec, 1952. pp. 38-45, ill., 20 cm.

25. « Canada — Arts en Nouvelle-France ».
Encyclopédie Grolier. Montréal, Société Grolier Québec Ltée, 1952. vol. 2, pp. 537-546.

26. « Orfèvrerie ».
Encyclopédie Grolier. Montréal, Société Grolier Québec Ltée, 1952. vol. 8, pp. 57-58.

27. *Exposition rétrospective de l'art au Canada français. The Arts in French Canada.*
Québec, Secrétariat de la Province, 1952. 118 p., 32 pl., 25 cm.

28. « La tradition française dans notre architecture »,
Troisième congrès de la Langue Française au Canada. Mémoires.
Québec, Les éditions Ferland, 1953. pp. 360-361.

29. « L'église de L'Acadie. Conférence prononcée à L'Acadie, le 26 novembre 1953 »,
Historique de l'Acadie par le R.F. Jules-Émile, Mariste et l'église de L'Acadie par Me Gérard Morisset, Notaire.
Saint-Jean, Les éditions du Richelieu, [1954]. pp. 15-20, ill., 22 cm.
(Société historique de la vallée du Richelieu, 2ième cahier).

30. « Réflexions sur le développement de Québec »,
Urbanisme et architecture. Études écrites et publiées en l'honneur de Pierre Lavedan.
Paris, éd. Henri Laurens, 1954. pp. 269-274, 1 f. de pl., 29 cm.

31. « La conservation historique »,
Le Congrès de Refrancisation.
Québec, Les éditions Ferland, 1959. t. 5, pp. 12-26.

32. *Vancouver International Festival. The Arts in French Canada. Les arts au Canada français.*

[Vancouver], Vancouver Art Gallery, 1959. 96 p., ill., 25 cm.

33. « François, Claude, dit frère Luc »
Dictionnaire biographique du Canada.
Québec, Les Presses de l'université Laval, 1966. vol. 1, pp. 321-323.

34. « Guyon, Jean ».
Dictionnaire biographique du Canada.
Québec, Les Presses de l'université Laval, 1966. vol. 1, pp. 368-369.

35. « Levasseur, dit Lavigne, Jean ».
Dictionnaire biographique du Canada.
Québec, Les Presses de l'université Laval, 1966. vol. 1, p. 484.

36. « Levasseur, dit L'Espérance, Pierre ».
Dictionnaire biographique du Canada.
Québec, Les Presses de l'université Laval, 1966. vol. 1, pp. 484-485.

37. « Olivier, dit le Picard, Marc-Antoine ».
Dictionnaire biographique du Canada.
Québec, Les Presses de l'université Laval, 1966. vol. 1, pp. 535-536.

38. « Pommier, Hugues ».
Dictionnaire biographique du Canada.
Québec, Les Presses de l'université Laval, 1966. vol. 1, p. 564.

39. « Villain, Jean-Baptiste ».
Dictionnaire biographique du Canada.
Québec, Les Presses de l'université Laval, 1966. vol. 1, p. 679.

40. « Villeneuve, Robert de ».
Dictionnaire biographique du Canada.
Québec, Les Presses de l'université Laval, 1966. vol. 1, pp. 679-681.

41. « Les arts plastiques. I. Du régime français au XXᵉ siècle »,
Rioux, Marcel et coll.
Rapport de la Commission d'enquête sur l'avancement des arts au Québec.
Québec. L'Éditeur officiel du Québec, [1968]. pp. 179-192.
(notes d'après un texte de Gérard Morisset).

JOURNAUX

L'ACTION CATHOLIQUE

42. « Le Cap-Santé »,

2 décembre 1922, pp. 1 et 11.

43. « Rivière-à-Pierre »,
8 octobre 1927, p. 17.

44. « Une belle oeuvre des syndicats nationaux catholiques »,
12 avril 1928, pp. 12 et 7.

45. « L'église de Saint-Gilbert »,
11 août 1928, p. 17.

46. « Notes parisiennes. Une causerie sur l'art moderne »,
7 février 1931, p. 3.

47. « Notes parisiennes. Une nouveauté à Paris »,
14 mars 1931, p. 3.

48. « Souvenir d'une bécane »,
18 juin 1932, p. 3; 20 juin 1932, p. 3.

49. « L'enseignement du dessin à l'école primaire »,
25 septembre 1936, p. 4.

50. « En marge de l'exposition de M. Gordon Pfeiffer »,
18 décembre 1937, p. 20 et 19.
Publié en même temps que 111 et 121.

51. « En visitant l'exposition de M. et Mme Jean Paul Lemieux »,
14 novembre 1938, p. 3.

52. « L'oeuvre capricieuse de François Ranvoyzé »,
18 mars 1942, p. 4.

53. « À propos d'une illusion de perspective »,
28 avril 1945, p. 4.

54. « Une madone de René Thibault à l'église de Limoilou »,
21 mai 1946, p. 4.

LE CANADA

55. « Les débuts de la peinture en Nouvelle-France »,
13 juin 1934, p. 2; 14 juin 1934, p. 2; 5 juillet 1934, p. 2.

56. « Une belle peinture de Joseph Légaré »,
23 juillet 1934, p. 2.

57. « Joseph Légaré copiste »,
14 août 1934, p. 2.

58. « Joseph Légaré copiste »,
12 septembre 1934, p. 2.

59. « Joseph Légaré copiste »,
25 septembre 1934, p. 2.

60. « De surprise en surprise. À l'église de La Présentation »,
30 octobre 1934, p. 2.

61. « Hubert Gravelot à Québec »,
13 novembre 1934, p. 2.

62. « Coup d'oeil sur la peinture canadienne au XIXᵉ siècle »,
19 décembre 1934, p. 2; 20 décembre 1934, p. 2.

63. « Cornelius Krieghoff. Réflexions en marge du livre de Marius Barbeau »,
19 janvier 1935, p. 2; 21 janvier 1935, p. 2.

64. « Portraits de mortes en Nouvelle-France »,
22 mars 1935, p. 2; 25 mars 1935, p. 2.

65. « Renaissance et tradition bourguignonne »,
20 avril 1935, p. 2.

66. « Inexactitudes et erreurs en marge de *Au coeur de Québec* »,
22 avril 1935, p. 2.

67. « Un chapitre de l'histoire des Récollets. À propos d'un ouvrage du P. Jouve »,
24 mai 1935, p. 2.

68. « Les peintures de Plamondon à l'Hôtel-Dieu de Québec »,
28 mai 1935, p. 2.

69. « Joseph Légaré, copiste à l'Hôpital Général de Québec »,
18 juin 1935, p. 2.

70. « Joseph Légaré, copiste à Saint-Roch-des-Aulnaies »,
4 juillet 1935, p. 2.

71. « Le peintre américain Thielke au Bas-Canada »,
10 juillet 1935, p. 2.

72. « Portrait d'un criminel »,
17 juillet 1935, p. 2.

73. « Une belle oeuvre du Frère Luc à Sainte-Anne-de-Beaupré »,
15 août 1935, p. 2.
Repris dans 108.

74. « Un *tableau sublime* exposé à Québec en 1843 »,
18 septembre 1935, p. 2.

75. « Joseph Légaré copiste à l'église de Bécancour »,
12 décembre 1935, p. 2.

76. « Rodolphe Duguay graveur »,
24 janvier 1936, p. 2.

77. « Sur une peinture du frère Luc »,
11 février 1936, p. 2.

78. « Un topographe de l'école romantique. W. H. Bartlett »,
28 février 1936, p. 2.

79. « Un peintre monarchiste »,
30 mars 1936, p. 2.

80. « À l'église du Cap Santé »,
23 juin 1936, p. 2; 24 juin 1936, p. 2.

81. « Michel Dessaillant de Richeterre »,
19 août 1936, p. 2.

82. « Quelques peintures du Frère Luc à l'Hôtel-Dieu de Québec »,
7 octobre 1936, p. 2; 12 octobre 1936, p. 2.

LE DEVOIR

83. « Lettre sur l'art. L'impressionnisme dans les musées parisiens »,
11 juillet 1931, pp. 1 et 7; 13 juillet 1931, pp. 1 et 2.

LE DROIT

84. « Un artiste chez les Agniers. Jean Pierron, Jésuite »,
26 janvier 1935, p. 5.

85. « Deux artistes Récollets au XVIIIᵉ siècle »,
12 mars 1935, p. 2.

86. « Épaves de la révolution française. Les tableaux de l'abbé Calonne »,
27 avril 1935, p. 9.

87. « L'oeuvre du Frère Luc chez les

Ursulines de Québec »,
25 mai 1935, p. 2; 1 juin 1935, p. 2.

88. « Un brelan de portraits au Séminaire des Trois-Rivières »,
3 juillet 1935, p. 6.

89. « Le portrait canadien il y a un siècle »,
29 juillet 1935, p. 2; 3 août 1935, p. 9.

90. « 1870 artistique »,
7 décembre 1935, p. 12; 14 décembre 1935, p. 11; 20 décembre 1935, p. 7.

91. « Le portraitiste De Heer »,
21 février 1936, p. 3; 25 février 1936, p. 3.

92. « Les miracles de Sainte-Anne »,
9 juillet 1936, p. 2; 20 juillet 1936, p. 3.

93. « L'art français en Nouvelle-France au XVIIIe siècle »,
15 août 1936, p. 8; 22 août 1936, p. 6; 29 août 1936, p. 8.

L'ÉVÉNEMENT

94. « L'École du Louvre. Son organisation »,
7 juillet 1934, p. 4.

95. « L'École du Louvre. Souvenirs »,
14 juillet 1934, pp. 4-5; 21 juillet 1934, pp. 4-5.

96. « Exposition de souvenirs historiques à l'Hôtel-Dieu de Québec »,
29 août 1934, pp. 4 et 11.

97. « Une belle peinture du frère Luc »,
17 octobre 1934, pp. 4 et 10.

98. « Le frère Luc architecte »,
25 octobre 1934, pp. 4 et 8.

99. « Par effigie dans un bocal »,
27 octobre 1934, p. 4.

100. « Paul Malépart de Beaucours (1700-1756) »,
5 décembre 1934, p. 4.

101. « Paul-Albert Besnard »,
6 décembre 1934, p. 4.
(non signé)

102. « Un mécène: M. David. Réflexions sur l'oeuvre d'un homme »,
12 décembre 1934, p. 4.

103. « Un curé-peintre, l'abbé Aide-Créqui »,
20 décembre 1934, p. 4.

104. « À propos des lettres de Napoléon »,
24 décembre 1934, p. 4.
(non signé. Attribué à G. Morisset par Edgar Bernard).

105. « Les prouesses picturales de Antoine Plamondon »,
15 janvier 1935, p. 4; 16 janvier 1935, p. 4; 17 janvier 1935, p. 4.
Texte d'une causerie donnée à Thetford Mines.

106. « Propos d'art »,
21 janvier 1935, p. 4.

107. « Une autre de retrouvée. À propos des peintures du Frère Luc »,
21 mars 1935, p. 4.

108. « Une belle oeuvre du Frère Luc à Ste-Anne-de-Beaupré »,
17 août 1935, p. 4.
Tiré de 73.

109. « L'exposition de Jean Palardy »,
27 février 1937, p. 15 et 23.

110. « Paul Richard illustrateur »,
16 avril 1937, p. 4.
Repris dans 120..
Publié simultanément dans 200.

111. « Un peintre québécois. Les toiles de M. G. Pfeiffer »,
18 décembre 1937, p. 3 et 14.
Publié en même temps que 50 et 111.

112. « Exposition André Morency »,
3 avril 1939, p. 4.

113. « L'exposition Cosgrove »,
18 novembre 1939, p. 4.
Publié en même temps que 201.

114. « En marge d'un salon. Marguerite Scott, peintre animalier »,
18 mars 1940, p. 5.

115. « L'influence de l'art français sur le nôtre » (interview par Jacques Monnier),

20 juillet 1946, p. 2.

116. « La Côte de Beaupré devrait être secteur historique (Gérard Morisset) »,
20 mai 1966, p. 16.

LE JOURNAL

117. « Mlle Arline Généreux Aquarelliste »,
19 septembre 1936, pp. 3 et 4.

118. « Paul Richard peintre et aquarelliste »,
16 octobre 1936, pp. 3 et 4.

119. « L'exposition de peinture de M. et Mme Palardy »,
27 février 1937, pp. 9-10.

120. « Paul Richard illustrateur »,
19 avril 1937, p. 4.
Tiré de 110 et 200.

121. « En marge de l'exposition Pfeiffer »,
18 décembre 1937, p. 13 et 9.
Publié en même temps que 50 et 111.

LE JOURNAL
DE L'AGRICULTURE

122. « L'Île d'Orléans, inspiratrice des artistes »,
vol. 39, n° 9 (31 août 1935), pp. 11, 21 et 22.
Numéro spécial consacré à l'Île d'Orléans.

LA NATION

123. « Pour la conservation des oeuvres d'art »,
vol. 1, n° 4 (29 février 1936), p. 4.

L'ORDRE

124. « Sur une belle peinture de Pierre Puget »,
16 mars 1935, p. 3.

LA PATRIE.
JOURNAL DU DIMANCHE

125. « Sur un 200ᵉ anniversaire. Louis Quévillon, fondateur de l'École

des Écorres. 1749-1823 »,
2 octobre 1949, pp. 112 et 86.
(Notice biographique sur G. Morisset)

126. « La chapelle de la rue Dauphine à Québec »,
23 octobre 1949, pp. 26 et 51.

127. « Le trésor de la mission d'Oka »,
13 novembre 1949, p. 18.

128. « Un chef-d'oeuvre d'architecture religieuse: l'église de L'Acadie »,
20 novembre 1949, pp. 26, 51, x, 21.
Repris dans 29 et 318.

129. « Le sculpteur Louis-Thomas Berlinguet »,
11 décembre 1949, pp. 26 et 50.

130. « En flânant sur la côte de Beaupré »,
18 décembre 1949, pp. 26 et 27.

131. « Les maisons de l'Île de Montréal »,
25 décembre 1949, pp. 14-16 et 33.
Repris dans 267.

132. « L'orfèvre Paul Lambert dit Saint-Paul »,
1 janvier 1950, pp. 14 et 38.

133. « Une dynastie d'artisans: les Levasseur »,
8 janvier 1950, pp. 14, 15 et 39.

134. « Bibelots et futilités »,
15 janvier 1950, pp. 14-15.

135. « Le recensement de Québec en 1744 »,
22 janvier 1950, pp. 14-15.

136. « Maîtres, compagnons et apprentis »,
29 janvier 1950, pp. 26-27.

137. « Un bâtisseur d'autrefois: Vachon de Belmont »,
12 février 1950, pp. 18 et 31.
Repris dans 268.

138. « Chapelles de procession »,
19 février 1950, pp. 14-15.
Repris dans 248.

139. « Un cordonnier-orfèvre: Michel Cotton »,

26 février 1950, pp. 18 et 26.

140. « Québec en 1793 »,
5 mars 1950, pp. 18-19.

141. « Les vases d'or de l'église de l'Islet »,
12 mars 1950, pp. 18 et 42.
Repris dans 327 avec légères modifications.

142. « Le peintre François Beaucourt »,
19 mars 1950, pp. 26 et 50.
Repris dans 293.

143. « La passion du Christ dans l'art canadien »,
26 mars 1950, pp. 25, 40-41 et 50.

144. « Giuseppe Fascio, le miniaturiste »,
9 avril 1950, pp. 26 et 38.

145. « L'église de la Sainte-Famille »,
16 avril 1950, pp. 26 et 54.

146. « Mon patelin: le Cap Santé »,
23 avril 1950, pp. 26-27 et 54.

147. « L'orfèvre Louis-Alexandre Picard »,
30 avril 1950, pp. 37-38.

148. « L'architecte Victor Bourgeau »,
7 mai 1950, pp. 26-27.

149. « Madones canadiennes d'autrefois »,
14 mai 1950, pp. 26, 35 et 37.
Repris dans 281.

150. « Montréal au début du XIXᵉ siècle »,
21 mai 1950, pp. 26 et 50.

151. « L'église de Saint-Jean-Port-Joli »,
28 mai 1950, pp. 40-41 et 45.

152. « L'orfèvre François Sasseville »,
4 juin 1950, pp. 26 et 35.
Repris dans 300.

153. « Le sculpteur Philippe Hébert »,
11 juin 1950, pp. 26, 34 et 50.

154. « Un ancien gouverneur de Montréal »,
18 juin 1950, pp. 27-28 et 47.

155. « Saint-Jean-Baptiste dans l'art canadien »,
25 juin 1950, pp. 25, 35 et 39.

156. « Un perruquier-orfèvre »,
2 juillet 1950, pp. 28-30.

157. « Le sculpteur Jacques Leblond dit Latour »,
9 juillet 1950, pp. 18 et 46.

158. « Le centenaire de l'église de Lévis »,
16 juillet 1950, pp. 18-19 et 46-47.

159. « En marge de la fête de la mère de la Sainte-Vierge. Les ex-voto de Sainte-Anne-de-Beaupré »,
23 juillet 1950, pp. 17 et 46-47.
Tiré de 1 vol. 1 avec modifications.

160. « Les Janson dit La Palme »,
30 juillet 1950, pp. 18 et 46.

161. « Québec, ville fortifiée »,
6 août 1950, pp. 14-15 et 24-25.
Repris dans 270.

162. « Une dynastie d'artisans: les Baillairgé »,
13 août 1950, pp. 18, 42 et 46.

163. « Un peintre chez les iroquois »,
20 août 1950, pp. 18, 31 et 46.

164. « Notre art religieux »,
27 août 1950, pp. 26-27 et 50.

165. « Une académie canadienne d'autrefois »,
3 septembre 1950, pp. 18 et 45.

166. « Un maître-maçon d'autrefois »,
24 septembre 1950, pp. 26-27 et 51.
Repris dans 292.

167. « L'École des Arts et Métiers de Saint-Joachim »,
1 octobre 1950, pp. 26-27 et 37.
Repris dans 291.

168. « Les premiers bâtisseurs »,
8 octobre 1950, pp. 26 et 50.

169. « Le dix-neuvième siècle et nous »,
15 octobre 1950, pp. 26-27 et 51.

170. « L'orfèvrerie française au Canada »,

22 octobre 1950, pp. 26-27 et 55.

171. « Michel Dessailliant de Richeterre »,
29 octobre 1950, pp. 26-27 et 53.

172. « François de la Joue, maître d'oeuvre »,
5 novembre 1950, pp. 26-27 et 39.
Repris dans 271.

173. « Martin et Antoine Cirier »,
12 novembre 1950, pp. 26-27 et 50.

174. « L'église de Saint-André (Kamouraska) »,
19 novembre 1950, pp. 26-27 et 39.

175. « L'orfèvre Roland Paradis »,
26 novembre 1950, pp. 26 et 31.

176. « L'église de Saint-Pierre de Montmagny »,
3 décembre 1950, pp. 26-27 et 50.

177. « Chaussegros De Léry »,
10 décembre 1950, pp. 26, 54 et 55.
Repris dans 274.

178. « L'album de Jacques Viger »,
17 décembre 1950, pp. 26-27 et 55.
Repris dans 272.

179. « L'église de Deschambault »,
4 février 1951, pp. 18-19.

180. « La chapelle de Monseigneur Briand »,
18 février 1951, pp. 26-27.

181. « Le peintre-chansonnier Jean Berger »,
25 février 1951, p. 26.

182. « Denis Mallet, le sculpteur »,
4 mars 1951, pp. 41 et 51.

183. « Une église de style Louis XVI: Saint-Joachim »,
2 septembre 1951, pp. 19 et 33.

184. « La ville de Québec en 1830 »,
20 janvier 1952, pp. 28-29.

185. « Le sculpteur Louis-Xavier Leprohon »,
13 juillet 1952, pp. 20-21.

186. « Le sculpteur Nicolas Manny »,
28 août 1952, pp. 28-29.

187. « Le sculpteur ornemaniste Jean Valin »,
21 septembre 1952, pp. 36-37.

188. « Pierre-Noël Levasseur (1690-1770) »,
9 novembre 1952, pp. 36-37.

189. « Un deuxième centenaire: Saint-Charles de Bellechasse »,
7 décembre 1952, pp. 36-37.

190. « L'abbé Pierre Conefroy, 1752-1816 »,
28 décembre 1952, pp. 24-25.
Repris dans 221 avec légères modifications.

191. « L'architecte François Baillairgé »,
8 février 1953, pp. 36-37.

192. « L'hôtel Chevalier à Québec »,
1 mars 1953, pp. 36-37.

193. « Une figure inconnue. Jérôme Demers »,
22 mars 1953, pp. 36-37.

194. « Un beau retable de Thomas Baillairgé »,
12 avril 1953, pp. 36-37.

195. « Chaire et banc d'oeuvre »,
12 juillet 1953, pp. 28-29.

196. « Le sculpteur Pierre Émond (1738-1808) »,
30 août 1953, pp. 28-29.
Tiré de 296.

LA PRESSE

197. « Une civilisation originale et riche. Le Musée de la Province en offre le fidèle miroir »,
23 juin 1954, p.   .

LA RENAISSANCE

198. « Deux chefs-d'oeuvre de Plamondon »,
vol. 1, n° 10 (24 août 1935), p. 5; vol. 1, n° 11 (31 août 1935), p. 5.

LE SOLEIL

199. « L'exposition Théophile Hamel »,

28 mars 1936, p. 9.

200. « Paul Richard illustrateur »,
16 avril 1937, p.   .
Simultanément dans 110.
Repris dans 120.

201. « Appréciation de Morisset sur
l'exposition Cosgrove »,
18 novembre 1939, p. 6.
Publié en même temps que 113.

202. « L'histoire de l'art au Canada
Français vue par Gérard Morisset »,
24 décembre 1964, p. 5.

PÉRIODIQUES

L'ACTION NATIONALE

203. « Notre héritage français dans
les arts »,
vol. 15, n⁰ 6 (juin 1940), pp. 418-425.
(Texte inédit d'une causerie prononcée au réseau français de Radio-Canada).

L'ACTION UNIVERSITAIRE

204. « L'homme, le pire ennemi de
ses oeuvres »,
vol. 10, n⁰ 7 (mars 1944), pp. 7-13.
Repris dans 251.

205. « Nos trésors artistiques »,
vol. 14, n⁰ 1 (octobre 1947), pp. 62-69.

L'ADMINISTRATION
PAROISSIALE

206. « Les archives paroissiales,
sources principales de l'histoire de
nos arts plastiques »,
vol. 1, n⁰ 4 (mars-avril 1961), pp. 6-7.
(Texte de la conférence prononcée le
12 avril 1961 lors de la remise officielle du Prix Duvernay).

ALMANACH DE L'ACTION
SOCIALE CATHOLIQUE

207. « Édifices religieux en France et
chez nous »,
vol. 8 (1924), pp. 79-85.

208. « L'art religieux chez nous »,
vol. 9 (1925), pp. 60-68.

209. « Propos d'architecture religieuse. Architecture religieuse nationale. Rationalisme en architecture.
Styles »,
vol. 10 (1926), pp. 108-114.

210. « Le rationalisme en architecture »,
vol. 11 (1927), pp. 39-44.

211. « Propos d'architecture. Le classicisme et ses faux dogmes ».
vol. 12 (1928), pp. 57-62.

212. « Propos d'architecture. Architecture religieuse moderne »,
vol. 13 (1929), pp. 53-57.

212a. « L'église de Noordhoek (Hollande) »,
vol. 13 (1929), pp. 55-56.

213. « Trois artistes chrétiens: Bossan, Dufraine, Borel »,
vol. 15 (1931), pp. 55-59.

214. « Pierrefonds »,
vol. 17 (1933), pp. 47-55.

215. « Saint-Germain-en-Laye »,
vol. 18 (1934), pp. 81-85.

216. « Plamondon à Neuville »,
vol. 19 (1935), pp. 53-55.

217. « La chasse aux tourtes »,
vol. 20 (1936), pp. 46-48.

218. « Une église de notre époque:
Matane »,
vol. 21 (1937), pp. 64-66.

219. « Alonzo Cinq-Mars »,
vol. 21 (1937), p. 80.

ALMANACH DE
SAINT-FRANÇOIS D'ASSISE

220. « Les Récollets et les arts en
Nouvelle-France »,
1948, pp. 26-32.

ARCHITECTURE. BÂTIMENT.
CONSTRUCTION.

221. « L'influence de l'abbé Conefroy sur notre architecture religieuse »,
vol. 8, n⁰ 82 (février 1953), pp. 36-39.

Tiré de 190 avec légères modifications.

ART BULLETIN

222. « Alan Gowans. 'Church Architecture in New France. . .' »,
vol. 39, n° 3 (septembre 1957), pp. 242-243.
(Compte rendu de livre en anglais).

ARTS ET PENSÉES

223. « Acquisitions récentes au Musée de la Province »,
vol. 3, n° 16 (avril 1954), pp. 119-121.

BULLETIN DES
ÉTUDES FRANÇAISES

224. « Après le traité de Paris »,
vol. 2, n° 7 (mai 1942), pp. 181-184.

BULLETIN DES
RECHERCHES HISTORIQUES

225. « Québec, ville sacrifiée »,
vol. 55, n° 7-8-9 (juillet-août-septembre 1949), pp. 131-137.

226. « L'orfèvre François Chambellan »,
vol. 51, n° 1-2 (janvier-février 1945), pp. 31-35.

227. « Boisberthelot de Beaucours »,
vol. 59, n° 1 (janvier-février-mars 1953), pp. 11-21.

228. « Nicolas Gaudin dit Lapoterie »,
vol. 62, n° 1 (janvier-février-mars 1956), pp. 47-53.

229. « Louis-Nicolas Gaudin dit Lapoterie »,
vol. 62, n° 3 (juillet-août, septembre 1956), pp. 157-158.

LE CANADA FRANÇAIS

230. « La collection Desjardins. Un brelan de tableaux »,
vol. 21, n° 1 (septembre 1933), pp. 61-67.

231. « La peinture en Nouvelle-France. Sainte-Anne-de-Beaupré »,
vol. 21, n° 3 (novembre 1933), pp. 209-226.

232. « La collection Desjardins. Les tableaux de l'ancienne cathédrale de Québec »,
vol. 21, n° 9 (mai 1934), pp. 807-813.

233. « La collection Desjardins et les peintures de l'école canadienne à Saint-Roch de Québec »,
vol. 22, n° 2 (octobre 1934), pp. 115-126.

234. « La collection Desjardins. Les tableaux de l'église de Saint-Antoine-de-Tilly »,
vol. 22, n° 3 (novembre 1934), pp. 206-214.

235. « La collection Desjardins à Saint-Henri-de-Lauzon »,
vol. 22, n° 4 (décembre 1934), pp. 316-328.

236. « La collection Desjardins à la Baie-du-Fèbvre »,
vol. 22, n° 5 (janvier 1935), pp. 427-440.

237. « La collection Desjardins à Saint-Michel-de-la-Durantaye et au Séminaire de Québec »,
vol. 22, n° 6 (février 1935), pp. 552-561.

238. « La collection Desjardins à l'Hôtel-Dieu et à l'Hôpital-Général »,
vol. 22, n° 7 (mars 1935), pp. 620-625.

239. « La collection Desjardins à l'église de Sillery et ailleurs »,
vol. 22, n° 8 (avril 1935), pp. 734-746.

240. « La collection Desjardins au Couvent des Ursulines de Québec »,
vol. 22, n° 9 (mai 1935), pp. 855-868; vol. 23, n° 1 (septembre 1935), pp. 37-48.

241. « La collection Desjardins à Verchères et à Saint-Denis-sur-Richelieu »,
vol. 23, n° 3 (novembre 1935), pp. 226-234.

242. « La collection Desjardins au Musée de l'Université Laval »,
vol. 23, n° 5 (janvier 1936), pp. 446-456; vol. 24, n° 2 (octobre 1936), pp.

107-118.

CANADIAN GEOGRAPHICAL
JOURNAL

243. « Old Churches of Québec »,
vol. 43, n° 3 (septembre 1951), pp.
100-115.
Texte en anglais.

244. « Quebec — The Country
House. Québec — La maison rurale »,
vol. 57, n° 6 (décembre 1958), pp.
178-195.
Repris dans 15.

COLOMBIA

245. « Nos premiers bâtisseurs »,
janvier 1967, p. 40.

CONCORDE

246. « Les portraits de François de
Laval »,
vol. 10, n° 9-10 (septembre-octobre
1959), pp. 14-15.

247. « . . . Un grand portraitiste,
Antoine Plamondon »,
vol. 11, n°ˢ 5-6 (mai-juin 1960), pp.
14-15.

248. « Chapelles de procession »,
vol. 11, n°ˢ 7-8 (juillet-août 1960),
pp. 3-5.
Tiré de 138.

CULTURE

249. « Gauvreau, Jean-Marie, 'Artisans du Québec' »,
vol. 3 (1942), pp. 143-144.

LE DOCUMENTAIRE

250. « Entretiens sur les arts au Canada »,
vol. 4, n° 7 (février 1942), pp. 212-214.

251. « L'homme, le pire ennemi de
ses oeuvres »,
vol. 8, n° 8 (mars 1946), pp. 239-241;
vol. 8, n° 9 (avril 1946), pp. 273-276.
Tiré de 204.

EDHEC INFORMATIONS

252. « L'art au Canada »,
n° spécial (1961), pp. 132-136.

L'ENSEIGNEMENT PRIMAIRE

253. « Le dessin à l'école primaire »,
vol. 57, n° 3 (novembre 1935), pp.
161-163; vol. 57, n° 4 (décembre 1935),
pp. 219-221; vol. 57, n° 5 (janvier
1936), pp. 286-287.

254. « Concours de dessin organisé
par le département de l'Instruction
Publique de la Province de Québec »,
vol. 57, n° 4 (décembre 1935), pp.
221-222; vol. 57, n° 5 (janvier 1936),
p. 287; vol. 57, n° 6 (février 1936),
p. 348; vol. 57, n° 8 (avril 1936), p.
501; vol. 57, n° 10 (juin 1936), p. 626.

255. « Le dessin »,
vol. 58, n° 1 (septembre 1936), pp.
7-8.

256. [« La France apportant le bien-
fait de la foi aux Indiens de la Nouvelle-France »],
vol. 58, n° 2 (octobre 1936), p. 91.

257. « Montréal et ses artisans »,
3ᵉ série, vol. 1, n° 10 (juin 1941), pp.
891-900.
(N° spécial: 3ᵉ centenaire de Montréal).

L'ESTUDIANT (SÉMINAIRE
DE JOLIETTE)

258. « Les splendeurs de l'église de
Berthier-en-Haut »,
vol. 9, n° 2 (novembre-décembre
1944), pp. 4-5.
Repris dans 322.

FORCES

259. « Notre orfèvrerie au XVIIIᵉ
siècle »,
n° 5 (printemps-été 1968), pp. 14-17.

HABITAT

260. « Le Parlement de Québec »,
vol. 3, n° 6 (novembre-décembre
1960), pp. 25-28.

261. « Charme de Québec »,
vol. 10, nᵒˢ 3-6 (nᵒ du Centenaire 1967), pp. 30-33.

MÉDECINE
DE FRANCE

262. « L'art français au Canada »,
nᵒ 85 (1957), pp. 17-32.

LE MONDE FRANÇAIS

263. « L'influence française sur le goût au Canada »,
vol. 5, nᵒ 17 (février 1947), pp. 233-241.

MONTRÉAL.
HÔTEL-DIEU. JOURNAL

264. « Le trésor de l'Hôtel-Dieu (Simples notes) »,
vol. 11, nᵒ 6 (novembre-décembre 1942), pp. 451-461.

LA PETITE REVUE

265. « Un quart d'heure chez Ranvoyzé »,
vol. 16, nᵒ 5 (mai 1947), pp. 3-5 et 34.

POINTS DE VUE

266. « Noël et nos artistes »,
vol. 1, nᵒ 4 (décembre 1955), pp. 6-9.
Tiré de 285.

LA PROPRIÉTÉ
ET LA CONSTRUCTION

267. « Les maisons de l'Île de Montréal »,
vol. 5, nᵒ 2 (février 1950), pp. 13-16.
Tiré de 131.

268. « Un bâtisseur d'autrefois: Vachon de Belmont »,
vol. 5, nᵒ 3 (mars 1950), pp. 13-15.
Tiré de 137.

269. « Autour de l'urbanisme. La ville grandit quand même »,
vol. 5, nᵒˢ 6-7 (juin-juillet 1950), pp. 13-14 et 16.
Repris dans 317.

270. « Québec, ville fortifiée »,

vol. 6, nᵒ 2 (février 1951), pp. 9-12 et 14.
Tiré de 161.

271. « La petite histoire de la construction dans le Québec. Un célèbre maître-maçon: François de La Joue »,
vol. 6, nᵒ 3 (mars 1951), pp. 17-18 et 26.
Tiré de 172.

272. « L'histoire de la construction au Canada. L'album de Jacques Viger »,
vol. 6, nᵒ 10 (octobre 1951), pp. 17 et 28-31.
Tiré de 178.

273. « Autour de l'urbanisme. La ville se dégage de la forêt »,
vol. 6, nᵒ 11 (novembre 1951), pp. 18-23.
Tiré de 317.

274. « L'histoire de la construction au Canada. Un grand architecte: Chaussegros de Léry »,
vol. 7, nᵒ 5 (mai 1952), pp. 15-16 et 28-29.
Tiré de 177.

LA REVUE DES VOYAGES

275. « Le vieux Québec à pas pardus »,
nᵒ 61 (été 1966), pp. 54-57.

LA REVUE DU NOTARIAT

276. « Sur l'évaluation des propriétés immobilières »,
vol. 29, nᵒ 9 (avril 1927), pp. 268-272; vol. 29, nᵒ 10 (mai 1927), pp. 289-295; vol. 30, nᵒ 4 (novembre 1927), pp. 108-114.

277. « Réflexions sur des écritures »,
vol. 51, nᵒ 4 (novembre 1948), pp. 113-118; vol. 51, nᵒ 5 (décembre 1948), pp. 183-189.

LA REVUE FRANÇAISE
DE L'ÉLITE EUROPÉENNE

278. « Trésors d'Art de la province »,
nᵒ 43 (février 1953), pp. 35-40.

279. « L'orfèvrerie canadienne »,

nᵒ 59 (août 1954), pp. 60-64.
Tiré de 306.

280. « Montréal vu par les artistes »,
nᵒ 148 (janvier 1963), pp. 31-38.

281. « Madones canadiennes »,
nᵒ 241 (mars-avril 1971), pp. 11-16.
Tiré de 149.

LA REVUE MODERNE

282. « Un très grand artiste: Philippe
Liébert »,
vol. 23, nᵒ 10 (février 1942), pp. 16-17
et 23-28.

LA REVUE POPULAIRE

283. « Réflexions sur la peinture
moderne »,
vol. 39, nᵒ 10 (octobre 1946), pp. 10
et 62-63.

284. « Les pionniers de la photographie canadienne »,
vol. 44, nᵒ 9 (septembre 1951), pp.
14-15, 58 et 60-63.
Repris dans 323.

285. « La Noël dans l'art canadien »,
vol. 44, nᵒ 12 (décembre 1951), pp.
14-15 et 66.
Repris dans 266.

286. « Sur une querelle musicale
d'autrefois »,
vol. 45, nᵒ 8 (août 1952), pp. 12-13 et
41-42.

287. « Québec tel qu'il était. . . »,
vol. 47, nᵒ 7 (juillet 1954), pp. 8, 9
et 36.

SOCIÉTÉ CANADIENNE
D'HISTOIRE DE L'ÉGLISE
CATHOLIQUE. RAPPORT.

288. « Destin de nos oeuvres d'art »,
1945-1946, pp. 53-54.
(Résumé de la causerie de Gérard
Morisset).

289. « Coup d'oeil sur les trésors
artistiques de nos paroisses »,
1947-1948, pp. 61-63.

290. « La sculpture religieuse sous
le régime français »,

1950-1951, pp. 25-27.

SOCIÉTÉ GÉNÉALOGIQUE
CANADIENNE-FRANÇAISE.
MÉMOIRES

291. « Généalogie et petite histoire.
L'école des Arts et Métiers de Saint-
Joachim »,
vol. 16, nᵒ 2 (avril-mai-juin 1965),
pp. 67-73.
Tiré de 167.

292. « Généalogie et petite histoire.
Un maître-maçon d'autrefois, Claude
Baillif »,
vol. 16, nᵒ 3 (juillet-août-septembre
1965), pp. 131-137.
Tiré de 166.

293. « Généalogie et petite histoire.
Le peintre François Beaucourt »,
vol. 16, nᵒ 4 (octobre, novembre, décembre 1965), pp. 195-199.
Tiré de 142.

SOCIÉTÉ HISTORIQUE
DU CANADA.
RAPPORT ANNUEL

293a. « Les arts au Canada sous le
régime français »,
1948, pp. 23-27.

SOCIÉTÉ ROYALE
DU CANADA. MÉMOIRES

294. « Réponse de M. Gérard Morisset »,
Présentations (Société Royale du
Canada. Section française), vol. 1
(1943-1944), pp. 21-28.

295. « L'instrument de paix »,
Section 1, 3ᵉ série, tome 39 (1945),
pp. 143-161.

296. « Le sculpteur Pierre Émond
(1738-1808) »,
Section 1, 3ᵉ série, tome 40 (mai 1946),
pp. 91-99.
Repris dans 196.

297. « La Tasse à Quêter »,
Section 1, 3ᵉ série, tome 41 (mai 1947),
pp. 63-68.

298. « Essai sur l'art moderne »,

Section 1, 3ᵉ série, tome 44 (juin 1950), pp. 55-66.
Tiré de 313.

299. « L'orfèvre Paul Morand 1784-1854 »,
Section 1, 3ᵉ série, tome 48 (juin 1954), pp. 29-36.

300. « L'orfèvre François Sasseville »,
Section 1, 3ᵉ série, tome 49 (juin 1955), pp. 51-54.
Tiré de 152 avec légères modifications.

TECHNIQUE

301. « Les arts domestiques hier et aujourd'hui »,
vol. 14, nº 3 (mars 1939), pp. 205-238.

302. « Un chef-d'oeuvre de François Sasseville »,
vol. 17, nº 8 (octobre 1942), pp. 526-539.

303. « Saint-Martin (île Jésus) après le sinistre 19 Du mai (sic) »,
vol. 17, nº 9 (novembre 1942), pp. 597-605.

304. « Simple rectification »,
vol. 18, nº 1 (janvier 1943), p. 28.
Rectificatif à l'article 303.

305. « À l'église de Châteauguay »,
vol. 18, nº 7 (octobre 1943), pp. 570-572.

306. « L'orfèvrerie canadienne »,
vol. 22, n° 3 (mars 1947), pp. 83-88.
Repris dans 279.

307. « Nos orfèvres canadiens. Pierre Lespérance (1819-1882) »,
vol. 22, nº 4 (avril 1947), pp. 201-209.

308. « Jean Baillairgé (1726-1805) »,
vol. 22, nº 7 (septembre 1947), pp. 415-425.

309. « Pierre-Florent Baillairgé (1761-1812) »,
vol. 22, nº 9 (novembre 1947), pp. 603-610.

310. « François Baillairgé (1759-1830) »,
vol. 23, nº 1 (janvier 1948), pp. 27-32;

« — L'architecte »,
vol. 23, nº 3 (mars 1948), pp. 159-163;
« — Le peintre »,
vol. 23, nº 4 (avril 1948), pp. 227-232;
« — Le sculpteur »,
vol. 24, nº 2 (février 1949), pp. 89-94;
vol. 24, nº 3 (mars 1949), pp. 187-191;
vol. 24, nº 4 (avril 1949), pp. 233-238.

311. « Le père Marseille et ses marionnettes »,
vol. 24, nº 1 (janvier 1949), pp. 3-5.

312. « Thomas Baillairgé 1791-1859 »,
« — Architecte et sculpteur »,
vol. 24, nº 7 (septembre 1949), pp. 469-474;
« — II L'architecte »,
vol. 26, nº 1 (janvier 1951), pp. 13-21;
« — III Le sculpteur »,
vol. 26, nº 4 (avril 1951), pp. 245-251.

313. « Réflexions sur l'art moderne — essai »,
vol. 25, nº 2 (février 1950), pp. 109-116.
Repris dans 298.

314. « Jacques Pagé dit Quercy (1682-1742) »,
vol. 25, nº 9 (novembre 1950), pp. 589-600.

315. « L'influence des Baillairgé »,
vol. 26, nº 5 (mai 1951), pp. 307-314.

316. « Voici les vacances. . . que faire? »,
vol. 26, nº 6 (juin 1951), pp. 389-396.

317. « Autour de l'urbanisme »,
a. « — La ville se dégage de la forêt »,
vol. 26, nº 8 (octobre 1951), pp. 523-528;
b. « — La ville se hérisse de murailles »,
vol. 26, nº 9 (novembre 1951), pp. 601-608;
c. « — La ville grandit quand même »,
vol. 26, nº 10 (décembre 1951), pp. 685-691.
a. Repris dans 273.
c. Tiré de 269.
a. b. c. Repris dans 12.

318. « L'église de L'Acadie »,
vol. 27, nº 1 (janvier 1952), pp. 3-8.

Tiré de 128.
Repris dans 29.

319. « La maquette de Jean-Baptiste Duberger »,
vol. 27, n° 4 (avril 1952), pp. 219-227.

320. « Une saison en bandoulière »,
vol. 27, n° 6 (juin 1952), pp. 363-368.

321. « Le sculpteur Gilles Bolvin »,
vol. 27, n° 9 (novembre 1952), pp. 609-619.
Tiré de 335.

322. « L'église de Berthier-en-Haut »,
vol. 28, n° 3 (mars 1953), pp. 149-156.
Tiré de 258.

323. « Les pionniers de la photographie au Canada »,
vol. 28, n° 4 (avril 1953), pp. 223-230.
Tiré de 284.

324. « Un primitif: Jean-Baptiste Roy-Audy »,
« — Son existence »,
vol. 28, n° 7 (septembre 1953), pp. 443-450;
« — Son oeuvre »,
vol. 28, n° 8 (octobre 1953), pp. 539-546.

325. « À bâtons rompus »,
vol. 28, n° 10 (décembre 1953), pp. 657-661.

326. « L'orfèvre Roland Paradis »,
vol. 29, n° 7 (septembre 1954), pp. 437-442.

327. « Les vases d'or de l'église de L'Islet »,
vol. 30, n° 4 (avril 1955), pp. 227-231.
Tiré de 141 avec légères modifications.

LE TERROIR

328. « Deux jolies peintures »,
vol. 16, n° 5 (octobre 1934), pp. 7-8.

329. « Le Noël de nos artistes »,
vol. 16, n° 6-7 (novembre-décembre 1934), p. 23.

330. « Le portrait de femme dans la peinture canadienne »,
vol. 17, n° 10 (mars 1937), p. 5.
Résumé d'une causerie donnée au Palais Montcalm le 13 février sous les auspices de la Société des Arts, Sciences et Lettres.

331. « Coup d'oeil sur notre histoire artistique »,
vol. 18, n° 7 (décembre 1937), pp. 5-7.
Causerie prononcée le 13 décembre au poste CRCK par M. Gérard Morisset.

UNIVERSITÉ D'OTTAWA. REVUE

332. « Les missions indiennes et la peinture. I La peinture anonyme »,
vol. 4 (1934), pp. 308-320.
(mention: à suivre; article sans suite).

333. « L'orfèvre Michel Levasseur »,
vol. 17 (septembre 1947), pp. 339-349.

UNIVERSITÉ LAVAL. REVUE

334. « Le fondeur de cloches Pierre Latour »,
vol. 3, n° 7 (mars 1949), pp. 546-572.

335. « Le sculpteur sur bois, Gilles Bolvin »,
vol. 3, n° 8 (avril 1949), pp. 684-695.
Repris dans 321.

VIE DES ARTS

336. « Portraits de cadavres »,
n° 1 (janvier-février 1956), pp. 20-23.

337. « Expositions [Ozias Leduc] »,
n° 1 (janvier-février 1956), p. 32.

338. [« Dictionnaire de la peinture moderne (compte rendu)] »,
n° 2 (mars-avril 1956), p. 28.

339. « Antoine Plamondon (1804-1895) »,
n° 3 (mai-juin 1956), pp. 7-13.

340. « À propos de Jacques-Louis David »,
n° 3 (mai-juin 1956), pp. 22-23.

341. « Livres [sur Mozart] »,
n° 3 (mai-juin 1956), p. 35.

342. « Paul Beaucourt (1700-1756) »,
n° 4 (septembre-octobre 1956), pp.

20-21.

343. « Expositions »,
n° 4 (septembre-octobre 1956), pp.
25-27.

344. « L'album de Jacques Viger »,
n° 8 (automne 1957), pp. 15-18.

345. « La peinture française à l'Université Laval »,
n° 19 (été 1960), pp. 13-17.

346. « Héritage de France »,
n° 24 (automne 1961), pp. 27-38.

347. « Sculpture et arts décoratifs »,
n° 26 (printemps 1962), pp. 38-42.

INDEX ANALYTIQUE

par Monique Cloutier

Imprimé au Québec (Canada)